Para Rolena
y David

una torcedura
más

Cariños

Luorgo
junio / 95

# ESGUINCE de CINTURA

## ENSAYOS sobre NARRATIVA MEXICANA del SIGLO XX

Una nueva selección de los narradores, poetas y ensayistas que han forjado la literatura mexicana del presente siglo

# ESGUINCE
# de CINTURA

## Margo Glantz

Tercera **88** Serie
**LECTURAS** **MEXICANAS**

Consejo Nacional
para la
Cultura y las Artes

Primera edición en Lecturas Mexicanas: 1994

Producción: Dirección General de Publicaciones del
       CONSEJO NACIONAL PARA LA CULTURA
       Y LAS ARTES

D.R.  © 1994, para la presente edición
       Dirección General de Publicaciones
       Calz. México Coyoacán 371
       Xoco, CP 03330

ISBN 968-29-7538-7

Impreso y hecho en México

# ÍNDICE

# PRESENTACIÓN

Compilo en este volumen mis ensayos sobre literatura mexicana del siglo XX. Algunos de los textos son inéditos, pero la mayor parte fueron publicados en libros (*Repeticiones*, *La lengua en la mano*, *Onda y escritura*, *Intervención y pretexto*) o en revistas y periódicos mexicanos o extranjeros.

Creí necesario iniciar la compilación revisando a dos autores del porfiriato, José Tomás de Cuéllar y Federico Gamboa, cuya visión del país los sitúa en un umbral de modernidad. Reviso luego a algunos autores del Ateneo de la Juventud: un ensayo inédito sobre Martín Luis Guzmán y *La sombra del caudillo*, textos sobre Alfonso Reyes y dos de sus máximas obsesiones, la gastronómica y la helénica; para terminar con los ateneístas, una mirada sobre la curiosa y malabarista visión del mundo de Julio Torri; como corolario de esa primera parte del libro, añado un texto breve sobre *Al filo del agua* de Agustín Yáñez. La segunda parte del volumen está dedicada a escritores que empiezan a publicar a partir de la década de 1950: Juan José Arreola, Carlos Fuentes, Elena Garro, Tito Monterroso, Sergio Fernández, Sergio Pitol, José Emilio Pacheco, Salvador Elizondo, Julieta Campos. He dejado para el final mis textos sobre literatura femenina, comentada en "Las hijas de la Malinche", y concluyo la compilación con mis ensayos sobre la Onda.

No he pretendido trazar en este libro un panorama exhaustivo de la literatura mexicana del siglo XX. Se trata más bien de reiterar una forma de ver, una cierta mirada colocada sobre una escritura producida a lo largo de más de cincuenta años, una mirada que revela ciertas constancias y grandes violencias, una mirada que muestra los cambios acaecidos en la forma de contemplar la realidad de nuestros escritores y su capacidad de transformar el sentido que tenían las palabras antes de que ellos empezaran a escribir.

Creo, también, que puede advertirse en la mirada que aquí propongo mi propia versión de esa realidad escrita, una versión que

9

se ha ido modificando, como debe de ser, pero que mantiene con todo ciertas constantes y que revela además y quizá un cierto imaginario, el mío propio.

*Margo Glantz*

# DE PIE SOBRE LA LITERATURA MEXICANA

## Embozo de un erotismo

El pie sostiene al hombre: es el soporte de su persona. El pie resalta arquitectónicamente como en otros tiempos; pilastra o columna que nos sostiene erectos; símbolo del sol para algunos, parte medular de nosotros mismos, para otros representa el alma. A Freud el pie le sobra y el significado es fálico. La posición erecta que el hombre le ganó al mono cuando se bajó de las ramas altas a las que la prehistoria lo confinaba, lo convierte a su vez en un árbol (Bataille) cuya erección es perfecta. El pie es también la huella de la muerte, pues a pasos rápidos marchamos hacia ella.

Símbolo disperso, plurivalente, el pie desnudo significa la esclavitud entre los griegos y el hombre libre lo calza como toca su cabeza. El calzado libera al hombre pero lo esclaviza a sus pies. El calzado que encubre la desnudez primigenia, la del soporte que nos mantiene erguidos sobre la triple y despiadada simbolización del pie que representa el alma, el enlace entre la tierra y el cielo y la erección germinal, es también embozo de erotismos.

Pero, ¿a la mujer quién la sostiene? ¿El pie que sostiene al hombre es el mismo que sostiene a la mujer? ¿Hay alguna diferencia entre un pie femenino y un pie masculino? Cuando Bataille escribe en *Documents* su famoso ensayo sobre el dedo gordo del pie, ¿piensa acaso si esos dedos gruesos, cómicos o monstruosos, armónicos o crísticos, pertenecen al hombre como género humano o al hombre como representante de lo masculino? Esos pies que se hunden en el fango y que son el símbolo de lo bajo, ¿lo son sin diferencia de sexos? Las relaciones eróticas que los dedos de los pies, gordos o pequeños, sugieren, y los tabúes violentos que prohíben su exhibición, señalan a las representantes del sexo femenino como detentoras de un cuerpo que posee un miembro ofensivo al pudor y por ello las obligan a atrofiarlo y a ocultarlo. Las chinas tienen que esconder sus pies aun ante sus maridos, y las turcas deben dormir con medias. Los

11

españoles del siglo XVII subían a sus mujeres sobre un estrado, las colocaban sobre escalones que había que subir a pie, instituyendo a la vez un pedestal y una marginación. El recato que se debe a lo femenino alcanza por igual lo alto y lo bajo de su persona y la doncella del siglo XVI debe tener dos señales en España: "ser siendo virgen *sin ojos y sin pies*, y debéis entenderlo por el recogimiento y loables costumbres, no viendo ni deseando más de lo justo, y así fácilmente hallará la doncella marido".[1] Este recato que la obliga a encubrir y a ocultar lo que no se quiere que se vea o que se sepa, la mutila y la ciega. No ver ni tener pies es cancelar el deseo y negar su posible erotismo. Este recato que impide mirar a los ojos y enseñar los pies pretende negar su existencia y enlaza las extremidades a la mirada, pues, ¿qué otra cosa puede hacer una mujer que tiene los ojos bajos sino mirarse los pies? Mas esta misma dama que baja la mirada sólo encuentra un largo manto que la envuelve. Su contacto consigo misma, aunque material, por el género que mira y que la cubre, no puede ser carnal pues contemplar el propio cuerpo es ya pecado.

El texto de Bataille trasciende la feminidad del pie y se detiene en la simbología de lo bajo y de lo alto que en filisteo maniqueísmo persiste en separar el cielo de la tierra. A ese maniqueísmo que plantea una dualidad, Bataille le opone un paradigma singular por ser ternario, como lo ha demostrado Barthes en un brillante ensayo,[2] paradigma que une lo noble, lo innoble y lo bajo. Lo bajo y lo innoble es el pie, y en Bataille, el dedo gordo del pie. Dedo gordo, monstruoso a veces, enano fálico y extremidad de extremidad. Su bajeza lo sepulta en el lodo y lo hace terrestre con exceso: es su cercanía con el polvo y por tanto su cercanía con el estado de máxima destrucción, la forma más baja de la realidad, pero también la más alta, noble e innoble, a la vez, la muerte. Y es la muerte considerada como alteración obscena de la realidad, con la que Bataille engarza el pie, uniéndolo indisolublemente a ese dedo gordo fascinante e incapaz de calzar totalmente la alianza.

Mas ese pie cuyo símbolo es la salida porque centra su realidad en el dedo gordo, extremidad de extremidad, es iluminado por el

---

[1] Carmen Martín Gaite, *Usos amorosos del dieciocho en España*, Madrid, Siglo XXI, 1972, p. 94.

[2] Roland Barthes, "Les sorties du texte", en *Communications*, París, 1973.

erotismo que de inmediato lo ciega: tocar un pie femenino significa la muerte. En efecto, en el ensayo de Bataille destaca la anécdota de la muerte del conde de Villamediana por haber osado tocar el pie de la reina Isabel. El conde que ardía de amor por la reina, incendia su palacio para poder "robarle algunos favores" y el acto más osado de esta violación es tocar su pie. Tocar el pie de una reina es bajarla de su pedestal y ocultarlo es librarse de su seducción. De la muerte abierta que el pie concentra en lo bajo, en la tierra, pasamos a una muerte dada por un pie femenino que, desnudado o tocado, nos vincula con la obscenidad y con la transgresión de una moral que centra en un erotismo soslayado su razón de ser. La reina María Luisa de Saboya viola ciertos usos eróticos de España al negarse a aceptar "la moda del tontillo, especie de adorno que las mujeres usaban encima del brial para impedir que se les vieran los pies y las piernas cuando se sentaban en cojines por el suelo, como era costumbre en la España del siglo XVII".[3] Sentarse en el suelo en cojines es acercarse al polvo y separarse de él por medio de mullidos subterfugios, pero esa cercanía con lo bajo, así embozada, emboza lo más importante, la existencia de un pie femenino que debe ocultarse a la mirada, simular su inexistencia, distanciar el cielo de la tierra.

Los árabes ocultan el rostro de sus mujeres pero liberan su mirada; los maridos españoles preferían ver "a sus mujeres muertas antes de que enseñasen el pie".[4] Este pudor que marca el siglo XVII colocando con horror todas las fobias en el hermoso pie de las españolas que lo tenían pequeño y bello como nuestras mexicanas del siglo XIX, va siendo destruido con escándalo: en el siglo XVIII el pie bien calzado se vuelve blanco esencial de la mirada. La bajeza y la impudicia que lo determina, su cercanía con el polvo se empieza a cubrir con el afeite que reviste forma de calzado. El lujo detiene en la seda y en el oro la embriaguez de la mirada: "[Una señora] arrullaba toda la hermosa máquina de su cuerpo sobre dos chinelas de terciopelo azul que eran el ártico y el antártico en donde se revolcaban los ojos más tardos y se mecían los deseos más rebeldes", exclama perturbado Torres Villarroel.[5]

[3] Martín Gaite, *op. cit.*, p. 42.
[4] *Ibid.*
[5] *Ibid.*

La mujer vuelve a curvarse pues a los pies responde la mirada. Antes debe ocultar con el género que la encubre —el tontillo— la mera existencia de sus extremidades y sus ojos deben, al dirigirse a ellas, disimularlas; ahora, la dualidad implícita en lo terrestre y lo celeste que pies y ojos representan, la mirada árabe concentrada en la celosía, el descubrimiento glorioso del pedestal que se asienta en la tierra y conduce al cielo, parecen desterrar el polvo. A los bellos zapatos que la marquesa Cayetana de Alba, la célebre maja de Goya, cambiaba diariamente, había que agregar el abanico también diario, para corroborar la curvatura, implícita en el símil manejado por Torres Villarroel, haciendo de los zapatos los polos opuestos de la tierra. Los pies erotizados por unas chinelas se vuelven el ártico y el antártico de una mirada, pero ésta baja del cielo hacia la tierra, revolcando los deseos. La seducción de lo bajo, polo de la mirada masculina, se vuelve la metáfora del polvo enamorado. Y en Quevedo, autor de la imagen, lo ideal se aleja con violencia de lo bajo y en sus sonetos amorosos coloca sobre todo la mirada; cuando la mirada cae y se somete al polvo, el polvo se idealiza, idealizando junto al amor la muerte. El pie femenino parece desnudarse pero el afeite del calzado condena la mirada que, oculta en el abanico, se esconde en el cortejo, encubriendo los dos polos.

Idealización traicionera, sin embargo. Revolcarse en el deseo evoca imágenes poco ideales y nos acerca más a imágenes zoológicas. En el polvo se revuelcan ciertos animales y el lodo con que se cubre la honra recuerda el lodazal donde hozan los marranos. Revolcarse en el fango es evangélico y los zapatos que pisan el polvo de las calles cubren de inmundicia los oros y las sedas. La palabra con que el pudor ofendido mira el desembozo de unos pies que revuelcan el deseo alterando los polos de los ojos, del ártico al antártico, cancela con su nieve tanto el polvo como el deseo y quizá lo viole con sus pasos.

El pie desnudo no aparece. Es el pie calzado el que ocupa la mirada; la desnudez es subversiva y sólo se permite en las estatuas griegas donde el pie descuella en su armónica entrega a un ideal que el mármol sube al cielo. En el pie calzado se quedan los deseos o se inician y la sexualidad repta, cambia su piel, voluptuosamente entregada al oro, a la seda, a las tapicerías, al terciopelo, a los satines, a los suntuosos charoles, a las suaves cabritillas. El sexo se traviste y es pisado por chinelas, botines, pantuflas rebordadas, suaves medias blancas, poniendo el límite deseado entre el pie desnudo y el zapato. Madame Bovary trae a León bajo sus pasos pues "el rechinido de sus botines, lo hace sentirse cobarde, como los borrachos frente a los duros licores". Un notario posa, idiotizado, "sus ojos sobre las bellas pantuflas de tapicería" de Emma, y Flaubert describe extasiado un bello pie de mujer "envuelto en bello calzado de altos tacones, adornado con una rosa negra". El sexo ha encontrado su estuche, la sexualidad sin cuerpo ha subido al pedestal. Flaubert agrega con ironía: "¡Oh, qué bellas son esas historias de amor donde *la cosa principal* está tan rodeada de misterio que no es posible ubicarse y la unión sexual se relega sistemáticamente a la sombra como el beber, el comer y el orinar!" Para Flaubert el velo de misterio que encubre "el bravo órgano genital" y que lo relega a las regiones limbares de lo no expresado, es "el fondo innegable de todas las ternezas humanas". En una carta a su amante, Louise Collet, Flaubert dice brutalmente: "Las mujeres no son francas consigo mismas; no aceptan sus sentidos; toman el corazón por el culo y creen que la luna está hecha para iluminar los tocadores."[6]

La franqueza misma de esas palabras se matiza en las obras literarias de Flaubert y "el bravo órgano genital", causa de todas las ternezas y todos los estremecimientos, se descentra, cae por tierra y se esclaviza. Sacher-Masoch vive entregado a la Venus de las Pieles y su esclavitud, literal y gráfica, se esculpe en la imagen del arrodillado que "vive a las plantas de su amada... que lo ofende con el pie".[7] En el calzado de hombres y mujeres se concentra por igual la aventura de ese "bravo órgano" tan presente y sin embargo soslayado, y la sensualidad del cuerpo se reduce a ese espejo de erotismo, a esa alegoría de cortesanías y a ese símbolo del lujo. El calzado es la prenda erótica por excelencia del siglo XIX y un símbolo de *status*. Madame Bovary es confinada al infierno de la censura y el sexo encuentra la horma de su zapato.

[6] Todas las citas han sido sacadas de Mario Vargas Llosa, *La orgía perpetua*, Barcelona, Seix Barral, 1975.
[7] Leopold von Sacher-Masoch, *La Venus de las pieles*, Madrid, Alianza Editorial, 1973.

**De pies a cabeza:** *Baile y cochino...*

Si los pasos desnudos sobre el polvo acercan al hombre a su fin, la Tierra; si tanta cortesanía nos lleva a recorrerla en una España civilizada que deja atrás usos rústicos y se despercute entre sedas y abanicos y si Francia ostenta a la vez que condena el erotismo del zapato, México recoge las modas europeas y los moralistas las contemplan para denunciarlas. José Tomás de Cuéllar se "pone las botas" para castigar la molicie perniciosa que disuelve las rústicas y limpias costumbres de la familia mexicana:

> Es que van pasando aquellos tiempos felices que han hecho de la mujer mexicana el modelo de las esposas. La irrupción del lujo de las clases poco acomodadas, va obscureciendo el fondo inmaculado de las virtudes domésticas y convirtiendo la modestia y la humildad en esa sed insaciable de atavíos costosos para engañar a la sociedad con un patrimonio y un bienestar que no existen. La mujer, tocada por ese nuevo estímulo, se coloca voluntariamente al borde de los precipicios porque cree haber descubierto en el mundo real algo superior a la virtud.[8]

El cuadro de costumbres que Cuéllar traza "es repugnante" pero su disculpa es la notoria "realidad" de sus comentarios. El lujo impera y bajo el mando de la ostentación las mujeres se corrompen y el sistema de la moda revela la invasión del disolvente lujo citadino. Es decir, el lujo creado por una urbe que se vuelve metrópoli e imita su prosperidad: "...el cuadro que traza [el autor] no es elección suya. Existe por desgracia; y no sólo existe, sino que se multiplica en México para mengua de la moral y las buenas costumbres. La creciente invasión del lujo en la clase media determina cada día nuevos derrumbamientos"... Esta demolición de las costumbres que amenaza a la clase media es movilizada por los cambios en las estructuras sociales, la clase media que produce mujeres "modestas" y "humildes" está vinculada a un estereotipo de familia patriarcal y campesina que encuentra su expresión máxima en *Astucia* de Luis G. Inclán. En Inclán, el centro esencial de la narrati-

---

[8] José Tomás de Cuéllar, "Baile y cochino...", en *La linterna mágica*, México, UNAM (Biblioteca del Estudiante Universitario), 1941. Todas las citas provienen de esta edición. Las cursivas son mías.

va es el personaje masculino, cabeza de familia con un esquema ideal de educación, en el que se advierte magnificada la utopía pastoril que opone el campo a la ciudad. Al finalizar el siglo, las principales novelas realistas cambian el enfoque y la mayoría presenta personajes femeninos a quienes la nueva sociedad urbana en vías de industrialización desclasa; no es otro el esquema de novelas como *La rumba* de Ángel de Campo y *Santa* de Gamboa. Ambas se "pierden" por razones diversas, pero coinciden en su intento por abandonar un medio social cuyo esquema familiar es aún provinciano. En una ciudad que se transforma, las jerarquías empiezan a alterarse desde la base. La mujer, siempre objeto, se convierte ahora en objeto de consumo y así textualmente la describe Cuéllar: "Doña Dolores había traído a su hija a México, como los indios traen las mejores de sus frutas, para su *consumo*." Y para ser consumible hay que venderse y la venta se finca en la apariencia, en el uso de disfraces y de embozos, en la ciega y devastadora imitación de la moda extranjera que una sociedad de consumo impone. La apariencia debe cambiar *de pies a cabeza* y en el calzado se inicia.

La mirada del narrador se detiene, fascinada, en los pies de las mujeres y de la fascinación se pasa al agravio y al gesto moralizante porque el calzado no sólo es símbolo de lujo, sino erotismo embozado y pedestal de un sistema de la moda que mientras viste el pie encubre las apariencias y amenaza las estructuras establecidas. El pie de la mujer "humilde y modesta" debe ir calzado discreta y pobremente. La "querida" de Saldaña, el promotor del baile que le da título a la novela de Cuéllar, *Baile y cochino*, transforma su aspecto con "trapos". Sus "porabajos" son viejas "babuchas" que al ser cambiadas por zapatos "de cabritilla abronzada y charol, con sus pespuntes" la hacen parecer otra. La moda cambia de pies a cabeza a quienes la siguen a pie juntillas. La sociedad cambia y con el cambio se produce otra apariencia. La vieja apariencia de modestia y humildad se ha transformado y la ropa de confección altera y descompone una jerarquización social definida por clases que se querrían inamovibles. Quien sigue la moda arrincona a la pobreza y asciende en la escala para pasar "de lo vivo a lo pintado". Con este tipo de locución que abunda en la obra de Cuéllar, el cuerpo femenino apoyado en su pedestal, el zapato encubridor del pie desnudo, se articula sobre la lengua, que representa gráficamente una realidad visual. En efecto, el cambio de apariencia que supone el paso de *lo vivo a lo pintado*, representa un cambio visual que la ciudad prostituida al consumo y al lujo revela a la mirada. El pie calzado se transforma y, en sentido *literal*: los pies bien calzados revelan "un buen pie", escultórico, elegante, sensualizado. "Las babuchas" lo ocultan, lo avejentan, lo empobrecen; la zapatilla o el botín de charol y suave cabritilla lo elevan hacia el cielo, lo refinan, lo matizan y, sobre todo, cambian su color.

Estar descalzo o andar sobre huaraches es pertenecer a la clase baja. El pie que toca el polvo o el calzado que deja libre al pie para que el polvo lo cubra, simbolizan lo más bajo. Estar descalzo o calzar huarache desnuda la escala de los valores sociales. Una polla se queja de que nadie ha observado sus irresistibles pies calzados con hermosas botitas bronceadas: "Yo procuré sacarlos [los pies] y estoy segura que él los veía; pero en seguida ¡nada! ¡Tú de mi alma! *¡como si le hubiera visto los pies a un indio con guaraches!*" (p. 69). Y esta indignación revela que mientras más cerca se está del polvo más baja será la clase. El indio garbancero corteja a la india garbancera y de pie sobre los huaraches ve los retobos que le endilga su querida por debajo del rebozo:

> Porque cuando se trata de amor entre la servidumbre —aclara Cuéllar—, o como se dice aquí, *entre garbanzos*, entonces niño amor, encaje, abanico, sonrisa, y todo eso junto, se reduce a entreabrirse con ambas manos cerca de la cara la orilla del rebozo, dejando percibir por un momento el *pescuezo cobrizo* y arrebuján- dose después con el embozo, de modo que tape un poco más la boca, aun cuando no haga frío, tapada la boca que, traducida elo- cuentemente por el pretendiente, es como si ella dijera: "no sea usted malo, yo soy muy recatada", "esas cosas me ruborizan", etc.

Huarache y rebozo equivalen a botita y abanico, cada uno en su clase; el pescuezo bronceado *enseña el cobre*, pero la botita de cabritilla de ese mismo color encubre un pie huesudo y un color trigueño. Sarape y rebozo visten al indio y el huarache lo calza. Su pie es cobrizo y nunca oculta su color; las jóvenes de clase baja que anduvieron "descalcitas" tienen éxito porque lo que visten las emboza totalmente modelando sus cuerpos y dibujando sus extre- midades. Es más, lo que visten oculta los colores que en México revelan la procedencia. Y la clase se marca por la ropa y se realza por el color. Ser "trigueño" como dicen los escritores mexicanos del siglo XIX y Cuéllar lo reitera, es revelar el origen indio y revelarlo es mostrar "la clase". Una señora "tenida" por un nuevo rico, don Gabriel, se vuelve atractiva cuando se cubre la cara con crema y polvo:

> No tienen ustedes una idea de lo que ganó la mujer del curial con aquel polvo; *parecía otra persona*, porque ella no tenía malas facciones; pero como era trigueñita, casi no se echaba de ver que tenía muy buena pestaña y muy buena ceja, y labios un poquito volteados y de un color de granate que una vez en contraste con el bismuto, tomaban no sé qué aspecto provocativo... Don Gabriel... sintió amor; sí, señor, amor que salía del polvo aquel calcáreo como Venus de las espumas del mar... (p. 20).

*Parecer otro* u *otra* es el pivote sobre el que gira esta novela; pero esa violencia entre el ser y la apariencia que ya ha violentado otros discursos literarios, se afinca aquí sobre una apariencia que se determina por una representación visual y se articula sobre la lengua.

> Las Machucas —subraya Cuéllar hablando de unas advenedizas sociales— tenían todas las *apariencias*, especialmente la apariencia del lujo, que era su pasión dominante; tenían la *apariencia* de la raza caucásica siempre que llevaban guantes; porque cuando se los quitaban, aparecían las manos de la Malinche en el busto de Ninón de Lenclós, tenían la *apariencia* de la distinción cuando no hablaban, porque la sinhueso haciéndoles la más negra de las traiciones, hacía recordar al curioso observador la palabra *descalcitas* de que se valía Saldaña; y tenían, por último, la *apariencia* de la hermosura, de noche o en la calle, porque en la mañana y dentro de la casa, *no pasaban las Machucas de ser unas trigueñitas* un poco despercudidas y nada más (p. 20).

Ropaje y calzado disfrazan. El lujo aparente en ciertas clases sociales es la radiografía de un desclasamiento: por más que se vista de seda, mona es la pollita que desciende de los conquistados y que de Malinche quiere ascender a diosa griega. El color del calzado encubre y rebozo y huaraches descubren; muestra a las claras de que para Cuéllar y para sus contemporáneos cambiar de clase cambiándose la apariencia no paga. Lo que sí paga es un racismo que se

19

añade o mejor dicho que pretende mantener una estratificación clasista que se quiere inamovible. Y su inamovilidad depende del calzado: la desnudez del pie clasifica al indio y lo define por su forma y su color, pero sobre todo, lo mantiene sobre el polvo, que si bien aquí no significa la muerte en sentido metafísico como podemos advertirlo en Bataille, significa la muerte social y define el reino de la apariencia que se asienta en una movilidad social que, aunque limitada, nuestros escritores temen.

## Una estética del calzado

La desnudez del pie determina la esclavitud. El signo en Grecia era la cabeza y los pies desnudos: la cabeza desprovista de cabello y los pies de sus sandalias. Ya lo he dicho, la dignidad del pie desnudo sólo se guarda en las estatuas. El pie desnudo es también en su carnalidad el detentor de una estética; Flaubert relata a Louise Collet una experiencia en la playa de Trouville donde ve bañarse a las damas: "Y los pies rojos, delgados, con callos, ojos de pescado, deformados por los botines largos como nabos o anchos como barcas".[9] Una estética de doble proyección: la estética clásica que inmoviliza en el mármol una celestialidad, y la estética de una carnalidad que se disfraza con la doble piel del calzado. Y esa piel deja sus marcas indelebles: reforma el pie y lo entrega a la apariencia de una belleza conformada por la moda pero que al reformarlo lo deforma; cuando se desnuda el pie ostenta las huellas de su doble piel pagando con ellas la perfección que sólo las estatuas ostentan. La calcareidad que ha cubierto la cara de la querida de don Gabriel le permite aparentar la estructura de una estatua clásica y los guantes que modelan las manos de las Machucas para hacer juego con los botines que cubren su anterior desclasamiento, las convierten en esculturas vivientes. La estética también encubre una ética y una ideología.

Al cubrirse el cuerpo, la gente cubre las apariencias y cubrir las apariencias es evitar escándalos, aunque eso signifique (para Cuéllar) la más atroz zambullida en la clandestinidad de una vida irregular. Cubre las apariencias quien se disfraza con un corsé la cintura, con

[9] Vargas Llosa, *op. cit.*

polvos lo trigueño de la cara, con guantes la contextura huesosa y oscura de las manos, con botines la desgracia de un pie sin gracia. Y Cuéllar agrega, refiriéndose a otra de las convidadas al baile de Saldaña, Enriqueta, "como muchas mujeres elegantes, no concebía el amor desnudo, por demasiado mitológico; no podía figurárselo sino en la opulencia y por eso lo buscaba en el fondo de los carruajes, o en las facetas de un diamante de tres quilates". Al asociarse con el lujo, Cupido viste su desnudez clásica, que en la vida cotidiana, cuando no se tiene dinero para comer, o lo que es peor, para comprarse unas botitas, se vuelve deforme (p. 50). La deformidad que la desnudez en objetos de consumo produce hace caer a Enriqueta en garras de un asiduo coleccionista de "Esa baratija que se llama mujer" (p. 32) y su caída está condicionada por *el* tradicional *mal paso* pero dado en esta ocasión dentro de unas "botitas raídas" (p. 49). En efecto, Enriqueta cae en el concubinato por asomarse a la ventana, por entrar en el vértigo de una calle de lujo, pero sobre todo por recibir en la suela de sus botitas

> ...sensaciones que se parecían al chirrido de la electricidad en un aparato electromagnético, y hasta ejercían en Enriqueta cierta influencia voluptuosa... los sentidos de Enriqueta estaban cogidos por una gran caricia mundana. El ruido de los carruajes la atraía como aturde un gran beso. Una carrera vertiginosa de imágenes fugaces producía en sus ojos ese deslumbramiento de los grandes espectáculos. La trepidación del pavimento le comunicaba una especie de cosquilleo magnético que le subía desde *los pies hasta la cintura*, y la brisa húmeda impregnada de olor a tierra y olor a barniz de coche y a cuero inglés, armonizaba el conjunto de sus sensaciones (pp. 56-57).

El progreso ha vestido a Cupido y su flechazo se ha vuelto electromagnético; el pavimento hollado por los vehículos transmite a Enriqueta el flujo voluptuoso que la hundirá en la mancebía mientras pretende subirla de clase por la apariencia, pero sus botitas que reciben la violencia del flechazo uniendo en su trayecto las locuciones "tener buen pie" con "tener buen talle" la llevan a su vez a dar ese paso considerable que le permite andar en carruaje y no a pie (p. 53), aunque este condicionamiento la lleve también algún día a intentar "*desandar* el camino que el tiempo inexorable le ha hecho recorrer forzosamente" (p. 61).

Enriqueta ha descubierto su cuerpo desde la base; lo mismo le pasa a Venturita, una bella joven quedada que no se resigna con el desvaído papel de tía y de cuñada. Para ahogar el desengaño, Venturita camina por las calles, es más, *anda* por donde la *vean* y, para que la vean, va bien vestida y bien calzada. El calzado sigue siendo el punto focal de la apariencia; para ser bien contemplada, Venturita acorta una pulgada "la orla de su vestido" (p. 65). "Al fin dio con el lagartijo cerca de Iturbide —explica Cuéllar en su afán por hacernos seguir el itinerario que siguen los pies menudos de su personaje—, Venturita lo vio venir y sorprendió (fingiendo no ver) como dos relámpagos, una mirada que se dirigió a los ojos y otra mirada que se dirigió a los pies de Venturita" (p. 65). Las miradas que van de los ojos a las botas siguen el trayecto que ya habían recorrido las miradas de los españoles del siglo XVII: del cielo bajan a la tierra. Las botitas descubiertas por la repentina brevedad de la falda son las armas de Cupido y equivalen al flechazo; es más, las botitas que "ajustan *la punta del pie*", de la misma manera que se aprieta el corsé, permiten una asociación que va de la mirada al tacto y los lagartijos que ven el espectáculo de esos piececitos bien calzados sienten "cierto hormigueo en *las palmas de las manos*" (p. 63). Aun en el Renacimiento Cupido operaba desnudo y sus saetas eran armas acordes a su ceguera. Ahora Cupido se descarna y se traslada al disfraz de unos zapatitos bien ajustados y dirigidos a las miradas de quienes transitan con sus pasos las calles de la ciudad, vitrinas donde se exhiben las "baratijas". Andar es ver o dejarse ver. Y lo que a la vista aparece, determina la estrategia, Venturita descansa sobre sus armas y dirige la infantería, segura de que si su batallón avanza, se dejará llevar luego por un carruaje, como el que desplaza a Enriqueta.

> He aquí a Venturita —repite Cuéllar—, frente a frente de su cañón Krup (*sic*), de su ametralladora, de su torpedo, del instrumento, en fin, de ataque más formidable que había llegado a sus alcances, y se le hacía imposible, que no hubiera un hombre capaz de volverse loco por aquella bota... figurando como base... como base de una mujer... sí, de una mujer no despreciable, ni tan entrada en años, en fin, como base de una doncella... (p. 66).

La especulación de Venturita con la bota, "arsenal" de su estrategia, la lleva a concebir una estética del calzado y una política de ataque.

Los hermosos botines de suave cabritilla y sus reflejos irisados desbordan las conveniencias y se mantienen al nivel de la mirada. Los botines hacen un "pie de niña" (p. 68), lo modelan estrechándolo; los choclos permiten que un pie sea capaz de "sublevar la conciencia humana" (p. 69). Es más, el pie se vuelve "escultural", es arma de guerra y mito esculpido y objeto de una estética verbalizada por la propia Venturita:

> El pie humano es, de todo el cuerpo, lo que parecía tener menor atractivo y debíase al menos contar con la persona del tobillo para arriba, con absoluta exclusión de los pies. No de otra manera han de haber sido consideradas las matronas griegas y romanas, puesto que enseñaban el calcañal y los dedos de los pies con la desgarbada sandalia; y fue necesario el refinamiento del lujo y las costumbres para ir cubriendo esa miseria humana, hasta que en la fastuosa corte de Luis XV llegó el arte del zapatero a su último grado de perfección. La estética llegó al calzado, y los pies de las damas comenzaron a figurar entre las flechas con que Cupido hiere los corazones (p. 70).

La estética de la bota o del choclo se inserta todavía en la moral de clase media. Apretar el corsé y ajustarse el botín son síntomas del influjo de una moda extranjera que penetra en las costumbres de una ciudad que se ha abierto al comercio exterior y que vive en la dependencia total. Pero cambiar el zapato tradicional por otro tipo de calzado es alterar las jerarquías, violar las conveniencias. Al artista se ha unido el militar, pero el militar pertenece a un ejército entrenado en la gran era de la industria, en la era manejada por un orden y por el progreso. La estética se vuelve positivista y la mirada se enfría. No es pues extraño que Venturita fracase y que sus hermosos y enguantados pies rechacen esas botas que aniñan y esos choclos que esculpen para provocar apenas el hormigueo de una trepidación electromagnética. Esos instrumentos —la dinamita— apenas si conmueven el edificio social porque aunque atraigan la mirada y ésta altere el tacto, su impacto se disgrega. Para conseguir su objeto, casarse, pues como pregunta Cuéllar "¿a qué otra cosa aspiran las muchachas bonitas?", Venturita no vacila en adoptar una moda que la hará descender en la escala social y la asociará a aquellas que alguna vez estuvieron *descalcitas*. Esta nueva táctica había sido usada también, durante el siglo XVIII, en España por la seductora duquesa Teresa Cayetana de Alba que aplebeyó sus vestidos, sus modales y su lenguaje para seducir a los hombres. Venturita, más modesta, se contenta con imitar a las cortesanas, a las que se proveen de zapatos bajos y medias de encaje. Afeite que calza el pie al tiempo que lo desnuda, arma poderosa, la *dinamita* (p. 72), el proyectil más detonado de la coquetería contra la cual detona a su vez Cuéllar:

> un pie así, con zapato bajo de seda, que apenas aprisiona la punta del pie, cuya epidermis casi se adivina, o mejor dicho, se ve, se puede ver, a través de una media de encaje... Vamos... esto es mucho, y yo sé muy bien todo lo que el zapato puede influir en... el porvenir de una mujer. Ya comprenderás por qué —dijo Venturita bajando la voz—, ya comprenderás por qué esas señoras —agregó muy quedito—se calzan así—. —Ay, Venturita de mi alma y tú vas a...? (p. 73).

La duquesa de Alba se aplebeya por voluptuosidad y Venturita se acortesana por el matrimonio añorado, pero ambas confieren a sus pies un erotismo que ha cifrado en el calzado tanto el pudor como la obscenidad y que ha hecho de la mujer un objeto de consumo. La estrategia que esa estética desarrolla está a tono con el de una sociedad que se mantiene firme a base de armamentos importados y que le concede a la dinamita su mayor efectividad tanto para construir ferrocarriles como para metaforizar el erotismo que propicia el progreso, duramente conquistado a base de orden, administración y dependencia.

## La mujer como valor de cambio

Reunidas por la varita mágica de Saldaña que convoca al baile, las mujeres que pinta Cuéllar en sus cuadros de costumbres son vistas por su autor con apetito voraz —comiéndoselas con los ojos— para después lapidarlas con la pluma. La incesante actividad que se determina por una intensa preocupación vestimentaria que da pie a la elegancia, tiene como objeto la mirada. Las mujeres se entregan a un ritual de tocador que con fervor sagrado les permite convertirse en seres de vitrina. Su vestimenta les acomoda de inmediato en el escaparate donde serán vendidas y, para intensificar el deslumbramiento, se revisten de objetos fastuosos que ponen en subasta su más preciada joya, la virtud. Para ser vista como objeto que se ostenta, la mujer anda sobre zapatos de distintos altos y diversos géneros, aunque pague como precio inmediato y fugaz una desnudez fortuita y ocasional que le exige su entrada por la puerta falsa de *la casa chica*. "Ser tenida" por quien colecciona objetos de lujo es ser vestida de pies a cabeza para ser expuesta a la mirada y aumentar la fama del coleccionista. Enriqueta lo hace y al recibir en sus mal calzadas plantas el *cosquilleo electromagnético del progreso*, recorre el camino clásico que Cuéllar fulmina en su afán moralizante y en su intento de retener a la mujer sólo dentro de la categoría de objeto utilitario. La sociedad porfirista que se refleja en la prosa de este escritor que publica su libro en 1886, es una sociedad dada a la ostentación y al lujo, a la importación de los valores de la moda parisina, a la instauración de costumbres diversas que modifican de raíz la apariencia exterior.

La virtud es ciega como el honor, enseñar los pies lujosamente calzados es iniciar la caída, rodar por el fango. Dar el mal paso con botines lujosos es perder el pie y entregarlo desde abajo al lujo. Eso hará Venturita al acercarse a las cortesanas utilizando el calzado que las marca o las infama. Las situaciones narrativas, subrayadas por las expresiones populares que Cuéllar maneja a la perfección, exhiben la identidad de las mujeres; el cambio social las determina como valor de cambio y, en realidad, cualquiera que sea su calce empiezan a perder la clase a influjos de la moda. La actitud moralizante de Cuéllar opera como una pantalla para cubrir una realidad que se revela al ojo y el espacio elaborado conscientemente se sustituye por otro donde algo opera desde el inconsciente. Su capacidad radiográfica traspasa su propia moral tradicional y descubre la realidad de la dependencia y de la mujer como mercancía que puede ser exhibida, tenida, comprada.

La exhibición precede a la compra pero para exhibir y ponerse en vitrina la apariencia debe modificarse. La sociedad suntuaria elabora su propia imagen de la belleza y la "*sencillez y naturalidad* de los tiempos patriarcales" (p. 58) que le sirven de modelo a Cuéllar no embonan con el lujo. Para ser comprada "tenida" —ya sea en matrimonio o en concubinato— la mujer debe componer su belleza, vestirla, aderezarla, y al colocarse en vitrina debe —perogrullada— llamar la atención. La belleza de la sociedad suntuaria abomina de lo natural por demasiado "mitológico" y recae en la opulencia: "El cupidillo aquel tan ingenuo y espontáneo (de los tiempos patriarcales), era en la ventana de Enriqueta y en otros balcones, un simple intermediario para llegar al lujo" (p. 58).

La honra naufraga como un navío ahogando la reputación de una mujer; el lujo la rescata y la enfrenta al espejo que le regresa no sólo el reflejo sino un aura. La moda aureola a la mujer, la refina alterando sus proporciones, la recrea dándole otro rostro, el que ella misma mira ante el espejo y el rostro que se ofrece a la mirada exterior: "Por detrás de Enriqueta había, no un cupidillo risueño, juguetón y huraño, sino un hada despótica, tiránica y cruel que se ríe de la miseria" (p. 58). El espejo contesta encantado reiterando la belleza, y, alterando el cuento, le otorga galanía a cuanta doncella acepta el refinamiento de la moda, tiránica como la madrastra. Las jóvenes que sufren a su influjo "traicionan su virtud". La apariencia cambia como la sociedad que ha exigido otra visión, otra manera de ver y de andar y las mujeres mexicanas se mimetizan al reflejo de una importación, un modelo europeo que ellas reproducen para poder *estar* en la vitrina. Su ser cambia según cambia la moda, tan rápidamente como los maniquíes de las vitrinas cuando exhiben las diversas combinaciones de colores, de géneros, de encajes, de puntadas, de botines. En *Los parientes ricos* Rafael Delgado enfrenta la sencillez de la provincia a la frivolidad de la extranjera moda que tiraniza la capital metropolitana:

> Larguísimo fue el primer capítulo de modas; la joven estaba enterada hasta del más insignificante pormenor de trajes y vestidos. Esto o aquello era lo que estaba en privanza; tales o cuales cosas habían pasado, acaso para no volver nunca, y, según los dichos de los sastres más famosos en la estación próxima tendríamos muchas novedades.

El sencillo traje de las provincianas, hecho en casa y de percal, contrasta disminuido con el oropel necesario a la vitrina. Y la vitrina es la gran ciudad por donde se pasean las graciosas francesitas del Duque Job. Delgado insiste cuando hace decir a un personaje que regresa de París y a propósito de una próspera ciudad provinciana:

> paréceme Pluviosilla una beldad agreste cuyos encantos y cuya núbil lozanía piden galas y adornos para lucir y triunfar. Ciudad muy

linda es ésta... ¿Qué necesita? Cómodas calles, elegantes edificios, avenidas adoquinadas que hagan fácil el tránsito de los carruajes. ¿Por qué no hay aquí muchos coches? Porque con calles como éstas, es imposible que los haya. El teatro aunque de traza regular, pide aseo y elegancia en pasillos y escaleras; pide un *foyer* suntuoso...[10]

La ciudad entera es escaparate y su belleza se asimila a la de las mujeres; la mirada se asume como teatralidad, como espectáculo. La plaza pública continúa la ventana y su apertura se debe, como en el París de principios de siglo, al comercio de las telas. Pluviosilla es "la Mánchester" de México; la capital, su París. Las mujeres, su decorado principal.

La belleza se confecciona, se fabrica, se matiza técnicamente. El cuerpo se rehace gracias al corsé, el pie se esculpe mediante el botín, los guantes remodelan y el sombrero retoca. El honor, tradicionalmente asociado a un cristal que con el puro aliento se empaña, se trueca por un espejo que refleja una apariencia de belleza artificiosamente construida, entera sólo si se ajusta al ritual que exige la mirada. La moral añorada por Cuéllar, Delgado y De Campo ha sido sustituida por una estética de la apariencia y la fabricación, por lo antinatural. Es más, la artificialidad es concebida puramente en términos de clase. El artificio, el oropel, el lujo que cubre de pies a cabeza, es natural en las clases altas, pero la imitación que las clases medias empiezan a hacer de ciertos usos vestimentarios se considera peligrosa porque confunde las fronteras:

Mientras en México las mujeres públicas fueron *descalcitas* como habían sido las Machucas, cuando las conoció Saldaña, los bailes de máscaras eran, sin distinción, para las clases acomodadas de la sociedad; pero cuando el lujo y la corrupción se dieron la mano, los bailes de máscaras se componen de esas señoras y del sexo feo... (p. 45).

Cuéllar se horroriza pero Prieto recuerda en *Memorias de mis tiempos* cómo se invierten durante el carnaval los esquemas sociales; las máscaras permiten que los ricos adopten el disfraz de populacho, mientras los descalzos se ponen las botas, aunque su tacón torcido revele su profundo parentesco con el polvo. El es-

---

[10] Rafael Delgado, *Los parientes ricos*, México, Porrúa, 1974, p. 51.

pectáculo popular que ofrece el periodo anárquico que Prieto asienta en sus *Memorias* conserva el carácter de decorado y determina jerárquicamente el lugar que le toca a cada uno. La máscara divide y protege como las joyas. Las mujeres de la clase alta viven enjoyadas: la marquesa Calderón de la Barca descansa en Manga de Clavo en el feudo de Su Alteza Serenísima, antes de seguir su cansado viaje en diligencia hasta la ciudad de México, desayuna con los Santa Anna y su mirada se detiene en el esplendente muestrario de diamantes que despliega su anfitriona. Relumbrón, personaje famoso de *Los bandidos de Río Frío*, lleva pleonásticamente su nombre que revela su propensión a las sortijas. México relumbra literalmente y se exhibe: relumbran de un lado las ostentosas clases altas y del otro, el populacho, enfundado en sus harapos y en su regio colorido popular. La clase media se aplana en el anonimato de la modestia y la humildad. El teatro es para ellos una carpa, o una ópera. Y en la ópera rivalizan, como en los escenarios de Proust, los monstruos sagrados de la escena y las diosas mitológicas de los palcos:

> El teatro reverberaba como un ascua de oro; en los palcos, cubiertos de ramos y de flores, se ostentaban Hadas, Sultanes, Odaliscas. Reinas y damas de hermosura histórica, avasallando la seda y los encajes, ostentando guirnaldas y plumas, vulgarizando las piedras y formando el conjunto una grandeza olímpica que se perdía entre lo ideal y lo maravilloso.[11]

Este espectáculo de carnaval donde las damas rivalizan con las actrices coloca a cada quien en su territorio, sacralizando la división que se perfila, nítida, entre los abalorios falsos y los diamantes exactos. Cuéllar advierte durante el porfiriato que la humildad de los de en medio empieza a desaparecer con el zapato y que el disfraz se escinde de la máscara. El calzado esculpe el pie, le ofrece un zócalo de estatua, es decir un pedestal pero el pueblo lo transforma y le otorga a la palabra un sentido de espectáculo. El Zócalo será la gran vitrina popular que, junto con la Alameda, congrega a los paseantes. Las damas pasean su apariencia y los catrines y los rotos las contemplan:

---

[11] Guillermo Prieto, *Memorias de mis tiempos*, México, Porrúa, 1969, p. 233.

Enrique Pérez, sin embargo, se complacía en lo que él llamaba hacer el oso a la mexicana, y no faltaba al *Zócalo* los domingos para verla pasar tres o cuatro veces en ese paseo de exploración que las señoras han dado en hacer, siguiendo todas las curvas del jardín, entre dos filas de pollos barbudos, apostados allí con la deliberada intención de escoger, o simplemente de formarse el cargo respecto a las escogibles (p. 78).

Las mujeres se detienen ante los escaparates y contemplan el espectáculo de los maniquíes y se esclavizan a la moda, a su vez, los "pollos" contemplan a las catrinas que, mimetizadas, se vuelven carne de vitrina. Como valor mercantil la belleza fabricada de la mujer deslumbra hecha decorado de la ciudad, convertida en escenografía, vistiendo sus paseos y adornando las ventanas como los pájaros en la jaula o como las plantas en sus verdes estuches.

## ¡Y ahora el baile...!

Transformada en maniquí y convertida en valor de cambio, la mujer se inserta en un sistema de transacciones que determinan su capacidad para desplazarse por los territorios que antes estaban religiosamente separados. La mujer digna de ese nombre debe ser modesta y humilde pero la mujer que simboliza el cambio es indigna de cualquier hombre. "Y esas señoras, otras señoras, y ciertas señoras, juegan juntas a los albures el precio de la hermosura, el dinero del marido y el pan de sus hijos" (p. 45). La transacción bursátil es manejada dentro de los estrechos límites del tablero donde caen los albures: al juego de miradas responde el juego de apariencias: la "infamia", la "inmoralidad" del garito se combinan con la fiesta, y la sociedad entera parece integrarse a un tiempo de carnaval:

La hipocresía es una especie de *agente de negocios* del vicio. Toma una fiesta religiosa para atribuirle toda la responsabilidad del ultraje a la moral, y combina la fiesta de la Candelaria con la libre instalación del garito y del carcamán... La *transacción* se verifica sin más condiciones que la de ser transitoria y un poco lejos del centro: como transige la buena educación con un esputador de profesión o con un enfisematoso, siempre que éste escupa, no en medio de la sala, sino en un rincón y en la escupidera (p. 45).

El picante lenguaje popular de Cuéllar, el "mexicanísimo sabor" que maravilla a sus contemporáneos y a sus críticos posteriores no es eterno: ostentan en sus locuciones populares una terminología que connota los cambios ocurridos en los distintos sistemas de producción del porfiriato.

Los cambios se manifiestan plásticamente en la ciudad que los recoge y en la mujer que los ostenta. La industrialización y el capitalismo incipiente, las redes de comunicación, principalmente ferroviarias, la minería y el comercio se instrumentan con capital extranjero. Los Estados Unidos e Inglaterra tenían un capital mayor que el del gobierno mexicano. El signo externo, sin embargo, el signo que modifica la fisonomía de la ciudad y de la gente es francés: las vestimentas, los peinados, las texturas, las perspectivas. Los barrios aristocráticos se han desplazado a lo largo del eje formado por el Paseo de la Reforma, construido por Maximiliano para unir el Castillo de Chapultepec con el antiguo centro, barrio residencial durante varios siglos. Los grandes bulevares parisinos construidos por Haussmann dejan su impronta en nuestro Paseo de la Reforma, con las estatuas de la Alameda, en las casas francesas de la colonia Juárez, en los versos de Gutiérrez Nájera, en los vinos, en las grandes tiendas, en las sederías. El Centro colocado estratégicamente entre los dos grandes puntos de exhibición citadinos, la Alameda y el Zócalo, empieza a degradarse y las clases inferiores empiezan a habitarlo. A pasos agigantados cambian las perspectivas y para admirar sus proporciones es necesario recorrerlas a ritmo de danza y hay que ponerse en marcha abandonando el reposo del pie, caminando por el espacio transitado en los momentos de mayor desgaste. Y el desgaste como el lujo mismo, y el erotismo soslayado, determinan el corolario indispensable de una economía suntuaria.

En su *Diccionario de símbolos*, Juan Eduardo Cirlot define así a la danza:

> imagen corporeizada de un proceso, devenir o transcurso... aparece con este significado, en la doctrina hindú, la danza de Shiva en su papel de Natarajá (rey de la danza cósmica, unión del espacio y el tiempo en la evolución). Creencia universal de que, en cuanto arte rítmico, es símbolo del acto de la creación. Por ello, la danza es una de las antiguas formas de la magia. Toda danza es una pantomima de metamorfosis (por ello requiere la máscara para facilitar y ocultar la transformación que tiende a convertir al bailarín en dios,

demonio, o una forma existencial anhelada). Tiene en consecuencia una función cosmogónica. La danza encarna la energía eterna; el círculo de llamas que circunda el Shiva danzante de la iconografía hindú. Las danzas de personas enlazadas simbolizan el matrimonio cósmico, la unión del cielo y de la tierra (la cadena) y por ello facilitan las uniones entre las hembras y los varones.

Danza significa pues sexo. Pero dentro de una función cosmogónica. Las personas enlazadas se unen en matrimonio y su relación es muy cercana a la magia. Sexo y mundo primitivo entonces. José Tomás de Cuéllar intuye esta doble simbolización de la danza; intuye que es cercanía primitiva, salvaje, e intuye su carácter predominantemente sexual. Por eso la rechaza. El baile es sacrílego, es negativo, se opone al progreso por su salvajismo y su olor a sexo. Para Cuéllar el baile ¬o está vinculado con religiones orientales cuyos ritos conecten con lo cosmogónico. Para él es símbolo de impudicia y salvajismo. Es símbolo de malas costumbres, es símbolo de ruptura de estereotipos clasistas, es la instauración de lo carnavalesco a lo largo del año, es la máscara desenmascarada, la máscara que no separa, la metamorfosis social que se teme. Los bailes ocultan su procedencia inferior, de clase baja y, lo que es peor, de raza despreciada: "Los pobres esclavos de Cuba, tostados por el sol, rajados por el látigo y embrutecidos por la abyección, despiertan algún día al eco de la música, como despiertan las víboras adormecidas debajo de una piedra" (p. 46). La esclavitud de esa raza importada a América por el padre Las Casas para liberar a los indios parece mitigarse con la música, pero su relación con ella es también su relación con lo animal. El animal a que se refiere Cuéllar es un animal simbólico, la serpiente. Y la serpiente, reptil silencioso y mezquino, traidor y violento es el emblema de la seducción, pero de la seducción que nos hizo perder el Paraíso, gracias a los embelecos de Eva, a su vez fascinada por la serpiente. Esclavo y animal se unen; la serpiente es el fálico recuerdo de un génesis abrupto y enfurecido que nos arrojó del Paraíso a esta tierra de trabajo ganado con el sudor de la frente y a Cuéllar no le interesa que el sudor provenga de otra actividad distinta a la del trabajo; el sudor producido en el baile es un sudor animal, primitivo, libidinoso, despreciable:

El esclavo está en su derecho de bailar bajo un sol ardiente, así como lo está el león de rugir en el desierto tras de la leona... Las niñas

31

estaban con los ojos vendados y no entendían nada en materia de rugidos de león, ni de danzas de negros, y encontraron en realidad inocente y nuevo lo de llevar el compás con la manita y con los pies y bailaron la danza habanera delante del papá (p. 46).

El pie es el culpable. Asiento de la persona y disfraz de una pecaminosa realidad contra la que se pronuncia el moralista. El baile convoca seres desclasados que, mediante el afeite del calzado, ocultan la desnudez de un pie inferior, el que se asienta sobre el polvo, el pie de los esclavos. El pie enmascarado por el zapato, antes descalzo o calzado con huarache, que revela en su desnudez, total o semiencubierta por la sandalia, una raza trigueña que debe sostenerse en su sitio y no bailar con botitas bien modeladas que ocultan su color. El baile habanero contamina, reúne diversas procedencias y desclasa, animaliza:

> En la vida del salvaje y del esclavo, el placer es esencialmente genésico, por la misma razón fisiológica que en el animal lo determina un solo periodo de la vida. De manera que en el esclavo y en el animal no hay placer sin lascivia, y siendo el baile la expresión del placer, el baile del esclavo no puede menos que ser libidinoso (p. 46).

y la insidia grabada ominosamente en la mentalidad romántica, esa insidia que hace de las mujeres seres angelicales, azucenas puras, virginales, sin sexo, incoloras e inodoras, choca con los bailes que las clases medias "hacen" y no "dan". Porque las clases altas conscientes de las jerarquías "dan" bailes, nunca los "hacen". Y en estos dos verbos radica la ideología clasista de Cuéllar: las grandes familias mexicanas, de la clase alta, de la "buena sociedad", esa deslumbrante clase por su blancura, sus casas parisinas, y su elegancia helénica, "dan" un baile nunca lo "hacen":

> Da un baile la persona que con cualquier pretexto de solemnidad invita a sus amigos a pasar unas cuantas horas en su compañía. El pretexto es lo de menos, el objeto principal del baile es estrechar los vínculos de amistad y los lazos sociales por medio de la amena distracción que proporciona a sus amigos (p. 4).

Una "amena distracción" y un deseo de "estrechar lazos de amistad" marcan el carácter eminentemente social y victorianamente decente de esa convivialidad de clases altas que incorporan, hasta en el lenguaje, la elegancia implícita en la fórmula "dar un baile". En cambio "hacer un baile" "es reunir música, refrescos, luces y gentes para bailar, comer y refrescarse y santas pascuas" (p. 5). La propiedad en el lenguaje —elegir los verbos adecuados— se prolonga naturalmente y alcanza la propiedad en el vestido y en el calzado elegido y sobre todo en el tipo de baile que se escoja. La danza habanera es el tosco embozo que reviste un ritmo producido por seres salvajes, obscenos y esclavos. Su color es ominoso y opaca en su turbulencia sudorosa el trigueño color de las jovencitas que concurren a la danza en una vecindad de quinto patio en la ciudad de México, asaltada de repente por costumbres que reprimen con la ropa la desnudez de una lujuria permitida sólo entre esclavos.

El gasto inherente a una sociedad de consumo, es más, el desgaste que lo inútil, lo suntuario ocasiona, se alegoriza en este erotismo marginado, en esta perversión de las costumbres, en esta desnudez salvaje que esclaviza. La mujer como valor de cambio enturbia las relaciones tradicionales entre los sexos: la unión modesta y pulcra de un matrimonio que procrea hijos sanos y decentes, cuya desnudez primigenia está cubierta con ropas necesarias. La mujer que se exhibe y se pone en venta, la mujer que es "tenida" reviste su desnudez con ropas extranjeras y con calzados escultóricos. El pie de estatua pierde su ropaje marmóreo al son pecaminoso de una danza que en su desgaste lascivo exhibe una desnudez absoluta, prístina y por ello obscena. Las "transacciones bursátiles" y los "agentes de comercio" que las provocan echando en el tablero los albures, desnudan a su vez la nueva sociedad que en ritos festivos se congrega y danza al ritmo lascivo de una esclavitud travestida. El travestimiento, corrupta práctica de sociedades enfermas se vuelve máscara, embozo primitivo, que contamina la metamorfosis cosmogónica.

El desgaste (la pérdida) que el baile provoca en su doble contexto: la fiesta que congrega y el baile que quema la energía, desnuda la apariencia, abole la mirada y permite la unión ritual:

> Enrique sentía en su mano izquierda, en contacto con el raso que ceñía la cintura de Leonor, como los *alfiretazos de la electricidad* y apoderado de todo el ramal nervioso de la enguantada mano izquierda de su compañera, sentía como la fusión inevitable de dos

organismos, como un *soplete ígneo que funde dos metales* en un solo líquido (p. 124).

Las alusiones sexuales que el desgaste del baile provocan en Cuéllar están teñidas de progreso: la mirada que producía un"cosquilleo magnético" y un "hormigueo en las palmas de las manos" se ha cancelado y ahora el tacto inicia la verdadera ritualidad que el baile ha convocado. Pero esta ritualidad que en su desnudo origen era cosmogónica y esta energía perdida en la fusión que la desnudez del tacto acelera, han adoptado una nueva vestidura que el lenguaje nos ofrece copulando: el cuerpo se engendra al unísono que la lengua y ésta condensa con exceso una terminología técnica que mimetiza el amor con el progreso. La electricidad triunfante se apodera de la apariencia y la desnuda y ésta transforma el mundo que Cuéllar observa con nostalgia del pasado. Y esta nostalgia de un paraíso perdido donde la desnudez era inocente se vuelve un paradigma en el baile y el cochino que la vuelven evangélica. El polvo, el fango donde hozan los cochinos, es el pie que danza la lascivia y la desnuda. El romanticismo al que se condena a Cuéllar, cuando los críticos lo colocan dentro de un frasco con esa etiqueta en los catálogos de historia de literatura mexicana, es la nostalgia de un paraíso utópico que ya ha evocado Inclán. El afán moralizante nos muestra en su paradigmática nostalgia y en su furia bíblica la constatación de una realidad cambiante que se simboliza en la mujer asimilándola a los valores de cambio que la bolsa pone en movimiento para realizar las grandes transacciones. Pero la modernidad de Cuéllar, su *realismo* si algún nombre queremos darle, estriba en el lenguaje que mimetiza gráficamente, alegorizándolo, el cambio que el orden y el progreso han inaugurado en la sociedad porfirista.

# SANTA

## Santa y la carne

*Santa* es una novela popular mexicana. Desde su publicación en 1903 hasta 1939, año de la muerte de Gamboa, la obra había alcanzado el estratosférico tiraje —para México— de 65 000 ejemplares. La exitosa venta, en supermercados, de la reciente edición de *Santa*, publicada por Aguilar, en lujosa encuadernación de piel roja para tiempos devaluados, ratifica la popularidad mencionada y nos hace pensar que Santa no sólo vivió de su profesión y murió por ella, sino que hizo la fortuna de Gamboa y hasta la de Agustín Lara (recuérdese "Santa", "Aventurera", "Mujer"). Es más, después del derrocamiento del porfiriato, su creador hubiera vivido en la miseria si su personaje no le hubiese seguido reportando ganancias como se las había producido a la casa de Elvira, por lo que puede decirse que Gamboa fue su *gigolo* como Zola lo fue de *Nana*, Alejandro Dumas de Marguerite Gautier y Prévost de *Manon Lescaut*. Gamboa lo confesaba abiertamente a pesar de su puritanismo moralista. Esta popularidad es tan ambigua como la caracterización de Santa, de quien dice su autor: "Santa no era mujer, no; era una..." Y con estos puntos suspensivos calla la palabra "nefanda", haciendo de la prostituta un ser equívoco; ni mujer ni palabra pronunciada, la puta como animal marginado, aunque público; femenino, aunque negado a la feminidad, terrestre apenas: un cuerpo solamente. Es más, Santa es una prostituta y la novela que protagoniza es una novela sobre la prostitución. La prostituta es un cuerpo y un cuerpo está hecho de carne. En el prostíbulo se vende carne "palpitante de pecado" o simplemente "carne de placer" y la novela hace de esa carne el objeto principal de su discurso. Gamboa lo organiza de tal modo que "sus palabras no ofendan los oídos de nadie" como Dickens que se preciaba de no escribir ninguna palabra malsonante en sus novelas. El discurso de Gamboa es casto, insisten sus contemporáneos, pero los temas de esos discursos son "nefandos".

35

Santa intenta huir del prostíbulo, cuando en él penetra por primera vez para ir adonde "no se dijesen esas cosas" y "esas cosas" son "una que otra insolencia brutal, desganada, ronca que salía de una garganta femenina y hendía los aires impúdicamente". El dilema de Gamboa es el del narrador que debe organizar un discurso cuyo tema pertenece a la "literatura prohibida" y hacerlo público, legible y hasta audible para jóvenes castas; su pudor es el que oculta la obscenidad inherente al tema del discurso, porque pertenece a esa "historia de una indignación" con que Marcuse designa a lo obsceno, disyuntiva implícita en el mismo título de la novela que nos entrega el cuerpo de una "daifa" santa, y que obliga a su autor a fragmentar el discurso al tiempo que fragmenta el cuerpo. Animal de pecado, nuestra protagonista comercia con sus partes "pudendas", como se dice castamente en lenguaje religioso, pero esas partes pudendas permanecen intocadas por el lenguaje narrativo. Santa se desnuda, copula, en "bestiales acoplamientos con toda la metrópoli" pero su acción cotidiana es cubierta con escrúpulos, con silencios, con puntos suspensivos, alusiones y discursos edificantes. Resumo: un libro púdico que el público lee con afán impúdico; un libro que oculta en el cuerpo de su relato el cuerpo de Santa, o mejor dicho, lo escamotea y lo fragmenta; un libro hecho de vociferaciones y silencios; un libro que encubre la crítica contra el régimen que lo produce mediante reflexiones edificantes; un libro que en realidad y a su pesar nos ofrece la metáfora agigantada del porfiriato. Este libro múltiple es el que nos vende en ediciones sucesivas la carne de Santa.

En el prólogo, Gamboa hace hablar a Santa que se define como un "cuerpo magullado y marchito por la concupiscencia bestial de toda una metrópoli viciosa"... y ese cuerpo es carne de una novela que se pretende "austera y casta", modelo de educandos. Y así es literalmente: en la plaza donde se encuentra la lujosa casa de Elvira descuellan varios establecimientos, en primer lugar la escuela y sus pupilos salen de ella justamente cuando Santa pisa el umbral del prostíbulo y, luego, La Giralda,

> carnicería a la moda, de tres puertas, piso de piedra artificial, mostrador de hierro y mármol, con pilares muy delgados para que el aire lo ventile todo libremente; con grandes balanzas que deslumbran de puro limpias; con su percha metálica, en semicírculo, de cuyos

garfios penden las reses descabezadas, inmensas, abiertas por en medio, luciendo el blanco sucio de sus costillas y el asqueroso rojo sanguinolento de carne fresca y recién muerta; con nubes de moscas inquietas, voraces, y uno o dos mastines callejeros, corpulentos, de pelo erizo y fuerte, echados sobre la acera, sin reñir, dormitando...

Santa se exhibe en el prostíbulo, es carne expuesta a la mirada y también "está abierta por en medio". El prostíbulo será moderno y limpio y las "pupilas" estarán habituadas a un aseo riguroso. La limpieza y el baño serán antídotos contra la enfermedad y así como la carne que se expende, colgada de sus garfios y ostentando un sello de sanidad del Ministerio de Salubridad Pública, Santa será llevada al registro "antes de ser bañada y alistada" para su primera exhibición, prólogo de la venta.

La carne de las reses, su sangre fresca de animal "recién muerto" se iguala a la virginidad perdida cuando el "cuerpo es bárbaramente destrozado". La pureza de la santa "violada", la carne mancillada se recrea con la imagen del degüello de la res que es llevada al matadero. Muerta la virginidad, fuera de sus límites sagrados, el matrimonio —del que años antes Cuéllar ha dicho que "es un ataúd abierto" al que las mujeres entran para salir sólo "el día en que se entrega el alma"—, el cuerpo es un objeto consumible que se vende en el burdel como en la carnicería y como Santa en el libro de Gamboa.

Las palabras de Gamboa eluden, callan, aluden, suspenden; pero también troquelan y marcan con "todas sus letras". Los puntos suspensivos que ocultan a la puta se cancelan cuando se determina la economía del poder que rige el porfiriato y se detienen en el prostíbulo al que viene a pecar toda la metrópoli. Al llegar Santa a la casa de Elvira:

> la portera [del establecimiento] cautivada por aquella belleza, con su exterior candoroso y simple, fue aproximándose...: condolida casi de verla allí, dentro del antro que a *ella le daba de comer*; antro que en cortísimo tiempo *devoraría* aquella hermosura y aquella *carne joven* que ignoraba seguramente todos los horrores que le esperaban...

Luego Santa es preparada para su primera noche por las "pupilas de la casa". Una maniobra *decente*, dictamina Gamboa, vigilada y aplaudida por Elvira que no apartaba la vista *de su adquisición* y que con mudos cabeceos afirmativos parecía aprobar las *rápidas y fragmentarias* desnudeces de Santa: un hombro, una ondulación del seno, un pedazo de muslo; todo mórbido, color de rosa, apenas sombreado por finísima pelusa oscura."Cuando la bata se le deslizó y para recobrarla movióse violentamente, una de sus axilas puso al descubierto, por un segundo, una mancha de vello negro, negro..." Y en ese deslizarse fraudulento de la palabra que corre como la seda resbalosa sobre las carnes rosadas de la muchacha y detiene la "desnudez pecaminosa" en los puntos suspensivos con que un falso pudor le cierra la boca, toda la economía de poder se manifiesta metonímicamente. Santa es un objeto de consumo como lo es generalmente un tipo de mujer que antes Cuéllar ha designado también por su nombre directamente, como objeto de consumo y como valor de cambio, pero en Gamboa, el término se afina y el análisis se determina: la mujer objeto de consumo, valor de cambio, objeto decorativo de una economía urbana que se vuelve suntuaria dentro del porfiriato, es un objeto de consumo que se "devora", que alimenta a la metrópoli, dividida sabiamente en objetos *devorables* y en objetos que *devoran*. Veamos.

## Cuerpo humano y cuerpo animal

El pudor con que Gamboa destaza el cuerpo de Santa para venderlo en el prostíbulo por donde desfila toda la ciudad concupiscente, acaba por convertirse en la esencia del libro y definir una mecánica del poder. Sólo cortándola en pedazos la carne de las reses puede ser vendida, aunque antes se la exhiba en grandes garfios que se ostentan por su belleza y sanidad. Cuando la carne se corta, el cuerpo se fragmenta y el de Santa deja de ser un cuerpo humano desde el momento mismo en que Gamboa la ha reducido a una negación, a un epíteto sugerido por puntos suspensivos, a una frase que elude la "palabra nefanda" o a una fragmentación de descripción que destaza el discurso. Santa no es mujer, es un cuerpo destazado.

Si entrar al burdel significa convertirse en carne que se expende para la venta, y si la contigüidad de la carnicería con el burdel no deja dudas respecto a la funcionalidad de ambos establecimientos, es harto visible que el cuerpo de Santa se identifica con el de las reses. Tanto Santa como sus compañeras de ergástulo son vistas como animales y su cuerpo se degrada perdiendo la humanidad. Antes de ser destazada, la res es un cuerpo vivo y entero; perder la virginidad mutila un cuerpo, e inicia la fragmentación y permite la venta. Santa es vista y apreciada por Elvira justamente cuando la joven acaba de ser abandonada por su seductor. Pero ¿durante "su inocencia", mientras es aún virgen, cómo ve Gamboa a Santa? La vida en Chimalistac, el paraíso donde deambulan los pobres de espíritu, es simple, pura, cándida. Es sobre todo bucólica, *pastoril*, y en esas pasturas pastan los bueyes.

Como le sobra contento y tranquilidad y salud, se levanta cantando, muy de mañana y limpia la jaula de sus pájaros; en persona saca del pozo un cántaro de agua fresquísima, y con ella y un jabón se lava la cara, el cuello, los brazos y las manos; agua y jabón la acarician, resbálanle lentamente, acaban de alegrarla. Y su sangre joven corretea por sus venas, le tiñe las mejillas, se le acumula en los labios color granada... Ya está enjugada y bien dispuesta; ya dio de almorzar a palomas y a gallinas, que la rodean y la siguen con *mansedumbre de vasallos voluntarios*... ya el chico de don Samuel el de la tienda llegó en pos del penco de Esteban y Fabián, para que paste con las terneras y vacas de su amo, mohínas ellas, recién ordeñadas, los recentales hambreados, inquietos, mugiendo, iracundos; vacas y recentales en despaciosa procesión, asomando los testuces por encima de las bardas de flores, trepando a las magueyeras, hasta colándose de rondón en el siempre abierto y apacible cementerio, cuyas tumbas cuajadas de yerbas ofrécenles sabroso desayuno.

En el campo, en las aldeas que produce árboles "anteriores al Arca", en ese paraíso de limpieza donde la pastora es bañada por Gamboa que se convierte en agua para recorrer su cuerpo aún intacto, alegre, sonrosado, aparecen los animales "rodeándola con mansedumbre de vasallos voluntarios". Esos animales domésticos participan por igual, de una servidumbre que comparten con el zagal ("las terneras y vacas de su amo") y una libertad que les permite pastar en lugares abiertos, aun en el cementerio que también se convierte en símbolo de vida. Hacia Tizapán hay una hacienda "perdida en la soledad, y por los alrededores de la finca, *partidas de vacas, hatos de carneros y de ovejas sin persona que se cuide de ellos*, paciendo tranquilos dentro de esa paz primitiva".

"Esa paz primitiva", esa libertad feliz no dura mucho y *perros de pastor bravíos* se abalanzan enfurecidos al que se aproxima a las bestias. La libertad pacífica es vigilada y el paraíso peligra porque junto acecha el infierno, representado por una naturaleza salvaje, indómita, la del Pedregal de San Ángel:

> Inexplorado todavía en más de lo que se supone su mitad, volcánico todo, inmenso, salpicado de grupos de arbustos, de monolitos colosales, de piedras en declive, tan lisas que ni las cabras se detienen en ellas... posee arroyos clarísimos... [que]... se despeñan en oquedades y abras que la yerba disimula *criminalmente*; cavernas y grutas profundas, *negras*, llenas de *zarzas*, de *misterio*, de *plantas de hojas disformes*.

Y en esta vecindad conviven, pero maniqueamente separados por el narrador, Paraíso e Infierno. Santa suele aventurarse en el pedregal, lugar donde será "bárbaramente violada" por seducciones "arteras" y lugar en el que su sensualidad empieza a desplegarse ocultamente. Este ocultamiento que se identifica con un paisaje que oculta "misterios" y "alberga" traiciones traza un límite que coincide en el cuerpo de Santa con la menstruación, vivida como "algo malo", como "algo que no se cuenta y que se oculta", pero también coincide con un nuevo ceremonial que pone a Santa en exhibición. El escamoteo clásico que determina este discurso novelesco es también el de su época: se esconde, se emboza lo que se quiere destacar y cuando se fragmenta se sugiere y se hace más apetecible comprar un placer que está tan deliciosamente preservado, tan púdicamente velado, y que Gamboa acentúa con maestría al darle a su protagonista el nombre de Santa, nombre que le fue muy reprochado por alguno de sus críticos, pero ¿cuál placer mayor existe que pecar con una carne especiada con el epíteto de santa?: "Principió entonces para su madre y sus hermanos un periodo de cuidado excesivo para la reina de la casa, principiaron los viajes a México, la capital, para que ella la conociese y ellos la obsequiaran con el producto de risibles y muy calladas economías." Esta "reina de la casa" que será expulsada de ella "para convertirse en reina del burdel" sólo porque se deja exhibir desnuda y bañarse con champagne mostrando así con claridad la contigüidad absoluta de paraísos e infiernos, puede lucirse y vivir en "paz primitiva" gracias "a la *esclavitud mansa de bestias humanas* que practican la honradez, a fin de huir de las malas tentaciones" de sus hermanos Fabián y Esteban quienes "sueñan en alta voz un mismo sueño: conquistar a la fábrica que, adormeciéndolos a *modo de gigantesco vampiro*, les chupa la libertad y la salud".

Las formas de esclavitud se superponen: don Samuel posee a la vez al zagal y a los terrenos; al paisaje pastoril de Chimalistac se enfrenta el paisaje salvaje del Pedregal y queda a un paso del tranvía de la metrópoli concupiscente que amenaza el universo pastoril, y, la fábrica producto de una sociedad que se industrializa bajo el orden y el progreso de una época positivista respaldada por la paz del porfiriato, priva de su libertad a esas "bestias mansas" como los vampiros que chupan la sangre de las vacas.

La esclavitud deshumaniza, bestializando, pero la bestialización se corporifica en la mansedumbre de los bueyes, en su necesidad de huir de "las malas tentaciones", en su sujeción a una estructura patriarcal que bendice, "defiende y da fuerzas" para continuar "su lucha diaria de desheredados". La libertad de vagar por el campo, sueltos, se deriva de esa condición de "vasallos voluntarios". Si las bestias salen del redil, los perros bravos las contienen, si el paraíso se conserva idílicamente representado en el campo siempre verde, el paisaje del Pedregal anuncia la caída: dentro de "la casita pobre" pero "aseadísima", de Santa hay signos peligrosos que indican el destino de quienes rompen su voluntaria sujeción: "empotrados en el muro, unas astas de toro sirviendo de perchas a las cabezadas, freno y montura del único caballo que la finca posee". Del libre vasallaje se pasa a la dehesa; la inocencia de Santa le exige desconocer el lenguaje de su cuerpo; conocerlo es ceder a "esas tentaciones nocivas" que demuestran a los lectores porfirianos "los gérmenes de una muy vieja lascivia" que pervierten a Santa y le permiten pecar "sin disgusto". Cuando Santa asustada del lenguaje obsceno y de la catadura de Elvira "la española cubierta de alhajas y sin ápice de educación", pretende irse del prostíbulo se la convence haciéndole saber que una ya no se pertenece, que es de la policía, que está registrada, es decir que lleva un troquel como las reses que pastaban libremente con su marca de hierro en la piel y se le reitera: "No es el pelo de la dehesa lo que luces, hija mía, es una cabellera y hay que trasquilarte." ¿Qué es la dehesa? La dehesa es una tierra destinada para pasto de los ganados pertenecientes al abasto de un pueblo. Las reses vivas, domeñadas, pastan libremente, como pastan las ovejas de la novela pastoril; sus límites los marca la bravura de los mastines que más tarde aparecen echados a la puerta de La Giralda, la carnicería contigua al burdel donde se expenden las reses abiertas en canal. Cuando Santa viola el esquema patriarcal perdiendo su "inocencia" y deja hablar al cuerpo se vuelve una res que hay que desbravar en el prostíbulo, donde dará rienda suelta y vociferante a ese cuerpo, convertido en "carne de placer". De una libertad aparente, pasa a ser propiedad de la ciudad, sus límites son el ergástulo, término con que Gamboa denuncia el burdel y ergástulo es la cárcel de esclavos. Los insultos de Elvira se le "enroscan en el cuerpo a manera de látigo" y las amenazas demuestran que su cuerpo "registrado y numerado" no se diferencia de los coches de alquiler. Al pertenecer a la policía, Santa es un instrumento público del poder y esa inmensa nación que vive pastorilmente en un campo de vasallos mansos como bueyes, adquiere su mejor definición en la metáfora bíblica de Oseas que preside el discurso que Santa protagoniza. Al ser la prostituta casada con el profeta, Santa simboliza a la metrópoli prostituida de la sociedad positivista, pero ese símbolo detenido en el del sexo que se descubre soezmente mientras intenta embozarse en los ojos vacíos de Hipólito, el ciego que redime a Santa, acusa, acentuado, el carácter agresivo y peligroso que toda sociedad que se pretende moralista le confiere al sexo como instrumento de poder.

## *La atracción apasionada*: Santa oye el Grito

Fourier, uno de los filósofos más curiosos del siglo pasado, creía en la prostitución como fuerza de choque, además, la concebía como una costumbre sana. El adulterio era para él la novela obligada de la pareja, pero el amor sentimental sólo podía darse en el prostíbulo. El autor de *La atracción apasionada* poco tiene que ver con el autor de *Santa*, la novela más popular que México haya producido hasta *Pedro Páramo*, y Gamboa, su autor, niega explícitamente las tesis de Fourier, y con todo, ha puesto a circular la historia más sentimental de nuestra literatura: Santa organiza un triángulo, muy diferente al que se traza dentro y fuera del matrimonio: aquí se trata de un triángulo apasionado pero sentimental, el que dibujan un torero andaluz, un pianista ciego y una prostituta especiada por su nombre.

Para Fourier la pareja es sosa, vana, efímera, se agota en el número más breve de la unión, el dos. El matrimonio es la prostitución legal, ordenada (de dos), en cambio Fourier propone la pareja celadónica, formada por dos seres puros, angelicales, con respecto al otro, pero promiscuos con respecto a los demás, porque es la privación de lo necesario sensual lo que degrada al amor espiritual. Santa se prostituye con todos los parroquianos del burdel pero se conserva pura para los que la aman, primero (y siempre) para Hipólito, que nunca podrá mirarla ni tocarla, y, luego, para el Jarameño, el torero, de alguna manera su igual, porque público. Hipólito es el eje de la castidad, Santa y el Jarameño lo son de la sensualidad y el triángulo se forma justamente en vísperas de las fiestas patrias, fiestas celebradas para conmemorar la victoria de los mexicanos contra los españoles, los gachupines. El prostíbulo se pone de fiesta y descansa, y los parroquianos pagan en moneda contante y sonante la posibilidad de hacer descansar a las pupilas del burdel, situado junto a la escuela donde las niñitas aprontan sus banderas para desfilar cerca del Zócalo. Las pupilas de la casa grande se aprontan también y se enlazan a los ardientes caballeros que las llevarán al apartado de un restorán de lujo y allí descorcharán champagne y comerán mariscos en honor de la patria. El pueblo, afuera, come enchiladas y bebe pulque.

Como es de esperar, el triángulo se produce un día crepuscular, nebuloso, propio para llorar y hacer un tango. Y ese día, ya lo reiteré, se celebra la independencia del país y se descubre la noción de Patria. Y la Patria se asocia con el pueblo. También con el público que asiste a una corrida de toros. El pueblo está abajo, acre, furibundo, oleaginoso. Los parroquianos de la casa de Elvira miran al toro desde la barrera. Santa, casi la única prostituta mexicana, quiere unirse al pueblo, pero las demás cortesanas, en su mayoría españolas, temen el contacto. También los "rotos", y el Grito se prepara en lugares cerrados, tras de celosías, tras los apartados, desde los carruajes acojinados en púrpura aterciopelada sobre los que se recuestan con indolencia —imagen repetida— "las hijas del pecado".

Fourier se obstina, revuelve, violenta, no reconoce ni el amor carnal ni el amor espiritual, sino una mezcla compuesta (como la

43

dinamita): la prostitución santa. Gamboa no admite nada, todo lo disfraza con adjetivos que rechazan lo prostibulario, y "lo vulgar", "lo inconfesable", "lo repugnante", pavimentan las descripciones que aíslan la conducta de los "rotos" del ruido huracanado del pueblo, ruido oceánico, turbulento, monstruoso. Santa se aísla, angelical como su lascivia, y, superlativa (como su nombre), cae en un trance espiritual.

Los clientes ostentan la conducta *blasée*, descangallada, de quienes visten frac y unifican en el comercio cualquier patria, transnacionales *avant la lettre*. Las mujeres, anónimas, casi analfabetas, sacadas de su doble contexto (la patria grande y la casa-lenocinio) se aburren y en su indolencia dejan traslucir, como asegura Gamboa, que una vez la lujuria apaciguada no existe entre los sexos más que odio.

Las nociones de Patria se confunden con el himno nacional, con la carne (la del pecado) y con el champagne, o se convierten, a lo sumo, en una abstracción. Para el torero la patria es el cortijo, o mejor, Andalucía, reducida a un balcón con claveles, geranios, rejas y unos "ojazos negros". Los amantes se aíslan y se vuelven puros, porque son bellos, sentimentales, angélicos, más angélicos mientras mejor se prostituyen a la masa, Santa entregando sus carnes "macizas" a los hombres que la "magullan" en el prostíbulo, y el Jarameño librando sus "músculos de acero" a las "embestidas bestiales de los toros". El pueblo, "la plebe", se arremolina; arriba, en el Palacio Nacional, en el Zócalo, el presidente espera que suenen las "augustas campanas de la Patria" y su sonido ritma con precisión aguda la distancia que media entre un Grito y la concreción de una fiesta que inaugura una nacionalidad.

Santa la ignora y prendida al triángulo se sostiene en él con gran tristeza, reduciendo su patria a la casa de Elvira donde se ejerce la profesión "horrenda" y donde se le puede aplicar el estigma de la palabra nefanda: es fourierina pero no lo sabe y su Creador lo niega. Gamboa parece salirse con la suya, una pudibunda profesión de virtud, un aviso contra el crimen, una denuncia de lo sacrílego, pero sin quererlo ingresa en el falansterio, edificio creado por la imaginación de Fourier para santificar lo prostituido y transgredir la pareja dentro del vicio.

## *LA SOMBRA DEL CAUDILLO*: UNA METÁFORA DE LA REALIDAD POLÍTICA MEXICANA*

### Lenguaje político y retórica

Si uno se atiene a lo que el lenguaje político sostiene, la Revolución mexicana sigue siendo vigente. Para verificar o rechazar esa aseveración sería interesante, y además útil, analizar *La sombra del caudillo* de Martín Luis Guzmán, la novela política más coherente que se haya escrito en México. Y pienso que nadie ha logrado, con tan acabada perfección literaria, dar cuenta de un fenómeno en el momento mismo en que posiblemente era liquidado, y a la vez definir una retórica que, ella sí, se ha mantenido activa hasta este momento. Además, al recrear con precisión novelesca un acontecimiento histórico mexicano, Guzmán determina, imitando a los trágicos griegos, cuáles son los usos y abusos del poder.

Y como muestra de retórica basta un botón, oigamos hablar en la novela a los dos personajes en contienda por la Presidencia de la República, el general Ignacio Aguirre y el general Hilario Jiménez, personajes que se debaten impulsados por los designios del entonces presidente, el Caudillo, en realidad Álvaro Obregón.

> Estamos hablando con el corazón en la mano, Hilario, no con frases buenas para engañar a la gente. Ni a ti ni a mí nos reclama el país. Nos reclaman (dejando a un lado tres o cuatro tontos y tres o cuatro ilusos) los grupos de convenencieros que andan a caza de un gancho de donde colgarse; es decir, tres o cuatro bandas de politiqueros... ¡Deberes para con el país!...

* Este texto, inédito, fue leído en una primera versión, muy reducida, en la Universidad de Brown, EE.UU., en marzo de 1993 y luego en Puerto de Santa María, España, en el Encuentro sobre el Ciclo Narrativo de la Revolución Mexicana, organizado por la Universidad de Sevilla, abril de 1994.

Pero Jiménez estaba ya de vuelta en el terreno de la sinceridad. Con ella replicó:

—Franqueza por franqueza. Yo no creo lo mismo, o no lo creo por completo. Mis andanzas en estas bolas van enseñándome que, después de todo, siempre hay algo de la nación, algo de los intereses del país, por debajo de los egoísmos personales a que parece reducirse la agitación política que nosotros hacemos y que nos hacen.[1]

## Algunos datos biográficos

Martín Luis Guzmán nació en 1887 en Chihuahua, uno de los estados del norte de la república mexicana más decisivos en el curso de la Revolución. Su padre era instructor del Colegio Militar donde se formaron esos soldados federales que habrían de figurar en sus novelas ya fuera como los enemigos huertistas o como los militares más sabios del ejército constitucionalista, entre los que se destaca el extraordinario Felipe Ángeles. Guzmán sigue la carrera de jurisprudencia y en 1911 se asocia con los miembros del Ateneo de la Juventud, y participa en las actividades culturales de formación y método de estudio así como de difusión de nuevas ideas que habrían de ser tan importantes en el ideario político de la Revolución. Obsesión de seriedad y de rigor que le hacen decir: "Únicamente la especialización rigurosa hace pueblos completos y organizados, porque en ellos nadie adquiere derecho a la universidad si antes no ha dominado su oficio. Y no hay otra senda."[2] Organización y rigor filosóficos, idearios humanistas, reacción contra los ideólogos porfiristas conocidos como los "científicos".

En 1913, Guzmán se une al movimiento revolucionario del norte, el de los constitucionalistas. Sus años de experiencia en el ejército le permiten relacionarse con los más importantes militares y políticos de México: Venustiano Carranza, Álvaro Obregón, Pancho Villa, Adolfo de la Huerta, Lucio Blanco, Felipe Ángeles, de los

---

[1] Martín Luis Guzmán, *La sombra del caudillo*, México, Compañía General de Ediciones, 20a. ed., 1973, p. 70.

[2] Citado por María del Carmen Millán en su prólogo a Martín Luis Guzmán, *El águila y la serpiente*, México, Promexa, p. XV.

cuales deja retratos memorables y vívidos en *El águila y la serpiente*.

Las diferencias políticas que separan en facciones a los revolucionarios después de la caída de Huerta, la escisión entre Carranza y Villa, lo obligan a optar por la facción villista, hasta que Carranza lo pone preso en 1914. Libre por la Convención de Aguascalientes y "perplejo ante los dictados de la lealtad, que no le consentía desconocer al gobierno de la Convención ni tampoco hacer armas contra Francisco Villa y Emiliano Zapata, decide expatriarse temporalmente, hasta 1920".[3] De 1922 a 1924 fue diputado al Congreso de la Unión; al apoyar la rebelión delahuertista que fue derrotada, se ve obligado a exilarse desde 1924 hasta 1936 en España. En el fondo histórico de *La sombra del caudillo* se funden dos momentos de la vida política de México, en parte el de 1923-1924, la época de la candidatura a la presidencia de Adolfo de la Huerta, y el periodo 1927-1928, que como corolario tiene el asesinato del general Serrano en Huitzilac, por ir contra los deseos del Caudillo. Los personajes, apenas disfrazados, serían, como ya lo indicaba antes, Álvaro Obregón (asesinado luego en 1929) y Plutarco Elías Calles, quien fundaría el partido que hoy, con otro nombre, aún se mantiene en el poder, el PRI.

A partir de 1936, Martín Luis Guzmán se integra a la vida política nacional, ocupa diversos puestos, algunos de elección popular, escribe otros libros y corona su carrera con varios premios y cargos.

## El Ateneo de la Juventud

En sus notas sobre la cultura mexicana del siglo XX, Carlos Monsiváis recuerda el halo mitológico que aureola a la generación del Ateneo de la Juventud y antes de matizarlo resume los atributos específicos de que se componía su sustancia. Extraigo algunas de sus frases:

> Es una generación con calidad y unidad de propósitos [...] Destruyen las bases sociales y educativas del positivismo y propician el

---

[3] Arturo Delgado González, *Martín Luis Guzmán y el estudio de lo mexicano*, México, SEP (SepSetentas), 1975, p. 170.

47

retorno al humanismo y a los clásicos [...] En Grecia encuentran la inquietud del progreso, el ansia de perfección, el método, la técnica científica y filosófica, el modelo de disciplina moral, la perfección del hombre como ideal humano [...] Representan la aparición del rigor en un país de improvisados [...] Impugnan frontalmente el criterio moral del porfiriato [...] Renuevan el sentido cultural y científico de México, y [para terminar] son precursores directos de la Revolución.[4]

El impacto ateneísta se atenúa para Monsiváis si se advierte que,

su importancia política no es tan amplia ni tan demoledora, [aunque] frente a los sectores reaccionarios y feudales del porfirismo representan un adelanto, una liberalización, una alternativa: son la posibilidad de reformas dentro del sistema, la certidumbre de un comportamiento intelectual de primer orden. Pero —insiste— su raigambre conservadora es imperiosa.[5]

Y sin embargo, Monsiváis, quien para reforzar sus argumentos se apoya en los de Jorge Cuesta, aunque disienta levemente de ellos, acepta que los aportes culturales del Ateneo, en relación con los individuos que lo formaron, son extraordinarios. Cuesta, a su vez, dice: "Para los ateneístas el conocimiento se maneja como acción, la inteligencia como sensibilidad y la moral como estética." En suma, tanto Cuesta como Monsiváis coinciden en que su proyecto fue un "intento de reconstrucción utópica":

"...formado —añade Cuesta— por espíritus que por violentar demasiado a la ética se han visto política y estéticamente casi desposeídos, y por mantener un orgullo demasiado erguido en el sueño, lo han visto sin fuerza en la realidad".

Y Cuesta finaliza: "El Ateneo de la Juventud se significó con su actitud aristocrática de desdén por la actualidad, pero su aristocracia es una ética, casi una teología."[6]

No es extraño entonces que su idea de la historia sea eminentemente heroica, nostálgica, modelada en la palabra casi sagrada del *Ariel* de Rodó, cuya estética estatutaria fue trasladada a una práctica

[4] Carlos Monsiváis, "Notas sobre la cultura mexicana en el siglo XX", en *Historia general de México*, México, El Colegio de México, 1976, t. IV.
[5] *Ibid.*
[6] *Ibid.*

humanística: los intelectuales como héroes, como reformadores de la patria. Héroes, copias al carbón de una poética (y una ética) aristotélica. Así, tanto Alfonso Reyes como Martín Luis Guzmán, ambos hijos de militares destacados del porfiriato, asumen como su paradigma natural la edad heroica griega. En Reyes a través de un deslinde retórico y humanístico, y en Guzmán mediante la creación de un arquetipo modelado en la tragedia ateniense.

## Lo escultórico y la transparencia

Recalco, entonces: podría afirmarse que este último escritor tuvo como modelo directo la *Poética* de Aristóteles para construir a su héroe: el general Aguirre es joven, alto, bien formado. Parece, cuando se mueve, un atleta griego. Sus rasgos no son perfectos, pero sí armónicos, se delinean en el movimiento, como las esculturas de Mirón, pero a la vez en el reposo, como esas mismas estatuas. Cuando en el primer capítulo del libro asistimos a la seducción de Rosario por el joven ministro de la Guerra, Guzmán lo describe así:

> Junto a Rosario, Ignacio Aguirre no desmerecía de ninguna manera: ni por la apostura ni por los ademanes. Él no era hermoso, pero tenía, y ello le bastaba, un talle donde se hermanaban extraordinariamente el vigor y la esbeltez: tenía un porte afirmativamente varonil; tenía cierta soltura de modales donde se remediaban, con sencillez y facilidad, las deficiencias de su educación incompleta. Su bella musculatura, de ritmo atlético, dejaba adivinar bajo la tela del traje de paisano, algo de la línea que le lucía en triunfo cuando a ella se amoldaba el corte, demasiado justo del uniforme. Y hasta en su cara, de suyo defectuosa, había algo por cuya virtud el conjunto de las facciones se volvía no sólo agradable sino atractivo. ¿Era la suavidad del trazo que bajaba desde las sienes hasta la barbilla? ¿Era la confluencia correcta de los planos de la frente y de la nariz con la doble pincelada de las cejas? ¿Era la pulpa carnosa de los labios, que enriquecía el desvanecimiento de la sinuosidad de la boca hacia las comisuras? Lo mate del cutis y la sombra pareja de la barba y el bigote, limpiamente afeitados, parecían remediar su mal color; de igual modo que el gesto con que se ayudaba para ver a cierta distancia restaba apariencias de defecto a su miopía incipiente.[7]

---

[7] Martín Luis Guzmán, *op. cit.*, pp. 15-16.

Aguirre, entonces, queda claro, no es bello como un dios, es bello como un hombre, su cuerpo imita a las estatuas de los atletas olímpicos, casi puede admirarse su cuerpo como se admiran los cuerpos que dejan adivinar las deidades de los frisos del Partenón bajo los drapeados de sus trajes. En suma, además de tener un cuerpo clásico, estatuario, Aguirre tiene los atributos del príncipe aristotélico. No es demasiado hermoso, tampoco demasiado bueno. Comete errores, es venal, a veces también banal, y en ocasiones hasta fornicario, como solía decir Obregón del general Serrano. Su cuerpo tiene defectos, pero el movimiento y la ondulación de sus miembros recuerdan los de un caballo o los de un atleta que, para el caso, es lo mismo, porque según Guzmán, "era la de Aguirre una pierna vigorosa y llena de brío". La descripción es estatuaria, pero dentro de los cánones del realismo ateniense, revisado, purificado y blanqueado por el neoclásico; es decir, un realismo en el que la armonía exacta se logra en el reposo de los personajes retratados, porque justo en el momento del reposo se ponen de relieve, con mayor claridad, los sabios ritmos del movimiento exacto y necesario para competir en los juegos olímpicos y para, luego, trasladar sus rasgos a una estatua que inmortaliza. Los rasgos del general Aguirre parecen haber sido construidos por la regla de las tres unidades, por un escultor, y hasta mediante la ayuda de un arquitecto, quizá Jesús T. Acevedo, miembro del Ateneo de la Juventud quien aseguraba que "las humanidades tienen por objeto hacer amable cualquier presente. Fundarse en el examen de la Antigüedad para comprender y aquilatar los perfiles del día, constituye la actividad clásica por excelencia".[8]

Como miembro del Ateneo, para Guzmán la disciplina, el rigor, la lucha contra la improvisación, la educación son, o debieran ser, los fundamentos de una nueva sociedad, la que emerge de la lucha revolucionaria. Educar al pueblo es una política y a la vez una ética, es más, según el modelo ateneísta, la política debería ser inseparable de la ética y de la estética.

Por eso el Aguirre descrito por Guzmán tiene "un porte afirmativamente varonil; [y] cierta soltura de modales donde se remediaban, con sencillez y facilidad, las deficiencias de su educación

---

[8] Citado en Carlos Monsiváis, *op. cit.*, p. 327.

incompleta". Es decir, la falta de rigor intelectual puede suplirse con un cuerpo elástico, atlético, luminoso.

## La opacidad de los caudillos

Los caudillos en cambio son opacos y, aunque muchas veces su mirada sea luminosa, esa luminosidad es sospechosa. Y es sospechosa porque revela lo instintivo, la animalidad, lo contrario a la educación, ese aprendizaje que hace del hombre un ser racional. Los ateneístas forman parte de una vieja tradición polémica que en América y desde la Conquista ha opuesto lo racional a lo bárbaro, tradición defendida más tarde por los grandes próceres de América Latina —por ejemplo, Sarmiento—, y que será fundamental después en la novela llamada telúrica o de la tierra, contemporánea de la novela de la Revolución mexicana.

Pancho Villa, a cuyo lado combatió Guzmán, es descrito así en *El águila y la serpiente*:

> tenía puesto el sombrero, puesta la chaqueta y puestos también, a juzgar por algunos de sus movimientos, la pistola y el cinto con los cartuchos. Los rayos de la lámpara venían a darle de lleno y a sacar de sus facciones brillos de cobre en torno de los fulgores claros del blanco de los ojos y del esmalte de la dentadura. El pelo rizoso, se le encrespaba entre el sombrero y la frente, grande y comba; el bigote de guías cortas, azafranadas, le movía, al hablar, sombras sobre los labios... *Su postura, sus gestos, su mirada de ojos constantemente en zozobra denotaban un no sé qué de fiera en el cubil; pero de fiera que se defiende, no de fiera que ataca*; de fiera que empezase a cobrar confianza sin estar aún muy seguro de que otra fiera no lo acometiese de pronto queriéndola devorar.[9]

Esa luminosidad huidiza, obtenida gracias a otra luz, de la que es reflejo, revela lo primitivo del ser, el instinto natural, un instinto de defensa. Instinto que Guzmán, como buen ateneísta, reprueba, pero que sin embargo es superior al de los otros jefes de la Revolución quienes actúan no como Villa en defensa propia, sino en ofensa ajena. Esta idea es tan acentuada en su obra que, según él, la per-

---

[9] Martín Luis Guzmán, *El águila y la serpiente*, *op. cit.*, p. 39. Las cursivas son mías.

secución de que fue objeto, y que lo obligó a desterrarse cuando triunfó el carrancismo, se debió a una discusión que Guzmán sostuvo con el Primer Jefe, y en la que contrariaba su idea de "la superioridad de los ejércitos improvisados sobre los que se organizan científicamente":

> —¡Lo que son las cosas! —dije sin ambages y mirando con fijeza hasta el fondo de los ojos dulzones del Primer Jefe—. Yo pienso exactamente lo contrario de usted. Rechazo íntegra la teoría que hace de la buena voluntad el sucedáneo de los competentes y de los virtuosos. El dicho de que las buenas voluntades empiedran el infierno me parece sabio, porque la pobre gente de buena voluntad anda aceptando siempre áreas superiores a su aptitud, y por allí peca. Creo con pasión, quizá por venir ahora de las aulas, en la técnica y en los libros y detesto las improvisaciones, salvo cuando son imprescindibles. Estimo que para México, políticamente, la técnica es esencial en estos tres puntos fundamentales: en Hacienda, en Educación Pública y en Guerra... Mi salida causó, más que sorpresa, espanto, Don Venustiano me sonrió con aire protector, tan protector que al punto comprendí que no me perdonaría nunca mi audacia.[10]

Los políticos son obtusos, y, cuando sus ojos brillan, repito, su luminosidad es sospechosa. Los ojos del Caudillo de la novela son, como los de Villa, ojos de fiera:

> tenía unos soberbios ojos de tigre, ojos cuyos reflejos dorados hacían juego con el desorden, algo tempestuoso de su bigote gris... Pero si fijaban su mirada en Aguirre nunca faltaba en ellos [...] la expresión suave del afecto [...] Con todo esta vez notó que sus palabras, mencionado apenas el tema de las elecciones, dejaban suspensa en el caudillo la mirada de costumbre. Al contestar él, sólo quedaron en sus ojos los espurios resplandores de lo irónico; se hizo la opacidad de lo impenetrable.[11]

Es la luz la que da el brillo, la transparencia; es la luz la que destruye la sombra, pero es al abrigo de la sombra que se agazapan las fieras, esos seres opacos de la política nacional, que hacen de la oscuridad su hábitat natural. Política nacional que después de su destierro

[10] *Ibid.*, p. 51.
[11] Martín Luis Guzmán, *La sombra del caudillo, op. cit.*, p. 54.

Guzmán entendió con nitidez, y que verifica lo que Cuesta había dicho de los miembros del Ateneo, una actitud aristocrática de desdén de la actualidad, una aristocracia doblada de ética, concebida casi como una religiosidad, o mejor dicho, casi como una teología. Una religiosidad laica, una idealización de la vida nacional, el deseo de crear mediante una mística del rigor un nuevo país.

> El vigoroso conservadurismo de los ateneístas —concluye Monsiváis— no les impide constituirse en un puente entre una y otra etapas históricas y les obliga a perfilarse como un programa: el deseo de sobrevivencia de una cultura que no juzgan porfiriana sino occidental y universal (clásica en su origen) y a la que se deben. No es azarosa su indiferencia ante una característica de la vida griega: la democracia. Su afán es distinto y, sin decirlo, aceptan la idea de un despotismo ilustrado, lo que será la vaga conformación programática de Vasconcelos como secretario de Educación Pública y como candidato a la Presidencia en 1929.[12]

## La luminosidad

El cuerpo de Aguirre, acoplado al de Rosario, su amante, se matiza con la luz: la región más transparente del aire ayuda a depurar las líneas y obliga al paisaje a tomar partido cuando subraya las sombras y las luces: "Ahora las nubes cubrían el sol con frecuencia y mudaban, a intervalos, la luz en sombra y la sombra en luz." Guzmán confiesa en la entrevista que le hiciera Emmanuel Carballo que

> ...en su modo de escribir lo que mayor influjo ha ejercido es el paisaje del Valle de México. El espectáculo de los volcanes y el Ajusco, envueltos en la luz diáfana del valle, pero particularmente en la luz de hace varios años. Mi estética es ante todo geográfica. Deseo ver mi material literario como se ven las anfractuosidades del Ajusco en día luminoso o como lucen los mantos del Popocatépetl.[13]

---

[12] Carlos Monsiváis, *op. cit.*, p. 326.
[13] Emmanuel Carballo, *Protagonistas de la literatura mexicana*, México, SEP/Ediciones El Ermitaño (Lecturas Mexicanas, Segunda Serie, 48), 1986, p. 84.

En el fragmento recién citado se hace referencia a la estética del paisaje presente en la obra del gran pintor mexicano José María Velasco. Ciertamente, la luz que ahora tenemos no es la que sedujo a don Martín. Quizá por eso ya no tengamos posibilidades de ser estetas. Esa luz, aparentemente maniquea, es sobre todo escultórica o arquitectónica, también pictórica, la luz necesaria para construir los volúmenes que los contrastes revelan y que son manejados por Guzmán en paralelismo absoluto con la política. Estar a la sombra significa poder mirar a los que están a la luz, al descubierto, luciendo su físico pero también descubriendo su juego. La política mexicana se reduce, en cierta medida, a una teoría sobre la madrugada:

> O nosotros le madrugamos bien al Caudillo, decía Oliver, o el Caudillo nos madruga a nosotros: en estos casos triunfan siempre los de la iniciativa. ¿Qué pasa cuando dos tiradores andan acechándose pistola en mano? El que primero dispara primero mata. Pues bien, la política de México, política de pistola, sólo conjuga un verbo, madrugar.[14]

Madrugar es estar de lleno entre los dos opuestos, es aprovechar el momento en que la sombra está a punto de convertirse en luz y, por tanto, y tomando en cuenta, como dice el dicho, que al que madruga Dios lo ayuda, podrá dar el albazo, pasar de la sombra a la luz y exponerse, ya seguro de su triunfo, al público, y en rápido malabarismo colocar definitivamente a su rival a la sombra, es decir, privarlo para siempre de la luz. Aguirre no ha reconocido esta ley y ha perdido puntos en el juego político al que lo condena su posición. Y no sólo eso, se ha mostrado a plena luz, sin advertir que al hacerlo se ha vuelto el blanco perfecto de sus enemigos, agazapados en la sombra, antes de dar el zarpazo.

Insisto: Aguirre es guapo, esbelto, luminoso, más que hombre de acción es hombre de placer, aclara Guzmán; en cambio, su enemigo es opaco. Hilario Jiménez —Calles—

> ...durante todos estos movimientos, su cuerpo, alto y musculoso —aunque ya muy en la pendiente de los cuarenta y tantos años puestos demasiado a prueba—, confirmó algo que Aguirre siempre había creído: que Jiménez visto de espaldas, daba de sí más fiel idea

---

[14] Martín Luis Guzmán, *La sombra del caudillo*, *op. cit.*, p. 37.

que visto de frente. Porque entonces (oculta la falaz expresión de la cara) sobresalía en él la musculatura de apariencia vigorosa y se le fortalecían los cuatro miembros, firmes y ágiles y todo él cobraba aire seguro, cierta aptitud para consumar, con precisión, con energía, hasta los menores intentos. Y eso sí era muy suyo —más suyo desde luego que el deforme espíritu que acusaban sus facciones siniestras— pues cuadraba bien con la esencia de su persona íntima.[15]

La opacidad del contrario, es decir su falta de transparencia —frases ya manidas en la filosofía y en la política mexicana—, su incapacidad para reflejar la luz, su animalidad (su estructura de cuadrúpedo, semejante a la mirada bovina de Carranza en *El águila y la serpiente*), constituyen un dato ominoso: carece de forma, o mejor, su forma es equívoca, poco clara —se advierte no de frente sino de espaldas. Su cuerpo es oscuro, pesado, contradictorio, siniestro, como su política. Aguirre no quiere ser presidente y se lo advierte tanto al Caudillo como al candidato, pero la transparencia no es aceptada ni creíble: ¿Quién que es no quiere ser?

Políticamente el Caudillo tiene razón, razona a su vez Axkaná, hablando con su amigo Aguirre: Juzga tu caso refiriéndolo a uno cualquiera de sus generales, como si se tratara de él mismo. ¿En las actuales condiciones tuyas no andaría él bregando ya por llegar a ser presidente? Pues por eso, ni más ni menos, supone que eso es lo que tú haces y harás.[16]

## El papel del corifeo

De esta manera se va urdiendo la trama, se van poniendo las fichas sobre la mesa, se va cerrando la trampa. Aguirre no ha entendido que los contrarios delinean otra forma, distinta a la suya, opaca, nunca transparente, pero a la larga siempre adecuada a su propia necesidad política. Significativamente, los partidarios de Aguirre se parecen, entre todos se dibuja nítidamente la armonía, se perfila una forma clásica, se construye la belleza, según el ideal helénico, quizá

---

[15] *Ibid*., p. 68.
[16] *Ibid*., p. 64.

imposible de lograr en este reino. La prueba la obtiene el mismo Axkaná, personaje cuya función en la novela es, según confesión del propio autor, la del coro (y quizá la de autorretrato del mismo Guzmán): "Ejerce en ella la función reservada en la tragedia griega al coro: procura que el mundo ideal cure las heridas del mundo real."[17]

Es más, Axkaná es la conciencia política del autor, juega el papel del corifeo, dice la verdad, esa verdad que los políticos inmersos en el juego ya no pueden ver. Por eso aclara, explicándole a Aguirre (y sobre todo al lector) el juego de la política, es decir, penetra en la oscuridad:

> En el campo de las relaciones políticas la amistad no figura, no subsiste. Puede haber de abajo arriba, conveniencia, adhesión, fidelidad; y de arriba abajo, protección defectuosa o estimación utilitaria. Pero amistad simple, sentimiento afectivo que una de igual a igual, imposible. Esto sólo entre los humildes, entre la tropa política sin nombre. Jefes y guiadores, si ningún interés común los acerca, son siempre émulos envidiosos, rivales, enemigos en potencia o en acto. Por eso ocurre que al otro día de abrazarse y acariciarse, los políticos más cercanos se destrozan y se matan. De los amigos más íntimos nacen a menudo, en política, los enemigos acérrimos, los más crueles.[18]

Clarividencia absoluta, Axkaná no sólo es la luz, es el descifrador de la sombra. Además, su capacidad absoluta para la amistad —esa forma prístina de lealtad de la que carecen los políticos y que otorga al grupo de Aguirre su máxima radiancia— le permiten una posición neutral y la sobrevivencia. No podría ser de otra manera: la figura de Axkaná es un soporte narrativo y filosófico; permite que el narrador construya con nitidez un discurso político sustentado en un discurso narrativo, cuyo juego armónico produce una acabada metáfora de la realidad nacional. El discurso teórico, corolario natural de las acciones narrativas y de las imágenes poéticas de la novela, no tendría validez sin ese sustento, subrayado por Axkaná mientras cumple con la función de corifeo que le ha sido asignada en el texto. Y al dibujar la metáfora narrativa del poder, *La sombra*

[17] Emmanuel Carballo, *op. cit.*, p. 88.
[18] Martín Luis Guzmán, *La sombra del caudillo*, *op. cit.*, p. 64.

*del caudillo* sobrepasa el mero realismo histórico y circunstancial de un solo país, aunque lo pueda representar de maravilla.

> Axkaná escuchaba haciendo un transporte de la elocuencia de Aguirre: éste creía expresar la tragedia de que su jefe lo juzgara falso, pero lo que Axkaná entendía no era eso. Sentía en su amigo la tragedia del político cogido por el ambiente de inmoralidad y mentira que él mismo ha creado; la tragedia del político, sincero una vez, que, asegurando de buena fe renunciar a las aspiraciones que otros le atribuyen, aún no abre los ojos a las circunstancias que han de obligarlo a defender, pronto y a muerte, eso mismo que rechaza. Axkaná, en otros términos, pensaba lo que el Caudillo. Sólo que mientras éste, gran maestro en el juego político y juez de las ambiciones ajenas a la luz de las propias, sospechaba fingimiento en Aguirre, Axkaná sabía que la sinceridad de su amigo era absoluta. Para él todo el equívoco estribaba en la confusión de Aguirre al identificar con sus deseos los misteriosos resortes de la política: en que el ministro de la Guerra, en fuerza de querer oponerse a la magnitud de la ola que venía levantándolo, no fuera capaz de apreciarla.[19]

## Forma y movimiento

Axkaná se dirige al frontón, y allí descubre por vez primera el arquetipo, el mundo platónico de las ideas y las formas, en un espectáculo que lo fascina literalmente:

> un nuevo espectáculo, un espectáculo que se le antojó magnífico por su riqueza plástica y del que gustó plenamente. *Con los ojos llenos de visiones extraordinarias se creyó, por momentos, en presencia de un acontecimiento de belleza irreal* —asistió a la irrealidad en que se saturan en la atmósfera de las lámparas eléctricas las proezas de los pelotari [...] Con todos sus sentidos admiraba aún, como hechos sobrehumanos, como fenómenos ajenos a las leyes físicas y al vivir de todos los días, los incidentes del juego que acababa de ver.[20]

[19] *Ibid.*, p. 63.
[20] *Ibid.*, pp. 119-120.

Nunca ha estado Guzmán-Axkaná más cerca del ideal: el pelotari es la imagen moderna del discóbolo, no puede haber nada más bello para un ateneísta: vislumbrar por fin la forma y el movimiento encadenados, la presencia definitiva, palpable, concreta, del héroe, el mito hecho realidad, "la maestría heroica", *la belleza irreal*. Éste es uno de los momentos fundamentales del texto, juega casi el mismo papel que la línea áurea en las pinturas clásicas. En ese pasaje novelesco se decide el futuro de México: recuérdese que estamos en la época de Plutarco Elías Calles, antes de la matanza de Huitzilac, del asesinato del general Serrano. A partir de este instante se dirimirán en la novela dos opciones de vida, dos opciones de historicidad: una deformidad corpórea responde a la falta de moral política: la estética de Guzmán es inseparable de la ética, o más bien estética y ética se confunden, como en la filosofía clásica lo bello es inseparable de lo bueno. La belleza escultórica de los cuerpos en movimiento y la de los amantes se encuentran en su clasicismo.

En sus años de aprendizaje político, cuando deambulaba por los estados del norte de la república, antes de afiliarse de manera definitiva al villismo, Guzmán afina su idealismo, lo asocia a un programa disciplinario del cuerpo y del espíritu:

> Por fortuna, descubrí pronto que en el Nogales de Sonora había una tienda de libros... Después, a fuerza de meterme en todas partes, hallé que en el Nogales de Arizona existía... una biblioteca pública, y que en aquella biblioteca podían leerse las obras de Plotino. De allá datan mis inmersiones temporales en la mística alejandrina y en su pureza espiritual ajena al mero conocimiento; de allá mi trato momentáneo con Porfirio y Jámblico.[21]

## La oscura realidad

Al salir del frontón, transportado por la belleza ideal, Axkaná cae en una emboscada y sufre un atentado. Casi al mismo tiempo, Aguirre arregla un negocio fraudulento, acepta un papelito amarillo que le ofrece una compañía petrolera norteamericana. Cuando le informan acerca del atentado contra su amigo, renuncia a su puesto

---

[21] Martín Luis Guzmán, *El águila y la serpiente, op. cit.*, p. 48.

de ministro de Guerra y acepta, demasiado tarde, su candidatura como presidente de la República. Ninguno de los políticos, ni su antiguo amigo, el Caudillo, pudieron creer que su rechazo era verdadero, y que sólo su concepto de amistad —de lealtad ateneísta— lo inclina a aceptarlo. Los dados están echados, es el principio de las hostilidades. La forma y la deformidad se magnifican.

Aguirre va construyéndose, se va convirtiendo en un personaje trágico, un verdadero héroe aristotélico. Guzmán lima las asperezas morales de su personaje hasta hacerlo recobrar la dignidad. Le ha permitido errar, como los trágicos griegos hacían caer a sus personajes por causa de la *hybris*, el orgullo, para luego provocar en los espectadores ese terror y esa piedad incapaces de provocar los dioses y los héroes impecables.

Como en *El águila y la serpiente*, Guzmán acelera el ritmo, y lo que parecía un juego de salón entre gente bonita, se convierte en un juego de muerte. En la Cámara de Diputados se enfrentan los aguirristas con los hilaristas. Ricalde, el líder sindical, bajo cuyo nombre se disfraza Morones, era

> ...un hombre inteligente, antipático y monstruoso. Sus ojos asimétricos carecían de luz. Su cabeza parecía sufrir sin tregua la tortura de un doble retorcimiento: la deformación ladeada del cráneo agravaba desde lo alto, lo que bajo era, junto a la barba, deformación ladeada también, de descomunal arruga carnosa; y entre deformación y deformación, la pesadez del párpado, de flojedad casi paralítica, daba acento nuevo a aquella dinámica de la fealdad, prolongada y ensanchada hasta los pies en toda la extensión de un cuerpo de enorme volumen.[22]

Esta perspectiva de la fealdad, esa deformación que es sin embargo dinámica, pone de relieve el tipo de combate. Por un lado esconde un racismo de Guzmán escudado tras esa dialéctica de la oscuridad y la luz; por otro, subraya la metáfora: la política del Caudillo es tortuosa, sigue caminos desviados, fraudulentos, solapados. Una política cuya forma y partidarios contrarían las leyes de la armonía es necesariamente abyecta, corruptora. Aguirre cae en la trampa con sus partidarios, apuestos, bien vestidos, escultóricos; los deformes los persiguen. Canuto, un esbirro de Ricalde es descrito de esta

---

[22] Martín Luis Guzmán, *La sombra del caudillo, op. cit.*, p. 174.

manera, también en la Cámara de Diputados, una forma no demasiado extraña aun ahora: "negra y chata, partida en dos por la raya blanca de los dientes, su fealdad brilló entonces horrible..." Y luego remata: "Canuto se dolió a la burla; su tez, hasta entonces brillante, con relumbres como de barniz, se apagó de súbito en el negro más mortecino y ceniciento".[23]

Y con esa frase lapidaria reconfirmamos que la estética de Guzmán es occidental, como debe de serlo una estética fincada en la perfección ideal de la escultura y la cultura atenienses; no se salvan quienes no participan de una forma pero tampoco los que tienen otro color.

Inconsciente, débil, fornicario, pero bello y luminoso, el antiguo ministro de la Guerra reconstruye su figura, inmortaliza su forma, se muere de perfil como algún personaje de García Lorca:

> Aguirre no había esbozado el movimiento más leve; había esperado la bala con la más absoluta quietud. Y tuvo de ella conciencia tan clara, que en aquella fracción de instante se admiró a sí mismo y se sintió —solo ante el panorama, visto en fugaz pensamiento, de toda su vida revolucionaria y política— lavado de sus flaquezas. Cayó, porque así lo quiso, con la dignidad con que otros se levantan.[24]

La muerte es también una forma. Al moldearla con perfección necesaria para convertirla en símbolo, Aguirre se convierte en un héroe trágico, y de paso el propio novelista se trasmuta y, hecho uno con la forma que ha creado, siente que su actividad política se moraliza. Ya lo he repetido hasta la saciedad: toda ética oculta en su reverso una estética, aunque la que propone Guzmán nunca haya existido en la realidad.

Pero tampoco existe ya la región más transparente. Y eso tal vez se implica en el libro de Guzmán: el juego político mexicano se ha transformado mucho, pero puede ser que aún estén vigentes algunas de las deformidades ocultas que Martín Luis Guzmán descubrió en la actuación de quienes entonces estaban en el poder. Probablemente esas formas sigan siendo las que la política reviste, puras sombras, o como diría un clásico, la política sombras suele vestir...

[23] *Ibid.*, pp. 188-189.
[24] *Ibid.*, p. 247.

# ¿POR QUÉ MISCELÁNEA?: ALFONSO REYES

¿Qué diferencia hay entre una miscelánea y una mixtura? La miscelánea es una mezcla, la unión, el entretejimiento de unas cosas con otras. Lo misceláneo es algo mixto, variado, compuesto de muchas cosas distintas o de géneros diferentes. Una obra miscelánea es un texto escrito en que se tratan muchas materias inconexas y mezcladas. Y mixtura es la mezcla, la juntura o la incorporación de varias cosas y hasta un pan hecho con varias semillas o poción compuesta de varios ingredientes.

Creo que las varias acepciones mencionadas, reproducidas digna y fielmente como las registra el *Diccionario de la Real Academia Española*, calzan perfectamente con los escritos de Alfonso Reyes y van articulando imágenes, temas, problemas, impresiones, estampas, para organizar un texto a veces breve, bien calculado en su lenguaje y aderezado como un manjar. Suele llamarlo *Marginalia*, otras *Árbol de pólvora*, también *Memorias de cocina y bodega* y hasta *Visión de Anáhuac*. Lo que me llama la atención es siempre esa calidad culinaria de la prosa de Reyes. En sus notas a *Cartones de Madrid* y refiriéndose a "El entierro de la sardina", texto de 1915, dice: "La edición mexicana con una reproducción de Goya en la cubierta, tiene un *sabroso* carácter de obra de aficionados." Además de la fijación que tiene en las cosas de comida y en la descripción deleitosa que de ellas hace, sus adjetivos son frecuentemente paladares, es decir, se relacionan con las papilas gustativas, con la sensación de deglutir, con la abundancia de alimentos grasos y sensuales que se van deslizando por el organismo y siguen un recorrido cuidadosamente anatómico y delicuescente. Los placeres de la mesa *son* los placeres de la prosa y por ello es *sabrosa*.

Prosa acorde con el físico, breve pero suculento, redondo pero retozón, graso pero refinado, pletórico aunque pícaro. Y la mirada sabrosa se mimetiza a la lengua que el estilo hace gastronómica. Ya lo dice James Willis Robb en su libro *El estilo de Alfonso Reyes* al compararlo con Thibaudet, "epicúreo gastronómico", analizado por Spitzer y relacionado, por ello, con Reyes y su prosa.

En los mismos *Cartones de Madrid* Reyes intenta explicar en un texto muy breve llamado "La técnica y la imitación" sus aficiones. El ensayo lleva un subtítulo sugestivo, pero entre paréntesis ("Análisis de un sentimiento confuso"), y ese sentimiento se produce en relación con la materia grasa por antonomasia, con el jamón vendido en las mantequerías leonesas. La perfección de una sabiduría que lleva siglos de ejercerse confunde a Reyes: ¿en dónde se inserta la medida de la grasa?, ¿en dónde están sus límites?: ¿en su rosada condición, en su tajante diferencia con lo óseo, pero a su vez en su cercanía? Es más, ¿son esas diferencias de espacio las que interponen un límite a la carne gruesa y venosa? Lo definido es que la distancia y la cercanía marcan una posible condición espuria de jamón frente a una condición precisa y maciza de *beefsteak*. Casi podría decirse que entre la asombrada mirada de un Reyes contemplando a un español que compra con seguridad un jamón y la mirada aquilatadora de Barthes cuando define una "esencia" nacional francesa cuando se come un *steak* hay la misma distancia y cercanía que media entre el asombro de un Cortés o un Bernal relatando las obras "contrahechas de natura". Reyes se admira cuando verifica que un español conoce lo que come como un artífice conoce los útiles y la materia prima con que habrá de confeccionar, digamos, un mosaico de plumas. Y reiterando puede contraponerse el asombro de don Alfonso ante un español que compra un jamón (con la seguridad que da la vieja mesa donde se ostenta la serranía) con la mirada sorprendida de Cortés describiendo las obras de los indígenas que *contrahacen* lo natural, rescriturada en *Visión de Anáhuac*.

Después de comprobar en "La técnica de la imitación" que el comprador pide un cuarto de jamón con la precisión de una modista que compra a ojo de buen cubero la cantidad exacta de género que necesita. Reyes afirma:

> Por aquí comienza mi asombro: no tengo la menor idea de los pesos ni las dimensiones, de lo que puede ser un metro ni un cuarto de kilo de nada, de nada. A veces quiero pasar por conocedor: se me antoja cualquier golosina por la calle. Entro en la tienda, vacilo. Cuando el vendedor, con su firmeza habitual y su aire terrible, me pregunta de qué clase la quiero, y si ha de ser tanto o tanto más, soy tan miserable

como el estudiante sometido a un interrogatorio de exámenes. Ignoro las marcas, las clases, las categorías comerciales de las cosas. Y en cuanto a las proporciones numéricas, mi temperamento es completamente algebraico: intuyo la filosofía de las dimensiones, pero nunca acierto con las cantidades aritméticas: nunca sé decir lo que mide una pared o el número de habitantes de una ciudad. En cambio, pocas veces yerro al apreciar la mayoría o minoría relativa de las cosas, la tendencia a crecer o a disminuir, el progreso o la decadencia.

Esta admiración la produce una técnica, decantada y resumida en el ojo avizor que puede con la mirada aquilatar la sabrosura, la perfección, el "estar a punto" de una cosa. Y si se trata de materia comestible, elaborada con una técnica muy antigua, la mirada se confecciona con una larga experiencia en el mirar que se metonimiza con la lengua (y aquí sería necesario subrayar los dos sentidos, el literal y el metafórico y a la vez la homonimia). Conocimiento casi metafísico por la capacidad de abstracción que pasa del ojo a la lengua, del mirar al degustar. Podríamos decir que si comparamos las miradas, Reyes estará viendo el jamón, o mejor dicho, la mirada que mira el jamón, con la mirada que revisa el artificio salido de las manos de un indígena, esa mirada en donde convergen y se mezclan los ojos de Cortés, de Bernal y los ojos de López de Gómara que ha visto por los ojos de Cortés y, por encima, ojea la mirada de Reyes que ha leído lo que los ojos de otros han transferido a la escritura. Reyes se enfrenta al jamón de Madrid como los conquistadores se enfrentan al mundo indígena en Tenochtitlan, con el ojo abrupto, absorto y admirativo del extranjero que quiere devorar con la mirada, digerir lo que mira, absorberlo y volverlo carne de su carne cuando pasa por sus vísceras y se va convirtiendo en materia de sí mismo como la comida que lo representa y lo alimenta.

La acción de contrahacer que describen los cronistas se vuelve prodigiosa y lastimera; la obra de esas manos artificiosas hace una réplica perfecta de lo natural al grado de contrahacerlo e incorpora en la palabra los sentidos contradictorios que recoge; contrahacer es repetir, mediante lo artificial, lo que ha hecho la naturaleza y, por ello mismo, lo contrahecho es lo deforme: recrear es deformar. *Visión de Anáhuac* resume mediante enumeraciones poéticas, epígrafes y síntesis históricas una conciencia de lo nacional o mejor el intento de definir cuál sería esa conciencia, y en el intento, que presupone la escritura, se entrevé un artificio, un deseo de contrahacer lo natural pues la identidad pasa ante todo por la naturaleza: "Cualquiera que sea la doctrina histórica que se profese [...] nos une con la raza de ayer, sin hablar de sangres, la comunidad de esfuerzo por domeñar nuestra naturaleza brava y fragosa; esfuerzo que es la base bruta de la historia."

Y el enfrentamiento a la naturaleza propia que antes fuera transparente —"el éter luminoso en que se adelantan las cosas con un resalte individual"— se duplica por el enfrentamiento a la cocina —"en las naciones llegadas a estado de civilización, los dos géneros (literatura y cocina) se hermanan gustosamente". La épica por transformar lo natural, por luchar a brazo partido con el paisaje, pasa por lo culinario y son las variedades naturales las que prefiguran a la vez el artificio y el refinamiento.

*Memorias de bodega y cocina* advierte de un largo paseo cuyos descansos son cuadros de costumbres culinarias y guía de descarriados gastronómicos. Sí, en la superficie, y la mayor parte de las veces. Pero su contexto se enfrenta a una delimitación, la que pone de relieve, junto a las otras, una comida nacional, justamente aquella que nos da una identidad, porque resume sin "desechar" lo que ya existe y lo que se "adquiere" en las importaciones.

Si nuestra mirada pasea sobre lo natural advierte un crecimiento arrancado de una tierra salitrosa y hostil "que sorbe sus jugos a la roca" como el maguey o "imita al puerco espín" como la biznaga. Además si la mirada pasea por la historia descubre un esfuerzo continuo desde Netzahualcóyotl hasta Porfirio Díaz por desecar una tierra ya de por sí reseca, y un trabajo lento de elaboración culinaria que despedaza, tritura y convierte en polvo.

Pero me detengo y regreso un poco al punto de partida: en su recorrido por el Anáhuac y en el que pasa, con descansos, por las distintas cocinas del mundo para desembocar en la cocina de ese mismo Anáhuac, se advierten los contrastes tan brillantes como en ese valle antiguo se advertían con nitidez, pero destruyéndose en la amalgama de una idiosincrasia: el mole, esa salsa almendrada, dulce y picante al mismo tiempo, unión prodigiosa de ingredientes triturados que han perdido su forma, que se han contrahecho en una pasta untuosa, símbolo en nuestra patriótica mente de un lustre nacional y una relación con el idioma: "Y se me ocurre que la manera de picar la almendra y triturar el maíz tiene mucho que ver con la tendencia de despedazar y 'miniaturizar' los significados de las palabras mediante el uso frecuente del diminutivo."

Y, ¡claro!, la armazón grotesca de un jamón se parece a esa Obrigadiña, personaje en *Árbol de pólvora*, con tanta carne "que le hacía olitas en los brazos como a los nenes" y los ojos y nalgas se le reían. Un jamón, como una jamona, es hiperbóreo, rubensiano, de sensualidad desbordada, celulítica y sin embargo en él es posible discernir con la vista las cualidades de lo magro, de lo duro y de lo graso, es decir, la carne verdadera enfrentada al hueso (que luego puede servir para cocer un buen puchero) y la grasa que es sólo excrecencia, fuente de deleite, de ocio, de sensualidad enfermiza.

El proceso de trituración que exige la comida mexicana se refiere a una técnica de disminución o a una artesanía de acumulación realizada con enorme paciencia y preciosismo:

> Esa puntita de puñal del diminutivo conviene al pueblo que, en un alarde del tacto, viste pulgas y hace con ellas un cortejo de novios... al que sabe, cuando es preciso, hacer rendir —en las fatigosas jornadas del combate— toda su energía o la molécula de maíz, o la gota de agua, aprovechando hasta el fondo su virtud nutritiva, en menos que milimétrica perfección.

Esta técnica de lo pequeño conviene también a las artesanías, descritas con entusiasmo inferior al esfuerzo producido por López de Gómara, citado a la vez por Reyes:

> Lo más lindo de la plaza —declara Gómara— está en las obras de oro y pluma, de que contrahacen cualquier cosa y color. Y son los indios tan oficiales desto, que hacen de pluma una mariposa, un animal, un árbol, una rosa, las flores, las yerbas y peñas, tan al propio que parecen lo mismo que o está vivo o natural. Y acontéceles no comer en todo un día, poniendo, quitando y asentando la pluma, y mirando a una parte y otra, al sol, a la sombra, a la vislumbre, por ver si dice mejor a pelo o contrapelo, o al través, de la haz o del envés; y, en fin, no la dejan de las manos hasta ponerla en toda perfección. Tanto sufrimiento pocas naciones le tienen, mayormente donde hay cólera como la nuestra.

La hiperbolización de esa costumbre, la identificación de esa cualidad nacional coincide con la máxima destrucción y la máxima pobreza, el pinole, "último residuo de la trituración de cereales".

Este alimento que se encuentra ya en los límites de la materia y que puede confundirse con el polvo y con el vaho unifica en su extremosa condición desértica paisaje y cocina.

La riqueza preside a la pasta triturada que es el mole, salsa imprescindible del platillo más distintivo de la altiplanicie mexicana asociada a la pobreza de esa otra trituración y desecación, la del pinole.

Y lo que sirve para sustituir el alimento en el desierto natural, en ese desierto desencajado de la tierra por su luminosidad y su retorcimiento (y prefigura *avant la lettre* la visión de Lowry), tiende también, no en su contenido sino en el movimiento necesario para producirlo, a la destrucción total. La transparencia, la luminosidad, la creación de frutos que repiten y contrahacen el desierto se cancelan y se deterioran en la lenta y secular labor de los creadores del desierto artificial, de aquellos que desde Netzahualcóyotl hasta Díaz emprendieron un desastre que origina, como dijo Reyes proféticamente en 1915, "el espanto social". Así, a la concienzuda labor de las generaciones que superponen conocimientos adquiridos a producciones naturales para crear una refinada identidad nacional se opone la deshidratada y diabólica labor de quienes han reducido la trituración a un desecamiento y a una contaminación.

La labor miscelánea de Reyes deja abierta una prosa a veces grasosa, encubridora, mero lujo o excrecencia de un costumbrismo, pero también (sobre todo en *Visión de Anáhuac* y *Memorias de bodega y cocina*, de las estudiadas aquí) una rica interpretación de nuestra realidad que más que lógica y cerebral es puramente poética, y es a ella a la que pretende aproximarse el engendro que cociné con esta mixtura.

# APUNTES SOBRE LA OBSESIÓN HELÉNICA DE ALFONSO REYES

Repetida en el tiempo y en el espacio de sus múltiples escritos, se encuentra en don Alfonso Reyes la obsesión por el helenismo. El primer tomo de sus *Obras completas*, por él ordenado, se inicia con el ensayo "Las tres Electras"; y si se citan al azar los títulos de los trabajos contenidos en los últimos tomos publicados, advertimos la reiterada visitación de ese tema: "La antigua retórica", "Religión griega", "Mitología griega", "Estudios helénicos", "El triángulo egeo", "La jornada aquea", "Los poemas homéricos", "La afición de Grecia", "Rescoldo de Grecia", para citar sólo algunos.

A esta simple enumeración se añade una constancia: hasta los textos agrupados bajo el título de *La crítica en la edad ateniense* o *El deslinde*, cuya ejecución acusa una gran solidez y erudición, son trabajados por Reyes como lecciones, apuntes, divagaciones, rescoldos, aficiones. La obsesión helénica invade su vida y se manifiesta en numerosos escritos; lo evidencia "ese océano de papeles donde teme naufragar", confiesa don Alfonso a Ernesto Mejía Sánchez, ordenador acucioso de varios tomos de sus obras completas. Frecuencia rigurosa, persistente manía, descalificadas un tanto al manejarse simplemente como una afición o al darse a la imprenta como notas, misceláneas o estudios elementales. Tentativa y orientación que me dejan perpleja y dan pábulo a ciertas reflexiones. Las anoto:

## ¿Por qué el helenismo?

El helenismo fue cultivado desde muy temprano por don Alfonso; es, además, la preocupación rectora de los jóvenes que fundaron el Ateneo de la Juventud, el lema del antipositivismo. El peruano Francisco García Calderón llama a don Alfonso un "efebo mexicano", "un humanista" y a su padre don Bernardo Reyes "gobernador ateniense de un estado mexicano, rival de Porfirio Díaz, el presidente *imperator*". Es más, a instancias de Reyes, le otorga a Henríquez Ureña el papel de "Sócrates" de su generación.[1] Papel reiterado ampliamente en la correspondencia publicada por el Fondo de Cultura Económica, preparada por José Luis Martínez.

Si helenismo es sinónimo de humanismo, éste, a su vez y antes que nada, es la capacidad de alcanzar una armonía interior y una perfección moral; en la obra de Reyes, como en la de varios ateneístas, ética y estética están intrincadas indisolublemente. "Grecia", asevera Henríquez Ureña,

> no es sólo mantenedora de la inquietud del espíritu, del ansia de perfección, maestra de la discusión y de la utopía, sino también ejemplo de toda disciplina. De su aptitud crítica nace el dominio del método, de la técnica científica y filosófica; pero otra virtud más alta todavía la erige en modelo de disciplina moral. El griego [...] creyó en la perfección del hombre como ideal humano, por humano esfuerzo asequible, y preconizó como conducta encaminada al perfeccionamiento, como *prefiguración* de la perfecta, la que es dirigida por la templanza, guiada por la razón y el amor. El griego no negó la importancia de la intuición mística, del *delirio* —recordad a Sócrates—, pero a sus ojos la vida superior no debía ser el perpetuo éxtasis o la locura profética, sino que había de alcanzarse por la *sofrosine*. Dionisios inspiraría verdades supremas en ocasiones, pero Apolo debía gobernar los actos cotidianos,[2]

y en el grupo ateneísta Henríquez Ureña "enseñaba [...] a ver, a pensar, y", subraya Reyes, "suscitaba una verdadera reforma en la cultura".[3]

En suma, Henríquez Ureña es ante todo un maestro, pero al estilo de Sócrates —sin sus delirios— y su discípulo definitivo es Reyes, depositario de su ética y producto esencial de su muy personal sistema didáctico:"Y en cuanto al trato de las gentes, ya te he dicho que para mí una intimidad ha de comenzar en el acuerdo intelectual, no realizándose de veras sino en un acuerdo moral".[4] Por añadidura,

[1] F. García Calderón, "Prólogo" a A. Reyes, "Cuestiones estéticas", en *Obras completas*..., vol. I, México, FCE , pp. 11-12.

[2] P. Henríquez Ureña, "La cultura de las humanidades", en *Estudios mexicanos*, México, FCE, 1984, p. 255.

[3] A. Reyes, "Pasado inmediato", en *Obras completas*..., vol. XII, México, FCE, p. 205.

[4] A. Reyes-P. Henríquez Ureña, *Correspondencia 1907-1914*, ed. José Luis Martínez, México, FCE, 1986, p. 79.

al analizar la relación que para Reyes se establece entre Sócrates y Platón, podremos extrapolar y delinear la que existió entre don Alfonso y don Pedro, procedimiento que muy constantemente revela a estos dos autores:

> Los maestros itinerantes daban el conocimiento en discursos. Sócrates pretendía extraerlo de las intuiciones de cada uno. Aqué-llos paseaban por Atenas, disertaban ante públicos escogidos y seguían de frente. Éste, verdadero hijo de la democracia, aunque ella acabó por ser para él una madrastra, predica la filosofía a todas horas y en todos los lugares. Quiere compartir con el pueblo los beneficios de la inteligencia. El desastroso fin de su experimento aleja de Atenas a sus discípulos y los lleva a adoptar, hasta cierto punto, una actitud de conspiradores del espíritu. El mismo Platón, aunque no comprometido con los sentimientos oligárquicos de su familia, prefiere por el momento abandonar su ciudad y se refugia en Megara. Debemos a la muerte de Sócrates el que Platón no se haya consagrado a la política en el sentido corriente de la palabra.[5]

Palabras que transferidas a la biografía personal de Reyes y a la historia del México que vivieron él y Henríquez Ureña podrían darnos una clave un poco menos mecánica de la obsesión helénica que persiguió toda su vida a don Alfonso. A medida que la amistad con Henríquez Ureña se hace más intensa, la figura del padre se va desprestigiando. En la correspondencia se leen a menudo frases como ésta (durante la estancia de Reyes en Monterrey, en 1908): "... la imbecilidad ambiente me agobia. Mi papá, por la edad y el trabajo, se va agotando y, consecuentemente, lo invaden ciertas debilidades seniles".[6] La senilidad se traduce en falta de rigor y esa carencia la suple Henríquez Ureña con sus regaños:

> Volviendo a ti, te propongo que vengas a México, pero no en viaje definitivo: dile a tu padre que aquí resolverás si te quedas o si quieres irte. Tú que hablabas de rigor militar; por lo que veo, han dejado la elección a tu capricho, ni siquiera a tu razón, como sucedía cuando pensabas seriamente en el viaje al exterior.[7]

[5] A. Reyes, "La crítica en la edad ateniense", en *Obras completas*..., vol. XIII, México, FCE, p. 152.
[6] A. Reyes-P. Henríquez Ureña, *Correspondencia*..., p. 66.
[7] *Ibid.*, p. 114.

Para ahondar más es importante mencionar otro acontecimiento en la vida de don Alfonso: el asesinato de su padre durante la Decena Trágica y la transposición que Reyes hace de este hecho en su poema dramático, *Ifigenia cruel*, escrito a finales de su estancia en Madrid, hacia 1923. La considera un intento poético para alcanzar la catarsis y para entender la problemática violenta que vivía el país en esos años. Oigamos sus palabras:

> Cuando Ifigenia opta por su libertad y, digámoslo así, se resuelve a rehacer su vida humildemente, oponiendo un "hasta aquí" a las persecuciones y rencores políticos de su tierra, opera en cierto modo la redención de su raza, mediante procedimientos dudosamente helénicos desde el punto de vista filológico [...] pero procedimientos que, en forma sencilla, directa, y en un acto breve y precioso de la voluntad, bien podrían, creo yo, servir de alivio a muchos supersticiosos de nuestros días.[8]

## El helenismo como metáfora de la autobiografía

He acumulado numerosas citas. Quizá de ellas se pueda extraer alguna conclusión. El maestro ejemplar, Henríquez Ureña, convertido en un Sócrates por sus amigos y contemporáneos ateneístas, remplaza en el caso de Reyes a la figura del padre. Y tan fundamental es la figura de ese padre elegido que cuando se intenta despejar la del padre biológico, protagonista trágico de la Revolución mexicana y personaje definitivo del antiguo régimen, Reyes utiliza la estructura de la tragedia griega para alcanzarlo y transformarlo en Agamenón, asesinado por Clitemnestra. Luego se traviste él mismo en Ifigenia para reescribir el mito y darle otro sentido —un final distinto del tradicional— armonizando las contradicciones no sólo de su propia elección —quedarse a vivir en el extranjero y no reincorporarse a la patria después del triunfo de la Revolución— sino también las de los acontecimientos vividos en ese momento por los mexicanos. *Ifigenia cruel*, metamorfosis poética y continuación de lo que en los inicios de su carrera se había concebido como una interpretación crítica de *las tres Electras* del teatro ateniense, acaba convirtiéndose en un espacio vital creado

[8] A. Reyes, "Ifigenia cruel", en *Obras completas...*, vol. X, México, FCE, p. 316.

por la escritura y, aunque vicario, definitivo: en él habitará siempre y desde su altura podrá referirse a su propia vida y contemplar la historia de su propio país. Es evidente que el delirio o furor sacrificial de Ifigenia constituye el aspecto dionisiaco del teatro griego, pero en el proceso de reconocimiento, de anagnórisis, Ifigenia-Reyes recobra la razón y con ella se instala en la *sofrosine*, que tanto él como Henríquez Ureña concebían a manera de paradigma del humanismo griego. El humanista no es ni puede ser un ente pasivo, es un *agonista*, un combatiente; su agonía será válida si logra producir la *catharsis* y a través de ella detenerse en la *sofrosine* o serenidad.

De la violencia domada nace la razón, el rigor. En el drama de Eurípides, Ifigenia regresa con Orestes y abandona su patria adoptiva, la bárbara Táuride. En Reyes, Ifigenia permanece allí, le da la espalda a una tradición de venganzas y desafueros y prefiere seguir sacrificando víctimas propiciatorias a Diana; Reyes se toma el trabajo de hacer una exégesis de su propio poema y de rescatar, textuales, párrafos íntegros de su primer ensayo, "Las tres Electras". Antes y después de la Revolución, su espacio ideal, su ejemplo moral es el de la tragedia griega, reinterpretada y aplicada a situaciones específicas de su vida y de la vida de México:

> El conflicto trágico, que ninguno de los poetas anteriores interpretó así, consiste para mí, precisamente, en que Ifigenia reclama su herencia de recuerdos humanos y tiene miedo de sentirse huérfana de pasado y distinta de las demás criaturas; pero cuando, más tarde, vuelve a ella la memoria y se percata de que pertenece a una raza ensangrentada y perseguida por la maldición de los dioses, entonces siente asco de sí misma. Y, finalmente, ante la alternativa de reincorporarse en la tradición de su casa, en la *vendetta* de Micenas, o de seguir viviendo entre bárbaros una vida de carnicera y destazadora de víctimas sagradas, prefiere este último extremo, por abominable y duro que parezca, único medio cierto y práctico de eludir y romper las cadenas que la sujetan a la fatalidad de su raza.[9]

La alternativa utópica, casi de novela pastoril —campo agreste, fuera del mundanal ruido, etcétera, a pesar de la mucha sangre derramada—, tranquiliza su conciencia, ejerce una vicaria y transi-

[9] *Ibid.*, p. 313.

toria explicación histórica y sobre todo mítica de su propia realidad y le ofrece un territorio espiritual donde refugiarse.

## Antropofagia cultural

La figura del padre es señera: acompaña a Reyes como fantasma toda la vida: se asemeja en su asiduidad a la de las sombras visitadas por Ulises en la *Odisea* y como a ellas en ese texto o a Agamenón en las *Electras* hay que ofrecerles libaciones de sangre fresca para calmar sus manes. Pero los sacrificios son rituales y las sombras regresan de tiempo en tiempo, hay que luchar con ellas a la manera de Ulises:

> Llegado al brumoso país de los Cimerios, Odiseo cavó con su daga un ancho foso e hizo una libación a los muertos —miel, leche, vino y agua— desparramando encima la harina de las ofrendas rituales. Hizo luego traer de su nave las bestias destinadas al sacrificio, y las degolló junto al foso, llenándolo con la sangre humeante. Sedientos y anhelosos por recobrar un poco de vida, acudieron en torno al foso los difuntos, "cabezas sin vigor", venidos desde las profundidades del Erebo. Se precipitaban en multitud, lanzando tremendos alaridos. El "pálido terror" asomó al semblante del héroe que, desenvainando otra vez la daga, los iba obligando a turnarse para contestar a sus preguntas.[10]

Reyes aplaca a sus fantasmas con su famosa oración del 9 de febrero, escrita en 1930 en Buenos Aires: "Yo me había hecho ya a la ausencia de mi padre y hasta había aprendido a recorrerlo de lejos como se hojea en la mente un libro que se conoce de memoria."[11] El padre —y también la Madre Patria— se fusionan en curiosa entelequia sólo dirimida por la literatura. A él logra traerlo cabe de sí a modo de atmósfera, de aura, a ella la recrea en sus textos, la revive en *Visión de Anáhuac* o en *Palinodia del polvo*, obra de 1940, de factura elegiaca, con tonos imprecatorios. Al padre lo asimila, lo introyecta: "Yo siento que desde el día de su partida, mi padre ha empezado a entrar en mi alma y a hospedarse en ella a sus

[10] A. Reyes, "Junta de sombras", en *Obras completas...*, vol. XVII, México, FCE, p. 232.
[11] *Antología de Alfonso Reyes*, ed. José Luis Martínez, México, SEP/UNAM, 1981, p. 76.

anchas. Ahora creo haber logrado ya la absorción completa y —si la palabra no fuera tan odiosa— la digestión completa."[12] Esta antropofagia cultural, mental, esta traslación de conceptos cuajó en una extraña manifestación, de gran trascendencia para su obra: el padre biológico, el padre individual, así incorporado al propio discurrir del alma, es exorcizado: en breve se transformará en personaje histórico —cosa por lo demás verdadera en la realidad— y será incorporado a otros personajes de la historia y del mito. El asesinato del padre se purga con las libaciones de Orestes, Electra y hasta de Ifigenia, pero como sombra persiste:

> El suceso viaja por el tiempo, parece alejarse y ser pasado, pero hay algún sitio del ánimo donde sigue siendo presente. No de otro modo el que, desde cierta estrella, contemplara nuestro mundo con un anteojo perverso, vería, a estas horas —porque el hecho anda todavía vivo, revoloteando como fantasma de la luz entre las distancias siderales— a Hernán Cortés y sus soldados asomándose por primera vez al Valle de México.[13]

Antropofagia literaria: en esta reunión de sombras terribles conviven el padre y los grandes personajes de la historia. El hecho individual, la pérdida de un padre se amplifica al punto de que en la escritura padre e historia forman un solo cuerpo. La violencia que en ese acto se implica es desterrada por las libaciones: "ya que el vino había de volcarse, sea un sacrificio [...] sea una libación para la tierra que lo ha recibido".[14]

Es más, mediante la antropofagia cultural se explica la decisión de Ifigenia: quedarse en Táuride en su función de sacerdotisa, de sacrificadora de víctimas propiciatorias es, en cierta medida, asumir —pero en la escritura— la historia de México, esa historia antigua que el fantasma del padre convoca y que está presente en la *Visión de Anáhuac*. "Volver a los clásicos", comenta Carlos Monsiváis, "es adquirir pasado, presente y porvenir, es cobrar identidad y ser nacional, es captar placenteramente las circunstancias inmediatas".[15] El desorden de la Revolución, los sacrificios humanos, la

---

[12] *Ibid.*, p. 79.
[13] *Ibid.*, p. 78.
[14] *Ibid.*, p. 80.
[15] Carlos Monsiváis, en *Historia general de México*, México, El Colegio de México, 1981, t. 2.

alteración definitiva del antiguo régimen se armonizan en un poema dramático, se aclaran en estudios helénicos, se perfeccionan en triángulos egeos. En este mismo cauce podría interpretarse también la referencia de Reyes respecto a Platón cuando afirma que la muerte de Sócrates lo aleja de la política y lo convierte en un filósofo. Al señalarlo, los dos padres, el electivo, Henríquez Ureña, y el biológico, Bernardo Reyes, se han reunido en uno solo, encarnado en Sócrates, el maestro, dispuesto a morir por la patria antes que recurrir a la violencia, y por un extraño malabarismo o por obra de esa apaciguadora antropofagia cultural, ese lugar singular bautizado por Reyes *Junta de sombras* (donde reúne sus aficiones, sus notas, sus rescoldos) es la muestra inacabada, siempre en gestación, de su literatura y de su humanismo, pero también la posibilidad de aplacar a los fantasmas, hacerlos cuerpo de su propio cuerpo y así poder funcionar. Sócrates, según don Alfonso, "sólo pretende saber que nada sabe, y armado con esta piedra de toque, suscita la angustia en los demás".[16]

En este acto propiciatorio, y utilizando a la palabra como mediadora, don Alfonso se vuelve padre total, se traga como Cronos a sus padres-hijos y cual Sócrates se dedica a la enseñanza y a la difusión del conocimiento. De allí su universalidad, su helenismo y, para resumirlo, su humanismo. Y en él se implican una ética y una estética. Don Alfonso fue su más prístino representante. Quizá por eso ya no lo leemos tanto, sus palabras nos suenan un tanto huecas: estética y ética no suelen ahora coincidir.

---

[16] A. Reyes, "La crítica en la edad ateniense", *op. cit.*, p. 97.

# UN BUEN EQUILIBRISTA: JULIO TORRI*

Julio Torri fue mi maestro. Aprendí con él el uso frecuente de la conjunción copulativa arcaica *e* que empedraba golosamente las páginas de la vida de don Pedro el Cruel. Muchas veces don Julio, que leía con voz leve algún pasaje de esta crónica del soberano español, interrumpió el monótono compás de su lectura por la llegada impuntual e insolente de alguna niña perversa que vestida a la última moda de ese tiempo —era aún en Mascarones— mostraba todos sus encantos con la veleidad y agresión de una Circe. Don Julio se quitaba los anteojos para leer de cerca y con mano temblorosa se ponía los anteojos para ver de lejos y contemplar con delectación y ansiedad las esplendorosas formas que un suéter entallado dejaba ver. Don Pedro el Cruel perdía sus crueldades y la bella se instalaba, indolente, en alguna de las bancas traseras de la clase. El salón tenía una gran ventana que llegaba casi a nivel del suelo, casi, porque el suelo eran los escalones que llevaban al patio y a la estatua de fray Alonso de la Veracruz, instalado en el centro del inmueble con gran propiedad. Los que nos sentábamos cerca de la ventana mirábamos mientras don Julio miraba a la joven del suéter, vil imitadora de Lana Turner entonces muy a la moda. De nuevo, ya calmado, don Julio retomaba sus lentes incompletos, esos lentes partidos en dos, que dejan al aire parte de los ojos para instalarse con desgracia en la punta misma de la nariz y retomaba la conjunción copulativa y se dedicaba de nuevo con devoto interés al viejo texto. Don Pedro el Cruel reaparecía y proseguía la cansina procesión de formas arcaicas. Recuerdo algunas de las anécdotas que se contaban de don Pedro, muy pocas, pero recuerdo sobre todo, creo que he insistido demasiado en ello, esa entonación persistente y aletargada con que don Julio iba enlazando anécdota tras anécdota al punto que casi sólo queda en mi memoria el uso patético de una

---

* Versión mecanográfica de la conferencia dictada en el auditorio José Vasconcelos del CEPE, el 21 de septiembre de 1983, dentro del ciclo Los Ateneístas y la Cultura Nacional.

conjunción. Don Julio salía luego, miraba con curiosidad a sus alumnos; era una mirada perpleja y de repente penetrante, humorística, y sus labios delgados se abrían imperceptiblemente, tanto que no sé en verdad si se abrían, pero por ellos pasaba un aire burlón intermitente, a la vez que cierta torpeza, cierta falta de habilidad para comportarse en sociedad. Saludaba con amabilidad anacrónica y tenía modales de exquisita cortesía. A veces, cerca de la facultad, solíamos verlo, ataviado a la inglesa, con zapatos tenis, gorra de visera de celuloide, montado en su bicicleta, con la expresión más feliz y deportista que pueda encontrarse en un hombre tan alejado de la realidad y tan adepto a la vida retirada de la torre de marfil de una biblioteca exquisita.

Si uno lee las críticas que sobre este autor se han escrito advierte que los ensayistas, intimidados por la concisión y brevedad de los textos de Torri, se ven obligados a su vez a escribir textos cortos, casi imitativos, para poder explicar lo que fue el escritor, y muchas veces, como el mismo Torri, intercalan en su exposición largos fragmentos del autor reseñado, largos, si se toma en cuenta que todos los textos de Torri son brevísimos, con lo que cualquier cita parece gigantesca en proporción. Los ensayistas a que me refiero suelen decir que el estilo de Torri es riguroso, ceñido, económico, pero suelen decir además que es un estilo castigado, y aquí no puedo evitar ser maliciosa. ¿Por qué habría tenido Torri que castigar su estilo como si flagelara su cuerpo o lo pusiera a dieta rigurosa?, pues en verdad el estilo de Torri es como su propio cuerpo, un cuerpo anguloso, delgado, rígidamente detenido en los huesos, en el esqueleto, en aquello que le permite estar en pie, aquello que le proporciona un armazón, la capacidad de ser de cierta manera un cuerpo erguido, sin nada que sobre y quizá, eso sí, con ciertas carencias. Su estilo y su cuerpo son enjutos, flagelados, y en esa flagelación silenciosa hay una práctica diaria, la suficiente para que lo que está de más se aniquile, una práctica no por silenciosa menos violenta que algunas declamatorias y escandalosas. Creo que el ser preferido por don Julio era la bicicleta, ese objeto con dos ruedas, objeto que lo acercaba mucho más al equilibrio y a la armonía que cualquier mujer o cualquier ser humano. En la bicicleta "uno va suspendido en el aire", pero el estar suspendido no lo aleja a uno de la tierra como podría hacerlo el avión porque "quien vuela en aeroplano —insiste Torri— se desliga del mundo". Torri quiere estar en equilibrio pero en la tierra: "El que se desliza por su superficie sostenido en dos puntos de contacto no rompe amarras con el planeta." El ejercicio diario de la escritura es entonces idéntico al ejercicio diario del ciclismo. Para caminar un ser humano necesita apenas sus dos piernas y el aprendizaje cotidiano de la primera infancia; para deslizarse sobre dos ruedas, que no sobre dos pies, hay que ejercer varios deportes, unirlos en uno solo: "Raro deporte que se ejercita sentado como el remar", remar y torear son artes difíciles; en uno se lucha contra el agua, en otro contra el toro, pues ¿qué otra cosa es el ciclista si no un hábil torero?: "Desde que se han multiplicado los automóviles por nuestras calles, he perdido la admiración con que veía antes a los toreros y la he reservado para los aficionados a la bicicleta." Y si se está uno defendiendo, sólo defendiendo, porque Torri no quiere ser nunca el agresor, aparentemente el ciclismo es casi un suicidio: "Entre los peligros que lo amenazan los menores no son para desestimarse: los perros, enemigos encarnizados de quien anda aprisa y al desgaire; y los guardias que sin gran cortesía recuerdan disposiciones municipales quebrantadas involuntariamente."

El quebranto que puede aplicarse tanto a los huesos como a unas leyes amorfas y equívocas alude a una situación cotidiana, la atmósfera característica de una ciudad en la que hay que vivir, irremediablemente, en medio de la sociedad, a la que apenas se toca, a la que apenas se ve, esa sociedad cuidadosamente evitada sobre todo cuando uno se pasa la vida entre libros, en el diálogo ritual e incesante con ellos. Diálogo que exige una dedicación y un egoísmo: el ciclismo "es un deporte que para practicarlo no necesita uno de compañeros. Propio para misántropos, para orgullosos, para insociables de toda laya". Torri va por la vida de la misma manera en que se va montado a caballo sobre la bicicleta apartando una pierna de la otra por la barra divisoria que escinde el cuerpo del ciclista y que igualmente le permite estar en equilibrio; sus salidas cotidianas, las que lo ponen en contacto con otro mundo distinto al de sus alumnos o al de sus amigos, los de carne y hueso (como Alfonso Reyes, Vasconcelos, etcétera) y los libros, son las que realiza en la bicicleta, objeto de una magia singular, a caballo asimismo sobre la realidad y la irrealidad, sobre la sociedad y sin ella, pues aunque vaya por la calle, esquivando perros y policías, mirando muchachas hermosas que aún no tienen condición de animales, siempre va solo, observa la vida desde su equilibrio rodante: "Lo exclusivo de su disfrute lo hace apreciable a los egoístas", y con esta frase suelta que muy bien pudiera servir como epigrama enlaza con prudencia (a través del espacio salvador de un punto y aparte) otro pensamiento leve, ligero, que sería banal si no estuviese sustentado como la bicicleta sobre un equilibrio vital: "Llegamos a profesarle sentimientos verdaderamente afectuosos. Adivinamos sus pequeños contratiempos, sus bajas necesidades de aire y aceite. Un leve chirrido en la biela o en el buje ilustra suficientemente nuestra solícita atención de hombres sensibles, comedidos, bien educados."

Torri aceita cariñosamente a su bicicleta, la acaricia, la trata como un caballero trata a una dama, especialmente si es doncella, porque Torri está a su servicio platónicamente, con delicadeza, con sensibilidad, con elegancia, con educación; por ello, ni Torri ni los unicornios caben en el arca de Noé donde conviven los animales sucios y groseros con los hombres y mujeres que se les parecen.

Torri es un unicornio en bicicleta, caballero andante de una nueva época motorizada, sensible a los encantos de la dama, un cortesano ejemplar salido de siglo y por ello también de madre. Las bicicletas siguen siendo inestimables, Torri recuerda a "quienes han extremado sus miramientos por su máquina, incurriendo en afectos que sólo suelen despertar seres humanos. Las bicicletas son también útiles, discretas, económicas".

Este acendrado amor que iguala a los unicornios, seres desaparecidos por insociables, con las bicicletas, objetos humanizados que permiten la sociabilidad relativa, protegida y distante, condiciona a Torri a amar con tranquilidad y delicadeza, sin los sobresaltos y peligros con que se ama en la vida a una mujer. Don Quijote podía amar a Rocinante, Enrique IV podía ofrecer su reino por un caballo, Don Juan prefería sin lugar a dudas a su corcel, por mucho más que a cualquiera de las damas por él seducidas; el caballo es fiel, elegante, rápido, ágil y afectuoso; una mujer es un obstáculo, un ser híbrido, cercano al animal, simbólico en su zoología, inclasificable, del cual hay que alejarse o apenas cortejarlo con versos o desarmarlo con ellos. Ahora que no hay caballos la bicicleta es perfecta: es inerte pero anda, está sin vida pero basta que un cuerpo humano la monte para que se ponga de inmediato a su disposición permitiéndole la difícil armonía del equilibrio. Es más, una bicicleta es poética, y hasta palabras tan banales y especializadas como biela y buje se conciertan como guantes al sonido perfecto del poema.

El consenso de sus críticos también considera que la escritura de Torri es autobiográfica. Sí, su sensibilidad, semejante a la de Des Esseintes, del Huysmans de *À rebours*, le exigía, como a Proust, vivir en una pieza acolchada, amurallada con corcho para evitar los ruidos. Salir en bicicleta por las calles era un acto temerario, tan temerario como saltar de un tren a otro cuando ambos estuvieran en movimiento:

> Un hombre va a subir al tren en marcha. Pasan los escaloncillos del primer coche y el viajero no tiene bastante resolución para arrojarse y saltar. Su capa revuelta movida por el viento. Afirma el sombrero en la cabeza. Va a pasar otro coche. De nuevo falta la osadía. Triunfan el instinto de conservación, el temor, la prudencia, el coro venerable de las virtudes antiheroicas. El tren pasa y el inepto se queda. El tren está pasando siempre delante de nosotros. El anhelar agita nuestras almas, y ¡ay de aquel a quien retiene el miedo de la muerte! Pero si nos alienta un impulso divino y la pequeña razón naufraga, sobreviene en nuestra existencia un instante decisivo. Y de él saldremos a la muerte o a una nueva vida, ¡pésele al Destino, nuestro ceñudo príncipe!

Y este texto, nótese, fue escrito durante la convulsión revolucionaria. Para Torri el peligro diario de los sucesos revolucionarios es percibido con la misma lejanía con que el unicornio ve desaparecer el arca de Noé aunque detrás de él esté el diluvio. Brincar de un tren a otro, andar en bicicleta, declararse a una mujer, vivir con ella son para Torri actos más temerarios y suicidas que participar en la Revolución. Es un escritor que declina el compromiso. Ahora lo hubieran condenado quienes lo alaban en los homenajes que se le dedican. Torri le da la espalda a la política, y no sólo a la política, Torri le da la espalda al país, o por lo menos así parece. Unas cuantas estampas sobre México, los demás textos son aforismos o alegorías, poemas en prosa, en donde el conocimiento particular da paso a una sabiduría general, un paso que se logra mediante un recurso puramente literario, pero muy trabajado y discutido por los filósofos: la ironía. La ironía fue estudiada por los románticos, y especialmente por Schlegel, quien decía: "Uno no puede burlarse de la ironía. Sus efectos pueden hacerse sentir después de un tiempo increíblemente largo." Y en efecto la ironía no se presta a la burla aunque con la ironía se puede fustigar a los demás; la ironía es un recurso filosófico, más precisamente, un recurso socrático, recurso que para Torri como para todos los ateneístas era fundamental, pero para Torri en especial porque es un medio muy eficaz para desarrollarlo en aforismos, los cuales, como la bicicleta, están a caballo entre la filosofía y la literatura. Hegel criticaba a Schlegel por haber arruinado muchos conceptos filosóficos al darles forma de aforismos. Sin embargo, en la tradición romántica alemana hay una gran fascinación por una literatura o por una poesía que en parte deba su belleza a la filosofía y muchas veces a la ética. Por ello no es sorprendente oír decir a Torri que Flaubert es un gran escritor, aunque fallido, porque sus obras carecen de moral:

> Una buena novela no sólo ha de tener ambiente, personajes, sucesos, acción, sino que debe contener sustancialmente elementos que nos inciten a seguir viviendo, principios vitales que pongan en movimiento nuestra voluntad, que estimulen nuestro gastado querer con voliciones coercitivas que entrañen y representen un interés nuevo por la vida y por el mundo. Con ser perfectas las novelas de Flaubert hoy están cada día más olvidadas por engendrar representaciones —acaso reales, pero depresivas e infecundas. Sólo temporalmente alcanzaron gran boga siendo hoy preteridas por la valiosa *Correspondencia*, verdadero breviario del hombre de letras, como el célebre *Diario* de los Goncourt. Hay algo en común entre las grandes novelas de Flaubert y el arte desesperado y sombrío de Odilon Redon.

La preocupación por la moral es muy viva en el escritor que cultiva la ironía, y es mediante ésta que se salta de un tren a otro, que se atraviesa la Revolución como si no existiera y se observa a los demás desde la barrera. Cualquier pensamiento sobre los otros es una reflexión interior, un combate singular entablado dentro del que observa y escribe el aforismo: "Los diálogos socráticos lo demuestran con certeza: El que sabe hacer algo nunca acierta a explicar la finalidad última de sus actividades. El que fracasa discierne en cambio perspicazmente los principios del arte."

Este difícil arte que se nutre de pensamientos elevados y filosóficos, nada populares, aristocratizantes por lo tanto, es el que separa al escritor de las banalidades diarias, aunque estas banalidades sean las revolucionarias. Para Torri no es vigente ningún estruendo, el heroísmo es callado, perfecto, imposible, es casi el heroísmo de Sísifo que sube a diario su tonel sin musitar palabra. Torri asegura:

> Bajo cualquier moda se descubre al hombre de genio. No importan las condiciones de estilo y expresión que una época impone al artista creador. Si éste lo es de veras, a vueltas del triunfo pagado al culto del momento, reverenciará los verdaderos númenes, a las normas supremas del arte puro. Y los poetillas y míseros prosélitos que se adueñaron trabajosamente de las maneras y recursos superficiales de una moda pasajera se quedarán con sus inanes frutos. Lo lamentable es que también pasan y se olvidan los buenos libros. Pero este desvío e injusticia es muchas veces transitorio, en tanto aparece un erudito curioso que evoque, de entre las apretadas falanges del ayer, al ingenio que no se satisfizo plenamente con las ideas de su tiempo, y que las rebasó y superó, en ocasiones sin que lo notaran sus desaprensivos contemporáneos.

En estos textos que nos hablan de un vivir aislado, donde los acontecimientos de la vida diaria no tienen cuenta, donde sólo se percibe el acto de pensar o el de andar en bicicleta, se perfila la hábil labor cirquera de este escritor tan parco. Morir en la guerra o luchar por la patria es casi un pleonasmo: declamar un patriotismo de enchilada y de pulque o de jícara y sarape; suyo es el patriotismo de Lizardi: "el mexicanismo que por auténtico no descubren los extranjeros ni emplea el énfasis de las falsificaciones".

Tan mexicano es Torri que su genealogía es evidente: su manera de pensar y de escribir tiene una larga tradición, remonta por igual a la evidente influencia que él proclama por los humoristas ingleses del XVII, de un Sterne, de un Swift, un Defoe o de los escritores del XIX donde pueden estar Schwob, Wilde o Lamb, pero a la vez, como buen ateneísta, por su obra pasan los presocráticos y Sócrates y Platón, pero sobre todo, tan ocultas como su propia vida, por su obra pasan tradiciones en donde el diálogo de los libros o "El embuste" se asientan en la vieja costumbre colonial de escribirlos, costumbre colonial que sigue al pie de la letra el mexicano que más admira Torri: Fernández de Lizardi.

## ¿DE NUEVO *AL FILO DEL AGUA*?

Agustín Yáñez nació en Jalisco en 1904 y murió en el D.F. en 1980. Fue, además de escritor, profesor y político. Estudió leyes en la Universidad de Guadalajara y filosofía en la Facultad de Filosofía y Letras de la UNAM; fue profesor de la Escuela Normal para Señoritas de Guadalajara (1923-1929), así como de la Preparatoria Nacional (1932-1953), la Universidad Femenina (1946-1950) y la Facultad de Filosofía y Letras de la UNAM (1942-1953 y 1959-1962), para citar sólo algunas de las muchas tareas docentes que desempeñó. De sus cargos administrativos, me contento con mencionar que fue jefe del Departamento de Bibliotecas y Archivos Económicos de la Secretaría de Hacienda (1934-1952), coordinador de Humanidades de la UNAM (1945), gobernador de Jalisco (1953-1959), subsecretario de la Presidencia (1962-1964), secretario de Educación Pública (1964-1970), presidente de la Comisión Nacional de Libros de Texto Gratuitos (1977-1980). Además fue miembro y presidente del Seminario de Cultura Mexicana (1949-1951). Entró a El Colegio Nacional y a la Academia Mexicana de la Lengua que también presidió (1973-1980) y recibió el Premio Nacional de Letras en 1973. Se interesó en la historia y trabajó sobre fray Bartolomé de las Casas y sobre Antonio López de Santa Anna, dirigió las obras completas de Justo Sierra, publicó numerosos ensayos, dirigió la revista *Banderas de Provincias* en Guadalajara y publicó cuentos y novelas: destacan *Espejismo de Juchitán* (1940), *Flor de juegos antiguos* (1942), *Melibea, Isolda y Alda en tierras cálidas* (1946), *Los sentidos del aire* (1948), *Archipiélago de mujeres* (1943), *Pasión y convalecencia* (1943), *Al filo del agua* (1947), *La creación* (1959), *La tierra pródiga* (1960), *Ojerosa y pintada* (1960), *Las tierras flacas* (1962), *Perseverancia final* (1967) y *Las vueltas del tiempo* (1973).

Su obra es extensa; paradójicamente, Yáñez es recordado en especial por su novela *Al filo del agua* y quizá, exagerando, porque cuando fue titular de la Secretaría de Educación Pública alteró los calendarios escolares para adecuarlos al sistema imperante en el norte de América. Reiteraré el lugar común y en este ensayo pasaré a ocuparme de la novela que lo hizo famoso. Es más, sólo me referiré a uno de sus aspectos, el religioso.

Es bien sabido que el título de su novela más conocida hace referencia a la Revolución mexicana y que el pueblo protagonista de su novela, Yahualica, es un pueblo perdido, "¡...un oscuro pueblo de sombras escabullidas, de puertas cerradas, de olor y aire misteriosos!", un pueblo en el que algunos de sus habitantes desempeñan los cargos habituales durante el porfiriato y que a menudo reconocemos en las novelas de ese periodo, por ejemplo en la tetralogía de Emilio Rabasa. Allí está el director político, el práctico en medicina y farmacia —¿Madame Bovary?—, el abogado del pueblo, todos "con fama de liberales", posibles herejes, masones, amén de sanguinarios, ladrones, brujos. Pero lo que priva en el pueblo, lo que predomina, es un sombrío patrón de vida, una versión particular de la religión católica, idéntica a la que imperaba durante la Colonia y que conocemos explicitada en los sermones, catecismos, manuales, distribución de las horas del día impresos para apuntalar la vida monástica, precisar con minucia los ejercicios espirituales y determinar la estricta organización de las procesiones de semana santa. Hay una vinculación definitiva entre el pueblo de la novela de Yáñez y cualquier pueblo colonial, también sombrío, del centro de México, antes de la Reforma liberal, un pueblo enlutado, semejante a aquellos por donde los jesuitas pasaban catequizando y amenazando a la población con los castigos del infierno. Un pueblo

...en el que [cuando] el Cura y sus ministros pasan con trajes talares y los hombres van descubriéndose, los hombres y las mujeres enlutados, los niños les besan la mano. Cuando llevan el Santísimo, revestidos, un acólito —revestido— va tocando la campanilla y el pueblo se postra; en las calles, en la plaza. Cuando las campanas anuncian la elevación y la bendición, el pueblo se postra en las calles, en la plaza. Cuando a campanadas lentas, lentísimas, tocan las doce, las tres y la oración, se quitan el sombrero los hombres, en las calles y en la plaza.

Este cura, vestido a la antigua usanza, viola flagrantemente las leyes liberales que preconizan la separación de la Iglesia y el Estado, aplica con fervor, y al pie de la letra, las máximas de san Ignacio de

Loyola: "Mirando y considerando cómo me hallaré el día del juicio, pensar cómo entonces querría haber deliberado acerca de la cosa presente, y la regla que entonces querría haber tenido, tomarla agora, porque entonces me halle con entero placer y gozo!" Los niños de Yahualica lo repiten, son los descendientes exactos de sus antepasados coloniales cuando en la escuela diariamente recitaban una vieja máxima: "Por el placer de morir sin pena bien vale la pena vivir sin placer." Los practicantes de los ejercicios espirituales de esa cuaresma fatídica, anterior a la debacle, los numerosos personajes de la novela creada por Yáñez, "meditaron en el pecado, el lunes, todo el día; el martes, en la muerte; el miércoles, en el juicio; el jueves, en el infierno; el viernes, en la Pasión de Nuestro Señor Jesucristo, y en la parábola del Hijo Pródigo, que fue objeto —ésta— de la última distribución de la noche".

A lo mejor *Al filo del agua* es una novela que habla de la Revolución, de su irrupción en un pueblo perdido en la sierra y visitado de tiempo en tiempo por familias que se desplazan desde la capital del estado, Guadalajara, o de otras de sus ciudades prominentes, quizá Zapotlán el Grande. Lo visitan, sobre todo, "arrieros humildes que a lomo de burro [andan] por tierras fragosas bajo toda inclemencia, en días lluviosos, parando en hospedajes míseros, atravesando regiones y villorrios desolados".

El punto de contacto con el exterior, son, en realidad, los arrieros, un contacto periférico, primitivo, esos míseros descendientes de los expeditos sistemas de posta previos a la Conquista, de quienes tan buena cuenta nos dan los cronistas. Son enlaces comerciales rudimentarios, también vagos ecos de lo que pasa en la provincia, tan distante de la metrópoli como este "pueblo de mujeres enlutadas" de Guadalajara. Los arrieros atraviesan la historia colonial, deambulan por los caminos llamados precisamente así, "caminos de arrieros", por donde apenas cabe una mula, y, han sido reseñados en el siglo XVII en *Los infortunios de Alonso Ramírez* de Carlos de Sigüenza y Góngora; en *Astucia* de Luis G. Inclán, que recibe licencia de impresión en pleno imperio de Maximiliano, y, por fin, aparecen con nitidez en algunas novelas y memorias de Mariano Azuela. Su paso por el pueblo lo deja incólume, no toca en absoluto su vieja estructura colonial. La única actividad social verdaderamente importante, a la que se libran con fervor los pueblerinos es la práctica ineludible de los ejercicios espirituales de cuaresma; las casas de encierro, parecidas a la de Atotonilco, son los lugares públicos preferidos, además de la iglesia. Las grandes festividades de la semana mayor colorean de vida al pueblo y llenan sus calles de gente, las campanadas son su único ruido, además de su único reloj. "Al filo del agua —explica Yáñez en su introducción, casi epígrafe, del libro— es una expresión campesina que significa el momento de iniciarse la lluvia, y —en sentido figurado, muy común— la inminencia o el principio de un suceso."

La eficacia con que los excelentes padres Martínez y Reyes sustituyen o, mejor, reconstruyen los antiguos métodos de encierro de la sociedad colonial, se violenta, se hace efectiva, por primera vez —parece sugerir nuestro autor—, cuando llegan los extranjeros (los "fuereños") que, además de los humildes arrieros, caen por el pueblo, también por semana santa, y lo trastornan. Entre los fuereños están los que regresan de vacaciones desde el norte, ahora los llamaríamos braceros, o los que alguna vez moraron en el pueblo y residen en Guadalajara y regresan a pasar las fiestas con sus parientes; los que por razones de violencia han salido de su retiro provinciano, o quienes han salido del pueblo para visitar las grandes urbes, centros de pecado, y regresan alterados a desquiciar al pueblo, o quienes encerrados en sus casas leen lecturas prohibidas y se perturban por esas lecturas enviadas por el diablo. Son ellos quienes preparan la Revolución. ¿Piensa Yáñez que ningún cambio verdaderamente profundo se realizó durante la guerra de Independencia o los movimientos de la Reforma que culminaron con la exclaustración? Tal vez esta relectura apresurada del libro de Yáñez nos obligue a formular otras preguntas: ¿Acabaría verdaderamente la Revolución con ese espíritu de encierro? ¿No estamos otra vez "al filo del agua"... de volver a Yahualica?

# JUAN JOSÉ ARREOLA Y LOS BESTIARIOS

Entre los animales más frecuentados por Arreola está la mujer, uno de los animales preferidos de su bestiario: "Vencido por una virgen prudente, el rinoceronte carnal se transfigura, abandona su empuje y se agacela, se acierva y se arrodilla." "El rinoceronte" abre el *Bestiario*. Y su figura es simbólica, es la imagen viva de una de esas máquinas que obsesionan al escritor y que le permiten esbozar teorías como las de balística, semejantes en su precisión e improbabilidad a las partidas de ajedrez que determinan una existencia: "El gran rinoceronte se detiene. Alza la cabeza. Recula un poco. Gira en redondo y dispara su pieza de artillería. Embiste como ariete, con un solo cuerpo de toro blindado, embravecido y cegato, en arranque total de filósofo positivista." Animal torpe, prehistórico, obtuso, el rinoceronte se arma de palabras desafiantes que lo asimilan a todas las hazañas de guerreros de la historia y es para Arreola un *ariete*, cargado de "armadura excesiva" un animal "blindado", un cuerpo construido con torpeza por "los derrumbaderos de la prehistoria, con láminas de cuero troqueladas bajo la presión de los niveles geológicos". Y esta bestia grasa, imitadora elemental de los torneos medievales en honor de una dama, cuando se acopla se transforma en la imagen viva del donaire al ser adelgazada por la metáfora. "Aunque parezca imposible, este atleta rudimentario es el padre espiritual de la criatura poética que desarrolla en los tapices de la Dama, el tema del Unicornio caballeroso y galante."

Y no es casual que este animal inicie la procesión zoológica: Arreola es un escritor maniatado por la tradición que escinde a la Dama en Bella y en Bestia, un escritor que la zahiere y la ensalza, un escritor que la contempla desde lejos como Petrarca a Laura o Dante a Beatriz, un escritor que procede como los machos de su "Insectiada":

> Vivimos en fuga constante. Las hembras van tras de nosotros, y nosotros, razones de seguridad, abandonamos todo alimento a sus mandíbulas insaciables.

Pero la estación amorosa cambia el orden de las cosas. Ellas despiden irresistible aroma. Y las seguimos enervados hacia una muerte segura. Detrás de cada hembra perfumada hay una hilera de machos suplicantes.

Las bestias son interesantes sobre todo porque el hombre las imita y en cada animal Arreola encuentra formas de amar con irritación al "prójimo desmerecido y chancletas" y "a la prójima que de pronto se transforma a tu lado, y con piyama de vaca se pone a rumiar interminablemente los bolos pastosos de la rutina doméstica". La bella y la bestia se unen en el Rinoceronte.

El alma romántica y el sueño definen a la Dama de Pensamientos, esa Dama que como Reina es defendida en los juegos de ajedrez, sola entre varones, "diamante en la molleja de una gallina de plumaje miserable". Dama servida por un caballero y por el Unicornio disfrazado poéticamente, privado de su agresiva impulsividad y sus arreos guerreros, convirtiendo su sexualidad en cuerno mítico, pero exhibiéndolo a la vez como proyectil "repitiendo en la punta los motivos cornudos de la cabeza animal, con variaciones de orquídea, de azagaya y alabarda".

Los animales de Arreola son animales amorosos, o mejor, son bestias amorosas y sus apareamientos son lascivos, venales, repugnantes como el sapo que "aparece ante nosotros con una abrumadora calidad de espejo". La agresión que preside al acto amoroso y que es flagrante en los animales mima los cortejos humanos y los sintetiza en los contrarios como en esas figuras de retórica de que tanto gustaban los barrocos y también Borges con quien siempre se acopla a Arreola: "¿El menudo de res en bandeja y las flores en búcaro? De ninguna manera, Góngora presentó juntas las rosas y las tripas, jugando ingeniosamente con sus distintos olores y matices, arrastrado por su lirismo a un sincero trance definitorio de canónigo metaforista." Y explicitando así su propia actividad poética, Arreola continúa violentando y enredando los opuestos, acomodando uno junto a otro los textos que se contradicen en su palabra teórica, pero que se refuerzan como imágenes. Las contradicciones son formidables y se alinean agresivamente, arsenal de armamentos dispuestos a estallar como alguna vez estallaron las bestias frente al hombre: "Antes de ponerse en fuga y dejarnos el campo, los animales embistieron por última vez, desplegando la manada de bisontes como un ariete horizontal. El toro bravo quedó dibujado en Altamira y los vencidos no entregaron el orden de los bovinos con todas sus reservas de carne y leche." Las bestias han sido vencidas por la técnica, un pacto de paz marca su domesticidad abyecta y fofa, su calidad de rumiantes o de gallinas, pues hasta las aves de rapiña ocupan ahora unas celdas cuya verticalidad es ominosa: "la altura soberbia y la suntuosa lejanía han tomado bruscamente las dimensiones de un modesto gallinero, una jaula de alambres que les veda la pura contemplación del cielo con su techo de láminas".

La calidad medieval del armamento que ornamenta sus imágenes revela una fascinación y una nostalgia: la danza que precede el acoplamiento de los rinocerontes se vuelve un torneo sin gracia, pero en él tiene cuenta la "calidad medieval del encontronazo" y las persecuciones aladas son menos ominosas si las preside un tratado de cetrería, aunque se prefiera a las palomas:

> Fieles al espíritu de la aristocracia dogmática, los rapaces observan hasta la última degradación su protocolo de corral. En el escalafón de las perchas nocturnas, cada quien ocupa su sitio por rigurosa jerarquía. Y los grandes de arriba, ofenden suscesivamente el timbre de los de abajo.

La cortesía medieval y el culto a la Dama se insertan también en una imaginería armamentaria y las espadas y los escudos, los sables, las saetas, los dardos y las flechas disparan sus proyectiles amorosos y organizan batallas donde existe "la libertad entre la nube y el peñasco, los amplios círculos del vuelo y la caza de altanería". Mas como para esas aves de rapiña, esos halcones, esos buitres, esas águilas la vida elevada se cancela en el encierro desmedrado, volviéndose parodia. El arsenal se arruina y la batalla termina con la derrota de la bestia o del hombre. De esos sitios largos, gloriosos, heroicos, sólo quedan cicatrices como en los campos donde alguna vez estuvo Numancia a quien Arreola le dedica una elegía y un tratado de balística, semejantes a esa teoría de Dulcinea que habla de un hombre que "se pasó la vida eludiendo a la mujer correcta".

La Dama vence con la mirada al héroe que vence con la espada y con la lanza al otro héroe. La estrategia guerrera que delimita las acciones de los caballeros organiza la armadura que acoraza a la dama y la vuelve invencible. La mirada perdida del caballero tropieza con la bélica envoltura que lo trastorna y lo domeña. El *Bestiario* de Arreola iguala al hombre con las bestias; éstas fueron vencidas por las técnicas que el hombre ideara para civilizarse y encerrarlas en los zoológicos, pero el hombre es vencido y denigrado por la Dama de Pensamientos. "Cada vez que una mujer se acerca turbada y definitiva, mi cuerpo se estremece de gozo y mi alma se magnifica de horror."

Si la historia del hombre ha sido una historia de agresión que moviliza sus recursos guerreros y los convierte en reglas del juego que pasan por un tablero de ajedrez, si los bestiarios son posibles como símbolos de una historia pasada que permite catalogar a las que alguna vez fueron fieras, la historia de la humanidad es una historia escindida, pero a la vez paralelística: el hombre vence a la bestia, la domestica, pero el ser doméstico por excelencia, la mujer, vence a su vez al varón. Un ser híbrido, compuesto de carne y hueso, pero casi siempre carente de espíritu se convierte en el paradigma esencial: sin ingenio, derrota al ser que lo posee en mayor grado, el varón, y Dulcinea y Laura son sólo creaciones del espíritu masculino que las ha puesto sobre las nubes. No en vano Arreola maneja con tanta destreza las imágenes de cetrería: "De noche, cavilo entre la ternura y la rapiña en un paisaje de rocas vacías." Ave de presa, vaca, avestruz ridículo, insecto-hembra, dilapidador y asesino, mariposa común, perra, boa, todo esto y más es la mujer en la simbología arreoliana. Pongamos algunos ejemplos al hilo:

"Después de algunas semanas, la boa victoriosa, que ha sobrevivido a una larga serie de intoxicaciones, abandona los últimos recuerdos del conejo bajo la forma de pequeñas astillas de hueso laboriosamente pulimentadas."

"Destartalado, sensual y arrogante, el avestruz representa el mejor fracaso del garbo, moviéndose siempre con descaro, en una apetitosa danza macabra. No puede extrañarnos entonces que los expertos jueces del Santo Oficio idearan el pasatiempo y vejamen de emplumar mujeres indecentes para sacarlas desnudas a la plaza."

"Como a buen romántico, la vida se me fue detrás de una perra."

La mujer domesticada que el hombre había puesto en su lugar en el gineceo, se vuelve contra su dominador y lo destruye. Las armas de defensa que el hombre posee —cuerno lascivo y generacional— se transforman en adornos ominosos que lo igualan a los primeros seres domeñados por él; toros bravos vueltos bueyes, rinocerontes cuya lanza ofensiva se trueca en marfil admirable y poético, inutilizado, pues ya no cumple su cometido, embestir, y sólo se utiliza como adorno. Los cuernos son el emblema de la agresividad del macho, su arma esencial, signo de virilidad y de potencia, posibilidad de vida por su capacidad germinal, pero "el cuerno obtuso de agresión masculina se vuelve ante la doncella una esbelta endecha de cristal".

Revertido su sentido, el cuerno sirve de ornamento: colocado sobre el testuz del toro o del varón lo señala, lo engalana, lo corona. En "Pueblerina" don Fulgencio despierta una mañana convertido en un animal extraño como Gregorio Samsa: "con un poderoso movimiento del cuello don Fulgencio levantó la cabeza, y la almohada voló por los aires. Frente al espejo, no pudo ocultar su admiración, convertido en soberbio ejemplar de rizado testuz y espléndidas agujas". Admitida la transformación el par de cuernos se utiliza tan sencillamente como la vestimenta y el protagonista lustra a la vez sus zapatos y su cornamenta "ya de por sí resplande-cientes".

La coronación ejerce con eficacia una función: transgredir las jerarquías, desordenar la coherencia de un organismo natural, desencajar una estructura. También subraya una dialéctica: la tra-dicional violencia entre el amo y el esclavo. Usar los cuernos como símbolo de virilidad es distintivo de la bestia, usarlos en la frente es aumentar superficie del rostro desorbitadamente y disminuir el prestigio. El Don Juan se transfiere al Cornudo y entre los dos extremos oscila el seductor en proyección especular de la Dama de los Pensamientos y la Vaca: "Abrumado por las Diosas madres que lo ahogaban telúricas en su seno pantanoso, el hombre dio un paso en seco y puso en su lugar para siempre a las mujeres. ¿Para siempre?"

El hombre se deseslabona del mono y evoluciona. "Ella, en cambio, tardó mucho tiempo en adoptar la posición erecta, sobre todo por razones de embarazo y de pecho. Entre tanto perdió es-tatura, fuerza y desarrollo craneano."

La mujer sigue en bestia, el hombre deja al chimpancé. La mujer ama lo primitivo y está siempre dispuesta a asociarse con una carnalidad recubierta de pelaje:

> Si se trata de mujeres, nada hay que temer, ya que el oso tiene por ellas un respeto ancestral que delata claramente su condición de hombre primitivo. Por más adultos y atléticos que sean conservan

algo de bebé: ninguna mujer se negaría a dar a luz un osito. En todo caso, las doncellas siempre tienen uno en su alcoba, de peluche, como un feliz augurio de maternidad.

Mas todo es apariencia, en ese maniqueísmo se engendra la dialéctica de la sumisión incondicional que vaciaba el cráneo femenino y llenaba su vientre, sus caderas y su pecho empieza a fermentar y en su estallido condena al amo a la esclavitud de la soledad o al infierno de la pareja: "¿Para siempre? ¡Cuidado! Estamos en pleno cuaternario. La mujer esteatopigia no puede ocultar ya su resentimiento. Anda ahora libre y suelta por las calles, idealizada por las cortes de amor, nimbada por la mariología, ebria de orgullo virgen, madre y prostituta, dispuesta a capturar la dulce mariposa invisible para sumergirla otra vez en la remota cueva marsupial."

La domesticación es mutua, la pareja se organiza a partir de un concepto bíblico que mutila al hombre quitándole una costilla para crear a la mujer: "Hizo nacer de su costado a la Eva sumisa y fue padre de su madre en el sueño neurótico de Adán..." Este injerto humano que tiene mucho de hueso y de rama porque su nacimiento se debe a una mutilación de tórax y a una seducción de manzana, vampiriza a su creador, lo sepulta en su humedad, lo envuelve en su armadura de capullo, lo catapulta a un vacío primordial y terrible.

Las imágenes más recurrentes en Arreola son la verticalidad de la altura empezando por esos cuernos que hacen del rinoceronte un unicornio, siguiendo con esas sabias catapultas que derriban murallas o con los preceptos de altanería que entre la nube y el peñasco ejercitan las aves de rapiña y los caballeros que persiguiendo a sus halcones se encuentran con Melibea y a la vez con Celestina.

La Dama de los Pensamientos siempre queda en alto, entre las nubes, y el espíritu va siempre por el aire. "Las mujeres tienen siempre la forma del sueño que las contiene." Son argucias, sofismas, sin embargo, lo vertical hacia arriba tiene su contrapartida necesaria: el abismo: "Los abismos atraen. Yo vivo a la orilla de tu alma. Inclinado hacia ti, sondeo tus pensamientos, indago el germen de tus actos. Vagos deseos se remueven en el fondo, confusos y ondulantes en su lecho de reptiles." Los abismos tienen su espejo en las cavernas —en la espelunca, en la gruta—, equivalen a los infiernos: "Porque antes de alcanzar el paraíso de su locura, Garci-Sánchez bajó al infierno de los enamorados." Y ese descenso lo efectúa "Mundo abajo, razón abajo". La atracción del abismo es a la vez el descenso a los infiernos, la navegación interior, el antídoto a esos venenos olorosos a jardines imaginarios ("Tal vez la pinté demasiado Fra Angélico. Tal vez me excedí en el color local del paraíso"), pero también la caverna de Tribenciano donde los hombres bajan a morir o quizá a perder la cabeza porque "lo que allí ataca al hombre es el horror al espacio puro, la nada en su cóncava mudez".

El abismo, la caverna, plantean siempre en Arreola la carnalidad del amor, la composición de la pareja (y su descomposición): "Ella se hundió primero. No debo culparla, porque los bordes de la luna parecían lejanos e imprecisos, desfigurados por el crepúsculo amarillo. Lo malo es que me fui tras ella, y pronto nos hallamos engolfados en la profunda dulzura." Ese hundimiento, esa creación, ese intento de "reconstruir el Arquetipo" origina un "ser monstruoso: la pareja". La caverna es el equivalente simbólico de los cuernos. Es obvio: el cuerno voraz del toro, del bisonte o del carabeo, se transfiere del rinoceronte al unicornio, animal mítico por antonomasia y, por ello, animal espiritualizado. Al desencarnarse en leyenda el unicornio acompaña a la doncella y la deja siempre virgen, eternizada en un ideal, siempre inmaculada, cubriéndola con la aureola de su marianidad. La Dama de los Pensamientos se logra con la receta: "Toma una masa homogénea y deslumbrante, una mujer cualquiera (de preferencia joven y bella), y alójala en tu cabeza. No la oigas hablar. En todo caso, traduce los rumores de su boca en un lenguaje cabalístico donde la sandez y el despropósito se ajusten a la melodía de las esferas." La dama joven, etérea, proyectada en un cuadro como Mona Lisa, o vista desde el puente como panorama, inmortalizada en un soneto de Petrarca o en una silva de Lope, se aloja en la cabeza y se eleva como soplo del espíritu, ni más ni menos que la "esbelta endecha de marfil del unicornio". Su carnalidad no se derruye sin embargo y tras lo etéreo se esconde la bestia, más bien, la cabeza y la caverna, la cabeza y el cuerpo forman parte de la misma corporeidad, como el menudo de res en bandeja y las rosas en búcaro, o como las aves de rapiña enjauladas: "Entre todos los blasones impera el blanco purísimo del Zopilote Rey, que abre sobre la carroña sus alas como cuarteles de armiño en campo de azur, y que ostenta una cabeza de oro cincelado, guarnecida de piedras preciosas."

Carroña y realeza, tripas y rosas se hallan confundidas. La caverna platónica, la espelunca paleontológica, retienen al varón en su profundidad "cenagosa", repudiada y venerada en la doble figura de la madre y la amante, de la dama y la puta, de la bella y de la bestia.

La tradicional escisión que marca los textos de Arreola es falaz, o mejor, contradictoria. La bestia y la mujer domesticada son apenas parte de la historia. La pareja, ser monstruoso, es producto de una historicidad determinada y en esos breves textos de maravillosa síntesis se percibe la doble presencia de la tradición y su ruptura: "El golpe fue tan terrible que para no caer tuve que apoyarme en la historia. Sin venir al caso vi en la tina de baño, sarnoso Marat frente a Carlota Corday."

> El sueño se me ha ido de los pies y la memoria en desorden me coloca en puras situaciones informes. Soy por Margarita de Borgoña arrojado en un saco al Sena, Teodora me manda degollar en el hipódromo, Coatlicue me asfixia bajo su falda de serpientes... Alguien me ofrece al pie de un árbol la fruta envenenada. Ciego de cólera derribé las columnas de Sansón sobre una muchedumbre de cachondas filisteas. (Afortunadamente siempre he llevado largos los cabellos, por las dudas.)

Es evidente que cuando Arreola teoriza como en "Y ahora, la mujer..." la intención de matizar las endechas y las injurias tradicionales se concientiza, aunque suela enfrentarse (o alinearse en batería) a la violencia que genera textos como los que acabo de citar que podrán reiterarse en los que citaré ahora contrastándolos:

"La mujer es una trampa estática de arena movediza que espera, como la araña inmóvil en su tela, al hombre, quien por acercarse está perdido. El hombre enamorado pierde sus rasgos, se vuelve coloidal y gelatinoso porque se está diluyendo en la mujer."
"Venero y odio a la mujer. La veo siempre en equilibrio inestable. Ella es el verdadero ser, el ser original, la criatura total que nos llevaba dentro. Creo que en la división del parto original, a la mujer se le escapó el espíritu." Pero el espíritu es ave de carroña y cetrería.
"De la materia original del ser bisexual, el hombre se ha escapado por medio de las alas y el espíritu, y ha quedado la mujer más recargada de materia en una forma carnosa y húmeda."

La materia, baja y repugnante, cavernosa, empantanada, es buscada con nostalgia cuando se conforma en los bestiarios y la violencia del autor se endereza como "ariete vertical", para usar una de sus metáforas, contra el hombre que ha perdido a la naturaleza, que la ha transformado creando preludios apocalípticos sobre todo en la tecnología. La materia más vulnerable en la sociedad tecnificada es para Arreola la mujer y en sus innúmeras parábolas quien más sufre por la invasión de una ciencia ficción demasiado real es ella, "Parábola del trueque", "Baby H.P.", "Una mujer amaestrada".

Temeroso de ser vampirizado, deglutido, agelatinado, parasitado, Arreola escribe también:

> Los hombres somos culpables de haber ejercido el dominio. Hemos fungido como los caciques, los tiranos, los reyezuelos del erotismo. Nos aterroriza soltar ese instrumento de sumisión que ha sido la conducta masculina. Uno de mis actos típicos ha sido la dictadura, el absolutismo, sin ceder, para que no venga trágicamente la revancha.

Toda la visión de Arreola, siempre muy diferente de la de Borges, es carnal y deja un regusto de carroña. La relación entre hombre y animal y entre hombre y mujer se calcina porque pasa por una máquina de guerra que la tritura, la deglute, la fagocita (usando un término no académico):

> Hay unas prodigiosas máquinas entre las españolas, las brasileñas y las caribes. Son unos aparatos portentosos que aparecen en las calles o en los foros del teatro. Locomotoras del erotismo con los trapiches que en su movimiento majan y muelen la caña para la obtención de los almíbares. Pero ocurre que a veces esas extraordinarias criaturas que cumplen el ideal erótico, a la hora de la experiencia real resultan un refrigerador.

Las mujeres máquinas, los animales máquinas, las máquinas a secas se sumergen en el jugo gástrico de seres que como los buitres o los avestruces "proclaman a los cuatro vientos la desnudez radical de la carne ataviada". La paciente digestión de la boa "que abandona los últimos recuerdos del conejo bajo la forma de pequeñas astillas de hueso laboriosamente pulimentadas" se empalma con la de los felinos, capaces "de mondar a cualquier esqueleto de toda carne superflua", con el "espinazo saliente del carabao que recuerda la línea escotada de las pagodas" o con la costilla de Adán engendrando al ser que menos masa craneana posee y mayor estómago.

Esa metáfora de rapiña se universaliza y demuestra "que el hombre se ha revelado como la única criatura que destruye su hábitat, que rompe la economía de la naturaleza. La enormidad de los mares y de los cielos ya está al alcance de la voluntad de corrupción..." Y luego agrega: "Aunque no conozco los planes de la Creación, la etapa de la destrucción del hombre es mucho más de lo que Dios había presupuesto. Y la contaminación del ambiente no es sólo de carácter material."

La mecanización diabólica se contrasta con un símbolo medieval: el mester, el oficio, el taller que Arreola ha ejercido sistemáticamente y que parece ser un paliativo contra la máquina y la agresión. Ejercer con devoción un oficio, utilizar las manos y moldear la materia:

> Espero el renacimiento del amor a las plantas y a los animales, el apogeo del hobby, que es un renuevo doméstico de la aplicación de la mano artesanal. Necesitamos relacionar el espíritu y la materia, y no dejar al espíritu en esa vagancia que aunque nos haya producido buena música y buena poesía, nos ha costado tantos delirios de grandeza.

El amalgama ideal, la reconciliación de los opuestos, el ejercicio de un oficio, la purificación del juego pulverizará a los zoológicos y unirá a los hombres. No en vano muchas de las obras de Arreola se organizan como alegorías y otras como parábolas. La reconciliación es la nostalgia de un pasado y la negación del apocalipsis, en parte. La superación real del arquetipo es la reconciliación de los opuestos en la síntesis de la tradición platónica, la caverna asociada con la Dama de los Pensamientos. *La Dame sans merci* del Renacimiento, la Dama contemplada en los sonetos de Petrarca o en el Paraíso dantesco, se convierte en la caverna, pero no por su idealidad, sino porque suelo y cielo se hunden en su fango "dando un paso en seco". La profundidad cavernosa de la mujer llena de horror a sus enamorados que la persiguen con las reglas de la cetrería. El ave de altanería que se abate cae en la caverna y la verticalidad es el camino hacia los dos polos. Caverna platónica contemplada desde lejos y caverna cenagosa penetrada son las tripas y las rosas confundidas.

## *CAMBIO DE PIEL*: FUENTES
## Y LAS FIESTAS IMPOSIBLES

Carlos Fuentes abre *Cambio de piel* utilizando, como él mismo afirma, "el recurso apolillado del epígrafe" al pronunciar los versos de Alain Jouffroy:

> comme si nous nous trouvions à la veille
> d'une improbable catastrophe ou au lendemain
> d'une impossible fête...

Esta fiesta imposible y esa improbable catástrofe define el libro.

Fiesta en el sentido esencial de la palabra, ceremonia sagrada que se lleva a efecto como un exorcismo. Catástrofe en su connotación de derrota, pero también de cancelación. Fiesta y catástrofe representadas dentro de los límites imprecisos de lo improbable y lo imposible.

Si la fiesta es representación —puede darse aun en los dominios de lo imposible, porque su realidad se detiene en los linderos de la dramaturgia, de lo que representa al mundo. Y el teatro es la ceremonia que reproduce una fiesta imposible: el acercamiento definitivo con el mundo. El teatro —espejo sobre la naturaleza a la Shakespeare o a la Tirso de Molina-Calderón— juega con la irrealidad e invierte los términos: si en la realidad la fiesta es imposible, en el teatro es representación, es reflejo. Se vuelve a especular. El teatro impone sus dimensiones y define sus ceremonias: las fiestas se realizan aunque sean imposibles y las máscaras de los personajes adquieren su verdadera dimensión.

*Cambio de piel* es una novela de muy pocos personajes, pero sus personajes representan una ceremonia desacralizada en el recinto sagrado de un templo que se contiene a sí mismo en un juego de pirámides superpuestas. Los personajes son cuatro: Javier y Elizabeth, Franz e Isabel. Frente a ellos la historia de la Conquista, la historia de unos hornos crematorios, la historia falsa y a la vez verdadera de años transcurridos en diversas ciudades. También hay un Narrador que interviene en la novela dialogando sin interrupción con Elizabeth. Además hay seis personajes y un Lincoln amarillo; estos personajes llegan a Cholula, casi al mismo tiempo que las dos parejas mencionadas. La serpiente como símbolo envolvente es soberana.

Así dos parejas llegan a Cholula y se instalan en un hotel de mala muerte y visitan las pirámides. Esa estancia y esa visita son un retorno al interior de sus vidas y al interior de sus sentimientos. El destino de una pareja se juega en ese retorno imprevisto, como un destino fatal, pero a la vez cotidiano. Cholula se extiende con sus misceláneas miserables, sus calles polvosas, su dudosa propaganda electoral pintada en las paredes, sus anuncios de pepsi-cola, sus perros babeantes y famélicos, la música de vitrola modernizada en aparatos de echar veintes, sus mujeres intemporales de vientre hinchado y rostros disueltos, sus iglesias y su pasado prehispánico. En torno, la serpiente insiste en desplegar su viejo símbolo gastado, su constante cambio de piel.

Están indicados los escenarios, los personajes han recibido su lacónico sentido, la fiesta puede comenzar.

## La teatralización

A pesar de las diferencias evidentes que marcan a los distintos novelistas de Hispanoamérica hay una vinculación definitiva de preocupaciones y de técnicas. A simple vista sería imposible afirmar que *Rayuela* y *Cambio de piel* se parecen, o que Elizondo intente tocar temáticas que Cortázar o Fuentes planteen. Sin embargo, en los tres autores mencionados la novela es un intento por crear nuevas reglas del juego, de un juego que cada uno entiende a su manera, pero que en los tres se inserta en los límites de una ceremonia sagrada. *Rayuela* es un juego de niños, un juego en donde los niños exponen su infancia y se enfrentan a la locura o al mundo. *Cambio de piel* reinicia en Cholula un viejo juego de sacrificios reiterados, Elizondo instaura las ceremonias de tiempos oraculares y monedas instantáneas. Oliveira y la Maga en París se reflejan en el paralelismo evidentes en Traveler y Talita en Argentina, Javier y Elizabeth se vuelven los dobles teatralizados de Franz e Isabel. En el *Hipogeo secreto* de Elizondo se escribe una novela dentro de la novela, Javier escribe sin hacerlo la *Caja de Pandora*, en la que están contenidas todas las piezas de recambio que exige el cambio de piel. El Narrador se inmiscuye en la novela en su doble tarea de creador y de espectador incompleto de los hechos que narra y recrea. Morelli oscila en el juego del Yin y el Yan como los personajes torturados y eróticos de *Farabeuf* (Elizondo) tiran las monedas oraculares del libro sagrado, del *I Chin*, obra recurrente en la segunda versión de *Rayuela* (Cortázar). La ceremonia, la narración de la narración, la búsqueda del mundo que está detrás del Espejo y sobre todo la teatralización que resume y condensa las búsquedas, son piedras de toque en los autores mencionados.

Esta ficción está muy alejada del teatro y con todo su proceder es semejante al de la representación. Los personajes juegan a ser diversos personajes, nunca *son* en definitiva lo que parecen ser, siempre se enfrentan a un espectador que los mira y los transforma. Nunca está de más, aunque manida, la imagen de la galería de espejos. Uno mira lo que el otro mira y el otro espía al que mira en tanto que el espectador, el que está en la sala, mira a los que miran. Es como esos enredos de Tirso de Molina en los que los personajes son hombres y mujeres disfrazados con el ropaje —la piel— de otros hombres y otras mujeres. Los villanos son nobles por el talle y la galanura, pero vergonzosos de oficio, las doncellas son recatadas y prudentes como el corte de la comedia y la corte en la que viven lo exigen, pero son a la vez osadas, más definidas que los galanes a quienes persiguen, menos damas, más galanes.

Mireno, personaje de *El vergonzoso en palacio* de Ti. 3o de Molina, va a la corte porque siente que su donaire no es campesino y que el talle le exige un mejor traje. Atrás deja a Ruy Lorenzo y a su padre disfrazados con la piel de los aldeanos. En la corte ya pasa otro galán que se encubre para espiar a unas damas, y Mireno se confunde con él.

Mireno se describe y dice:

> No soy; seré
> que sólo por pretender
> ser más de lo que hay en mí
> menosprecié lo que fui
> por lo que tengo de ser.

Este tener que ser nunca se define. Mireno no es, ni fue, sólo sirve de objeto a la mirada, como los demás personajes que se inscriben en la escena para actuar en ella. Magdalena duerme y habla en su sueño frente a Mireno que la mira. Serafina se viste de hombre y se mira en un espejo que luego la reproduce, en ese traje, en pintura narcisa de la que ella se enamora, mientras el caballero que la corteja contempla la escena detrás de los árboles y el pintor la retrata, dándole la espalda al espectador que mira la doble escena que se repite en el espejo que Serafina lleva en las manos para verse vestida con otro traje.

Es como la escena que Fuentes describe en *Cambio de piel*, cuando desde un balcón, en una casa de Buenos Aires, en la que probablemente estuvieron o no estuvieron Elizabeth y Javier, ambos contemplan el espectáculo de una joven que se maquilla frente al espejo, con la ventana abierta. Y la joven es una judía, semejante a la mujer que la mira, objeto de conversión para Javier, que las observa a ambas y que desea a la que se mira en el espejo enfrente, sin atender a la que mira a la otra, aunque en el fondo ambas sean la misma. Es Serafina enamorada de un retrato en el que ella misma es otra porque se ha vestido de hombre; es el doble perfecto, el cuerpo evanescente que Narciso abraza. Es perfecto, pero sólo porque lleva máscara.

Es como las búsquedas de Javier que encuentra su propia mujer en la penumbra de una fiesta jugando al encuentro insólito e imprevisto en que los cuerpos y los rostros parecen cambiar, pero lo que cambia es sólo el traje, es sólo el nombre. Es Ligeia, es Bethele, es Lizbeth, es la Dragona, la interlocutora preferida del Narrador, porque es la propietaria definitiva de las máscaras.

Y es este juego de evasión que por el arte del teatro se concentra en un tiempo y un espacio cerrados, sólo válidos en su ámbito, en el teatro, este juego, digo, se concentra en unos versos:

> ¿Qué fiesta o juego se halla,
> que no le ofrezcan los versos?
> En la comedia, los ojos
> ¿no se deleitan y ven
> mis cosas que hacen que estén
> olvidados tus enojos?

dice Serafina cuando representa al galán que sólo será reflejado en un retrato.

Y Tirso elogia su arte, ese arte de la representación en la que todos pueden ser descritos, todos reyes, todos galanes, todos damas:

> ¿Quieres ver los epítetos
> que de la comedia he hallado?
> De la vida es un traslado,
> sustento de los discretos,
> dama del entendimiento,
> de los sentidos banquete,
> de los gustos ramillete,
> esfera del pensamiento,
> olvido de los agravios,
> manjar de diversos precios,
> que mata de hambre a los necios
> y satisface a los sabios.

Así las infancias se dan en México o en Nueva York indistintamente, en la realidad del tiempo transcurrido y el espacio vivido, o en la realidad de lo imaginado dentro del cuerpo-receptáculo que contiene el recuerdo, que lo crea, que lo mistifica. En la realidad de un guijarro o una colección de guijarros de una playa griega en la que se ha pasado un tiempo de felicidad, semejante a la Edad Dorada que los griegos vivieron *in illo tempore* mítico nostálgicamente rapsodiado por Hesíodo, campesino, trovador de una gesta deseada desde adentro. Así Elizabeth recoge guijarros en Falaraki, viviendo la pasión que recordará en Cholula, colección de guijarros que se contienen uno a uno como el mar contiene las ondas y la arena los granos. Como en la caja de Pandora que Hesíodo crea, están contenidos los males uno a uno, y de Pandora proviene la raza maldita de las mujeres hembras, "el más cruel azote que existe entre los mortales... esas mujeres que no hacen más que daño". Los guijarros son símbolo de una felicidad contenida en una caja, nunca novelada, siempre deseada como símbolo de vida, pero cuya realidad se define sólo en la representación de las figuras que ostenta la corona de Pandora, imágenes de las cuales, como dice Hesíodo, "brotaba una gracia resplandeciente, admirable..." porque "parecían vivas". Así, en la realidad del deseo, viven las imágenes que éste crea, porque son sus máscaras, su representación.

Él había visto antes que tú a la muchacha; tú nunca supiste que es lo primero que él vio, aunque pudiste imaginar que la muchacha haría siempre las mismas cosas, las que después le vieron hacer todas las tardes, entre silencios cada vez más prolongados, desde el balcón...

Me miraste como si sólo tú hubieras estado observando a la muchacha durante todas esas semanas, como si ella fuese tu propiedad. Yo debía mirar ¿qué cosa?, ¿eh? ¿Qué se suponía que yo debía mirar?, ¿eh?

Las ramas desnudas de los árboles. El paso de los automóviles. Quizás al portero polaco. Ver a la muchacha era el privilegio de Javier.

A ella le dirías en secreto las palabras que no escribiste, las palabras que me dijiste sin pronunciarlas. A la desconocida, intocable, lejana imagen de soberbia y soledad, hecha tuya más que en la imaginación, como creí entonces. Ship ahoy. En el revés del deseo, ¿qué tal? En el deseo sin deseo. ¿Me entiendes? ¿Me oyes?

Javier desea lo que ya tiene. Elizabeth es la misma judía de "axila rizada, de busto pequeño pero erguido", que Javier mira desde la ventana, como el galán mira a Serafina representar su papel de hombre. Serafina se desea y se transforma:

> deséome entretener
> deste modo; no te asombre
> que apetezca el traje de hombre
> ya que no lo puede ser.

A lo que Juana responde; cuando le tiende un espejo:

> Si te miras
> en él ten, señora, aviso,
> no te enamores de ti.

Javier desea escribir una novela llamada *La caja de Pandora*, desea tener otras mujeres, pero la novela la lleva dentro, en la metáfora inmediata de su deseo, tanto de escribir como de transformar a Elizabeth en otras mujeres o en Isabel. Ya que no lo puede, advierte, como Serafina, que basta cambiarse de traje, y jugar a que se es sin ser. El peligro surge cuando se cae víctima del propio juego y Narciso se enamora del espejo.

101

# El mito del héroe y el principio de la ceremonia

Situada al final de un tiempo en el que el realismo intentaba definir al hombre, la nueva novela latinoamericana se confunde con el mito. Lo cotidiano, lo real, lo que se desarrolla en un transcurso lineal de anécdota y en una definición exhaustiva del modo de ser de los personajes que pueden ser reconstruidos desde muchos ángulos, ya desde el vértice en que se coloca el narrador-personaje, ya desde el del espectador-lector. El hombre y la mujer —Elizabeth y Javier— son seres humanos inscritos en un amor cotidiano, normal y pendenciero, son igualmente seres humanos mitificados en una creación imaginada y seres simbólicos que ejercitan una realidad. Pareja de seres vivos, reales, mensurables, pero a la vez mitos deslavados de una época en busca de héroes, héroes resueltos en el celuloide, en la mirada enigmática de la Garbo, en las actuaciones desgarradas de Joan Crawford, en las figuras ambivalentes de John Garfield y Humphrey Bogart, en la musicalidad sensacional de los Beatles, en el Gabinete expresionista del doctor Caligari, imagen de la imaginación y la locura. Quedan sueltos por allí los cabos de un James Bond o un James Dean, cabos que se anudan imperfectamente en los personajes del Lincoln, beatniks o hippies o representaciones de beatniks y hippies. O quizás héroes envueltos en la leyenda de un corrido cantado con acompañamiento de guitarra, después de que el Narrador pide permiso primero para empezar a cantar.

La historia se contiene en los límites sólidos del "pido permiso primero" y el "vuela, vuela, palomita". Lo que haya en medio lo proporciona la leyenda, los breves incidentes de la vida de un hombre o una mujer que murieron ya sea en la revolución (en cualquiera de las revoluciones, la de Juárez, la de Hidalgo o la de Zapata) o por una mala mujer (y lo contrario). Los tiros, las balas (es lo mismo) le tocan por suerte. Aquí el corrido y el héroe son Benjamín Argumedo.

En este contexto de héroes devaluados y seres imaginarios pero vivos, se intenta la ceremonia en Xochicalco primero, corte en el camino —las dos parejas recorren el país cortándolo según el recorrido tradicional, el que hizo Cortés, el que hacían los viajes que llegaban de Europa, el camino de México a Veracruz—, Xochicalco es una desviación, pero es principio de ritos, y ofrece de nuevo el símbolo reiterado, la serpiente que rodea la base de la pirámide, cordón externo y la vez cordón umbilical de Cholula, el Gran Cu, el centro del mundo. Franz inicia el juego: a la manera de los sacerdotes cretenses y de los matadores modernos, juega con un toro, parodiando una tauromaquia envejecida; luego, la misma lucha se repite, pero son los dos hombres los que la ejecutan, ya en Cholula. La novillera, Isabel, contempla el juego. Estamos en una red de mitos, en una transfiguración bastarda de religiones. Es el viejo "dualismo greco-cristiano-judío-protestante-marxista-industrial", dualismo representado en la civilización de Pepsicóatl, a bordo de un Volkswagen, a ritmo de corrido y con fotografías fijas de estrellas de los treinta.

El exorcismo empezará en breve. Sólo falta que se reúnan los sacerdotes y las víctimas propiciatorias. Franz será la víctima, él, que ha sido verdugo pasivo, constructor de campos de concentración, de sólidos hornos crematorios y amante inocuo de una joven judía, Hanna Werner. Los seis hippies, cuatro hombres, dos mujeres, serán los Monjes, sacerdotes improvisados que arman la parodia. Los espectadores, Javier, Elizabeth e ¿Isabel? muerta y resucitada. La ceremonia puede empezar, los actores ya están en escena.

"Ahora dentro de este venerable Lincoln —dice el Narrador—, no quiero perder la encarnación de los seis seres que me rodean: no quiero admitir que, si mi voluntad no los sostiene, estos seis rostros serán una red transparente de circulaciones: de transfiguraciones". "Los Monjes me entienden, seguro que me entienden...", continúa.


## El retorno de Orestes o el niño perdido

Y puesto que de mitos se trata volvamos a uno de los más viejos, de los más importantes, al mito del héroe que nace para realizar una misión específica que lo determina y le otorga sentido. Al mito de Perseo, hijo desconocido de Zeus que ha de matar a la Gorgona, al mito de Teseo que habrá de matar al Minotauro para hacer nacer un laberinto siempre recreado, al mito de Jasón, argonauta apresado en los hechizos de Medea, al mito de Moisés surgiendo de las ondas como Venus, al mito de Telémaco que busca a su padre, pero sobre todo al mito de Orestes, que regresa para vengar a su padre y despertar a las Erinias. También es el mito de Edipo, el de los pies hinchados, o el del niño del Pesebre, el "Güero claveteado" de Carlos Fuentes, el que inaugura un tiempo y lo hace nacer entre las piernas de su madre.

Orestes está escondido en las páginas de la tragedia. Orestes espera agazapado a que el tiempo madure y la sangre se derrame. Aquí Orestes es Jakob Werner, hijo de "Hanna Werner, muerta en la cámara de gases de Auschwitz en octubre de 1944"; "¿yo Jakob Werner, el fiscal enviado de Terezin a Treblinka a las dos semanas de nacido?"

Sí, Jakob Werner, uno de los Monjes, es el verdugo, uno de los seis beatniks, o lo representa. Franz Jellinek, constructor de las mejores cárceles nazis, turista en México, compañero de Isabel, Javier y Elizabeth, es la víctima, Orestes venga a su madre, Hanna Werner, y mata al que no fue su padre, Franz Jellinek, y en él pretende exorcizar a las víctimas de los crematorios nazis, chivo expiatorio, sólo constructor pasivo de exterminios. El sacrificio es en Cholula, allí en el centro de esas siete pirámides que se vomitan unas a las otras, allí entre las huellas de la sangre derramada por otros conquistadores, la sangre de los choliltecas derramada por Cortés y la Malinche y los torvos españoles.

La parodia ceremonial se ha llevado a cabo, pero antes, en México, en la calle del Niño Perdido, los Monjes han ejecutado otra ceremonia, en un burdel que resulta ser la casa donde Javier ha nacido y que sus padres conservaron para dejarle un patrimonio "decente". En esa casa, vendida por Javier para irse a Europa con Elizabeth, los Monjes ejecutan la parodia de las parodias en la cama en que dormían y copulaban los padres de Javier. Del regreso de Orestes vamos al Nacimiento del Niño Sagrado.

El coito se realiza en el burdel y la ceremonia la contemplan los cuatro Monjes y el Narrador, las dos sacerdotisas, una negra y otra rubia, la Pálida, copulan.

La inversión se produce en todos los niveles. La cópula es estéril, parodiada, mutilada, el producto es un muñeco, como esos muñecos de Día de Reyes que van ocultos en la rosca, como pretexto para realizar una fiesta el día de la Candelaria.

Es una nueva encarnación del Verbo, el verbo devaluado en el albur, en la parodia, en el burdel:

Luminosa y enferma, la verdadera herida nos ofrece su cicatriz abierta herida por su herida, su heredada herida, el esplendor enervado de su estación de paso, el calor brumoso de ese encuentro, de esa glacial humedad de la que la Negra extrae —y los gritos se acallan y las voces se devoran a sí mismas y la saliva regresa a los hornos de la boca— esa cruz de alambres, ese títere sangriento, ese muñequito de rosca de Reyes, hilo y porcelana y ojos de huevo negro: lo extrae del huevo negro y lo suspende de un dedo y lo mueve como un péndulo frente a la concu, nosotros, nuestras caras y nuestros cuerpos suspendidos, rotos, que cuelgan y se bambolean en este cuarto de burdel, que al moverse se quejan con las bocas abiertas y los ojos presos. Las putas y los monjes hipnotizados por ese infame muñeco salido del falso parto de la Pálida para enfrentarse a nuestras manos de largas uñas, a nuestras cópulas fecales, a nuestros esqueletos recorridos por enjambres de moscas, a nuestras sonrientes y cercenadas cabezas de toro y jabalí, estúpidas y feroces: un hombre diminuto es levantado en el aire por garras de ave enloquecida: la Negra arroja el diafragma ocular a nuestros ojos.

La cama tiene remates de urnas y vides, cama barroca, símbolo de la cópula de lo prehispánico y lo español; el feto-niño-inválido-muñeco-de-rosca-de-reyes es el producto de una cultura mezclada a la "barbarie judía y cristiana que amputa a los hombres".

## La fiesta se vuelve improbable y la catástrofe imposible

Hasta aquí el sentido de la ceremonia y de los mitos que la sacralizan. Sacralizar es en verdad el término exacto para descalificar a la ceremonia. Se descalifica porque su sentido descansa en la parodia de la parodia; no es la misa negra que ofician los demonios-hombres que blasfeman y alaban a Luzbel-Satanás, no es la profanación de lo sagrado, no es la degradación de los valores santos, no es la blasfemia soberana, aunque lo sea todo en parte. Lo es porque significa lo anterior, no lo es porque es una ceremonia parodiada, está al nivel de los esclavos, está al nivel del albur, máscara del lenguaje, recurso de los mutilados, encubrimiento del Verbo.

El Verbo que ha nacido es apenas un muñeco ensangrentado, su Pesebre es un burdel, sus reyes magos, las prostitutas, los Monjes falsos y sus creadores, dos lesbianas o dos mujeres que hacen el papel de lesbianas. El parto se representa en su reflejo sangriento, pero su reflejo es una burla oculta por el lenguaje.

El corrido de "Benjamín Argumedo" vuelve a resonar a lo lejos y oímos las palabras: "lo bajaban de la sierra, lo bajaban de la sierra, todo envuelto como un cuero" mientras sacan de la cajuela amarilla del Lincoln un bulto chillón, viscoso, alombrizado, envuelto como un cuero. Benjamín también fue hombre valiente y lo arrastran como a un cuero y lo mutilan. El bulto se queda a la puerta de un Hospital-Manicomio-Lazareto donde habita, en fin de cuentas, el Narrador, que lleva el nombre de Freddy Lambert. Es la Dragona, Elizabeth-Becky, Ligeia, Bethele, la que lo lleva hasta la puerta, abandonándolo como a un niño expósito para redondear el mito del Niño-Expósito, Niño Perdido-Orestes-Teseo-Perseo, Ión-Edipo-Oliver Twist.

Isabel, la joven Elizabeth, ha sido estéril como lo fueron Javier y Elizabeth y Franz. Sólo ha sido fértil la judía asesinada en el campo letal de Auschwitz, y su hijo Jakob ha venido a vengar a los hombres. El hijo de Elizabeth y Javier sale del baúl que se encuentra en la cajuela amarilla, baúl que contiene, como las cajas de Pandora, los objetos teatralizados de los personajes de este mundo. El amor ha dado como fruto un cuerpo reptante y baboso; un cuerpo expósito, abandonado en las afueras de un manicomio en Cholula, a la salida de los subterráneos.

Como la eternidad de Borges, las ceremonias —fiestas imposibles— de *Cambio de piel* son pobres ceremonias "ya si Dios, y aun sin otro poseedor y sin arquetipos" (*Historia de la eternidad*, Borges).

El arquetipo en todo caso es el hombre del corrido y el enano Urs, Herr Urs von Schnepelbrucke, el constructor y reparador de muñecos, el que muere cuando Franz es estudiante, el andrógino que también duerme en una cama con remates de urnas y vides en los cuatro pilares. La simbología se vuelve meridiana: Herr Urs es el bulto pequeñísimo que duerme en una cama inmensa entre un revoltijo de sábanas y edredones, Urs muere en ella y renace en la cama de los padres de Javier, entre las piernas de la Pálida, la gringa desteñida, imagen mexicana de la muerte.

El cuarto del enano se describe como a representación pictórica de lo que se habrá de mirar en el burdel:

Y alrededor, sobre los muros, recargados contra los estantes y las sillas, cuadros y más cuadros, en un remolino de contrastes que Franz y Ulrich no podían ver sin marearse. Las escenas más tradicionales, un buque entrando a puerto, un almuerzo a la orilla del río, los techos de Munich, ramos de flores en vasos chinos, naturalezas muertas, trigales bajo el sol, arboledas junto a un lago, escenas de una gran tersura yacían amontonadas al lado de telas horriblemente deformes, pintadas en tonos sombríos, en los que la abundancia de pinceladas furiosas apenas permitían distinguir, ocultas, las formas de bocas abiertas y ojos presos de pavor, manos de largas uñas, materias fecales, cópulas indecentes con animales, serpientes podridas, esqueletos de elefantes recorridos por enjambres de moscas, cabezas de toro y jabalí sonrientes y cercenadas, estúpidas y feroces, hombres diminutos levantados en el aire por garras de aves enloquecidas...

Esa parafernalia es la imagen de Pandora descrita por Hesíodo. Son las figuras "que parecen vivas" porque como en el escudo de Aquiles las ha esculpido Hefesto. Además, son la representación actuada en el burdel, el feto —muñeco que le nace a la Pálida, la Muerte— es el enano Urs, el mutilador de muñecos, el que convierte en hermafroditas a los títeres. La representación parece verdadera, es la ceremonia de un Parto Sagrado parodiado, se ejecuta con personajes de carne y hueso, pero su significado ni siquiera es totalmente teatral, es el significado a medio camino que ofrece el teatro de títeres, el teatro de marionetas, suspendidas macabramente en el aire con los hilos que los deforman y los mueven.

El Nuevo Niño Dios es un títere enano. La yuxtaposición de culturas, el pacto sin grandeza que han afirmado las grandes religiones y las grandes tradiciones: hebrea, griega y el cristianismo, su resultante, se enfrenta al mestizaje que Cholula representa y en suma casi aritmética produce un enano.

La *Divina comedia* se vuelve parodia o farsa trágica.

La tercera parte del libro se intitula "Visite nuestros subterráneos" y Cholula se convierte en Infierno de pacotilla y el Narrador en un Virgilio-guía de turistas.

Me preguntaron si estaba de acuerdo y dije que a ver, en principio sí, pero como no tenía las razones que algunos de ellos podrían tener, querían que me convencieran, no para la acción, pues yo sería una especie de Virgilio presente y de Narrador futuro, yo no sería, finalmente, activo, sino para enterarme y tener los cabos en la mano y poder garabatear unas cuartillas con letra de mosca [...] Vaya consolación. Vaya desolación,

exclama Freddy Lambert, narrador de esta tercera parte, interlocutor antes de Elizabeth, la Dragona.

La *Divina comedia* exige un guía, Virgilio; augusto escritor hereje lleva de la mano al Dante. Freddy es a la vez el Dante y el Virgilio de esta farsa para marionetas.

El *Cambio de piel* exige una nueva concepción del Paraíso, una nueva expiación de la culpa original; más bien exige la no concepción de la culpa, la necesidad de quitarle a la serpiente su connotación luzbélica, de devolverle en pleno su sentido fálico, su signo iconográfico amoroso. No es el conocimiento lo que falta al hombre, es el amor.

Decirlo así parece implicar la caída en valores gastados que se ostentan en las solapas cotidianas, en los *slogans* de los botones de *make love not war*, o en las margaritas asoleadas de los hippies, es caer en lo *camp* del *camp*. Pero este Infierno al que se llega bajando la escalinata en una visita turística de fin de semana es el resultado evidente de una civilización mutilada, "sin la mitad de su ser".

Javier pretende escribir una novela y revivir su historia de amor con Isabel, la novillera, ¿la novicia?, y abandonar a la Dragona, su compañera, la judía de Nueva York y del Parque México. Piensa recrear así el Paraíso perdido, en una nueva creación original, en un nuevo encuentro que lo convierte en el Primer Hombre y a ella en la Primera Mujer, un nuevo Adán y una nueva Eva en el principio de la creación, vueltos al Paraíso. Pero Javier comprende, enfrentado al laberinto-subterráneo-Infierno que

...el infierno con Ligeia es mi costumbre, mi veneno, mi tóxico. Que nada entendería, que el mundo se vendría abajo sin esa costumbre [...] Que la prefiere, con su esterilidad y su rutina, porque es violenta y extrema, a otra esterilidad y a otra rutina, las de la creación, pues ahora también respira, mastica, digiere, ve, toca, huela, sigue siendo el mismo tubo entre la boca y el ano...

A lo que Ligeia responde: "Algún día venceremos. Qué importaba ahora. Nunca entendiste que mis mentiras eran sólo una respuesta a las tuyas... Tú me amabas disfrazándome. Yo te correspondía de la misma manera. Nuestras dos mentiras son nuestra solitaria verdad."

El enfrentamiento cancela la representación. Javier descubre su juego y rompe la máscara. Porque en última instancia le pasa lo que a Borges cuando habla de Miriam Hopkins:

"Miriam Hopkins está hecha de Miriam Hopkins, no de los principios nitrogenados o minerales, hidratos de carbono, alcaloides y grasas neutras, que forman la sustancia transitoria de ese fino espectro de plata o esencia inteligible de Hollywood" (*Historia de la eternidad*).

Mitificar a Javier y a Elizabeth significa darles un fragmento de aquello que los Inmortales daban a los hijos de los Mortales, la heroicidad. Hacerlos mito y oficiantes en una ceremonia los enfrenta sólo a su propia realidad. La catástrofe impide el reconocimiento, por ello, es parcial y quizás inexistente. La desaparición del doble fragmenta el espejo, ese espejo vacío del que Borges, Borges el eterno, dice:

"Su plenitud es la del espejo, que simula estar lleno y está vacío; es un fantasma que ni siquiera desaparece, porque no tiene ni la capacidad de cesar."

Javier y Elizabeth regresan juntos, purificados de su viaje infernal, atrás dejan al Perro de Cholula, babeante y amarillo. Cancerbero ominoso de nuestro Hades autóctono. Carlos Fuentes regresa al principio y recoge al Niño Enmascarado, ese niño que engendró en su primera obra. Fiel a su simbología, la serpiente se muerde la cola, está lista para el *Cambio de piel*.

# LOS FANTASMAS EN LA OBRA
# DE CARLOS FUENTES

## *Aura*, los vampiros y las brujas

Progenie salamándrica que oculta una presencia proteica: el vampiro se eterniza y lo volvemos a encontrar transcrito en la escritura de *Aura*, breve novela de Carlos Fuentes. De esta obra se nos dice que es "algo más que una intensa historia de fantasmas: es una lúcida y alucinada exploración de lo sobrenatural, un encuentro de esa vaga frontera entre la irrealidad y lo tangible, esa zona del arte donde el horror engendra la hermosura" y en "La máscara y la transparencia" advierte Octavio Paz

> ...no es extraña la obsesión de Fuentes con el rostro arrugado y desdentado de una vieja tiránica, loca y enamorada. Es el antiguo vampiro, la bruja, la serpiente blanca de los cuentos chinos: la señora de las pasiones sombrías, la desterrada. El erotismo es inseparable del horror y Fuentes se sobrepasa a sí mismo en el horror: el erótico y el grotesco.

Y el propio Fuentes confiesa que su obsesión por el personaje de Aura encontró su carnalidad en un personaje histórico mexicano:

> Esa obsesión nació en mí cuando tenía siete años y después de visitar el castillo de Chapultepec y ver el cuadro de la joven Carlota de Bélgica, encontré en el archivo Casasola la fotografía de esa misma mujer, ahora vieja, muerta, recostada dentro de un féretro acojinado, adornada con una cofia de niña, la Carlota que murió loca en un castillo. Son las dos Carlotas: Aura y Consuelo.

Esa mujer doble, a la vez niña y vieja, se le aparece a Fuentes en su lugar habitual, el sepulcro, pero ese sepulcro está acojinado, es más bien un lecho donde reposa y su cofia de niña es su resurrección. Esa imagen, esta mujer acostada, ya envejecida, ya delirante, ya muerta en apariencia, sugiere de inmediato la reiterada imagen del vampiro que yace en su féretro esperando la ocasión.

La gran progenie de vampiros suele adoptar la figura clásica del Nosferatu es decir, el vampiro suele revestir la figura masculina, pero abundan también mujeres que ejercen ese oficio y esas mujeres están conectadas con la bruja. Es también larga su descendencia. Enumero algunas, aunque ya cité también vampiras: La mujer que muere y espera en su ataúd la ocasión para resucitar apropiándose de otro cuerpo es muy característica en la obra de Edgar Allan Poe; Morella muere, es enterrada, pero su nombre puesto a su hija provoca la muerte de la niña y la resurrección de la madre y, como en los cuentos de vampiros, al enterrar el protagonista del cuento a su hija en la tumba donde ha estado la madre "lanza una amarga carcajada al no hallar huellas de la primera Morella en el sepulcro donde depositó a la segunda". El incesto se reafirma clásico en Poe. La madre se engendra de nuevo en la hija pero estableciendo la trinidad con el hombre que es a la vez padre, hijo, amante.

En "Ligea", Poe revive el mito casi literalmente y la primera esposa muerta, la propia Ligea, la morena, oscura, hechicera Ligea se alimenta de la segunda esposa, la rubia y ojiazul Lady Rowena y en el lecho de muerte se efectúa la transfiguración vampírica. El contraste de coloraciones en las mujeres es la polaridad de sombras y luces que determina este doble contexto que no hace mucho tiempo coexistía normal en las cosmogonías pero que ahora tiene que apartarse con violencia maniquea. La *Aura* de Carlos Fuentes retoma ese mito de las dos mujeres que se sobreponen a la vida y a la muerte a través de una trinidad sacrílega ejercida entre el Hombre-Padre-Amante y la Madre-Vieja-Doncella que también aparece en la *Reina de espadas* de Pushkin.

Fuentes, como Henry James, declaró su fascinación por un personaje femenino, Mary Clairmont, examante de Byron y que alguna vez vivió cerca de la residencia del mismo James en Florencia. Curiosamente la inspiración de James es byroniana y aunque la figura del poeta inglés no aparezca sino a través de esos papeles que siempre permanecen incógnitos, su presencia indirecta es definitiva y dobla la presencia de aquel que quiere comprar sus manuscritos, así como la presencia de la antigua amante se desdobla en la figura de la joven y la vieja, vieja que adquiere la misteriosa aureola de la hechicera. Byron es un personaje inspirador de vampiros. Lo he reiterado, pero aquí el vampiro se ha trasmutado en bruja, aunque la narración de James nos detenga púdicamente en ese umbral de lo fantástico sin que podamos cruzarlo. No pasa lo mismo con Poe, tampoco con Fuentes.

Esta figura de la bruja es de nuevo *El hada de las migajas* de Charles Nodier. Un joven enamorado de una doncella puede tenerla gracias a los oficios de un hada, pero estos oficios cesarán si el hada no se procura una bebida hecha de una planta maravillosa, que le devuelva sus poderes. La Aura de Fuentes cultiva la belladona, planta mágica que ha recibido ese nombre del que se les daba a las hechiceras de la Edad Media. La bruja horrible, envejecida, montada en su escoba o aun la Celestina, es imagen paródica de la *bella donna* medieval que libera a los hombres de sus cuidados. Hada y bruja se juntan, en sus metamorfosis, la bruja se ha vuelto una harpía, o mejor dicho recupera esa fase demoniaca que siempre ha tenido en las antiguas mitologías. La hechicera es hada y demonio. El hada del cuento de Nodier lo ratifica. La dualidad Aura-Consuelo también como la de los *Aspern Papers* de James, la Ligea y la Morella de Poe.

En su *Diccionario general etimológico de la lengua española*, publicado en Madrid en 1881, don Roque Barcia da una definición de la palabra bruja: "Ave nocturna, semejante a la lechuza" y al citar el diccionario de la Academia de 1726 agrega que en esa edición la palabra se define así: "Tiene el pico corvo como ave de rapiña. Vuela de noche y tiene el instinto de chupar a los niños que maman." Y en uno de los cuentos de Carlos Fuentes la bruja de origen náhuatl ostenta "un perfil de pico corvo, facciones de halcón, mejillas hundidas". Las asociaciones se enriquecen: al ataúd clásico donde yace el vampiro o el ser proteico que lo representa, se añaden las apariciones nocturnas y la relación con animales que vuelan, aquí la lechuza, el ave de rapiña o el halcón y en otros casos el murciélago. Su nocturnidad y sus perfiles corvos, aguzados, su cercanía con la sangre y la acción de succionar son familiares; el carácter infame, incestuoso del vampiro, apoderándose de seres inocentes, tan cercanos a la madre que los amamanta y la pose estatuaria del vampiro que se inclina y bebe la sangre hundiendo el colmillo filoso y sibilino en el blanco cuello de la víctima, recuerda al niño succionando voluptuosamente el blanco pecho de la madre, recién parida. La misma acción, pero en una se da la vida, en otra la muerte.

La dualidad entrevista en la bruja, su doncellez y su decrepitud, su cuerpo nocturno transformado en ave de rapiña, en lechuza o en murciélago sugiere la metamorfosis y el renacimiento continuos del vampiro.

Brujas y vampiros son representación de un viejo mito. Su paso por formas distintas del mismo sentido explican la pervivencia del mito y la necesidad obsesiva que persigue a los que lo cultivan y le dan forma. Fuentes ha declarado indignado contra los que lo acusan de haber tomado una u otra de las novelas anteriores a *Aura* para escribirla: "He buscado a las brujas y, fíjese bien, puesto que he tenido que ir a buscarlas no he ido con un papel en la mano para tomar notas." Las brujas son, están adentro y afuera del que las persigue, las brujas son bellas y son repugnantes, las brujas son ambiguas, son machos o son hembras, son aves o doncellas, son vampiros o lechuzas. Jung encuentra en el inconsciente colectivo la persistente presencia del *anima* y el *animus* dentro de los que se contienen respectivamente el hombre en la mujer y la mujer en el hombre. El ánima es esencialmente ambigua, siempre asociada con la oscuridad y la bipolaridad. El vampiro era primero mujer; la oscuridad de la noche, su cercanía con las mujeres que amamantan, el vientre caótico y fecundo, la fertilidad oscura de la tierra, su carácter mohoso, húmedo, escurridizo, laberíntico, la asocian con la escultórica figura del vampiro, deslizando su reiterada sombra negra sobre la luz marfilina de sus contornos y sus dientes —los blancos dientes de la Berenice de Poe en los que Egeo detiene su poder. El ánima —bruja-vampiro— es positiva y negativa alternativamente, es hada, es bruja; es doncella, es vieja, es megera, es grácil y delicada. Es una mujer envilecida o es la musa, es un diablo o una diosa y suele padecer de inmortalidad.

Quizás Jung nos lo aclare:

> El artista a través de su activación y elaboración de la imagen arquetípica la traduce al idioma del presente y así nos facilita una manera de volver a encontrar las fuentes más profundas de la vida. Es ahí donde se encuentra el significado social del arte. Los antojos insatisfechos del artista vuelven a la imagen primordial en el inconsciente, que está más dotado para comprender la inadecuación y unilateralidad del presente.

Al volver arquetípicas las obsesiones, tanto el vampiro como la bruja parecen inmortales y el mito se renueva en el continuo ritual de la escritura.

En su extraordinario estudio sobre las brujas, el romántico Michelet declara:

> La naturaleza las hace hechiceras. En el genio propio el temperamento de la mujer, nace ya hada: por el cambio regular de la exaltación, es sibila, por el amor, maga. Por su agudeza, por su astucia, a menudo fantástica y benéfica, es hechicera y da la suerte, o a lo menos adormece, engaña los males... Así para las religiones, la mujer es madre, solícita nutriz y guardadora fiel. Los dioses son como los hombres: nacen y mueren en su seno

y Michelet cita a Saga, la hechicera, y Fuentes le da al conejo, animal propicio a la reproducción y a la sensualidad por la molicie de su piel, el nombre de Saga y le ofrece la belladona que cultiva en su jardín antiguo, y al ofrecérsela ratifica el nombre que siempre se le ha dado a la bruja y que la desdobla en hada, en la buena mujer, en la hermosa, la *bella donna* del Renacimiento.

El protagonista de Fuentes se llama Felipe y los diablos que solían ayuntarse con las brujas en los aquelarres medievales eran llamados Felipes. Felipe hace el amor con Aura y Aura, como las brujas de Michelet, se le ofrece como un altar abierto sobre el que se realiza la doble cópula, la cópula de los cuerpos y el pacto con el diablo; y ese pacto se nutre como entre los vampiros de la sangre. Aura bebe un vino rojo y espeso y sirve una mesa diaria de vísceras sangrientas, en ceremonia reiterada, que luego perpetra desollando a sus víctimas invisibles frente a un espejo que parece no reflejarla en su realidad cotidiana, sino en la del aquelarre infinito. Felipe advierte la dicotomía y acepta a la mujer amada como doncella virginal y como Madre Terrible, imagen incandescente de esta novela y, en última instancia, aprehende en su propia carne la trinidad señalada: Aura-Consuelo-Felipe, trinidad sacra y sacrílega, guía infinita del laberinto que confunde a la Madre con el Vampiro y a la amada con la Vieja, llevando en los cuernos terribles del Toro pecaminoso la imagen trasmutada de hombre y animal, de hombre y mujer, del Andrógino, pues en hada y bruja conviven también el Diablo y el Vampiro.

## Fantasmas y jardines: *Una familia lejana*

Carlos Fuentes empieza su novela *Una familia lejana* dándole corporeidad a un fantasma o a una fantasma, como se decía en tiempos de Bartolomé Torres Naharro. Y es exacto, porque aquí se superponen varios fantasmas: el de la propia obra, la puesta en escena numerosa de las auras, es decir, el halo de la fantasma que se plasma en *Aura*, personaje femenino, pero también el buitre, o mejor, el zopilote, pues ¿qué otra cosa es un aura sino un ave del orden de las rapaces diurnas?; y justamente Branly es un hombre viejo y pálido, "hijo y hermano" del siglo XX, convertido en hombre con "espesor", con "presencia carnal", gracia al sol de México, que a su vez se alimentaba de sangre. Branly disipa su aspecto de "fantasma civilizado" con un viaje a la pirámide de Xochicalco, viaje que sirve a la vez como viaje por las edades, ejercicio practicado con placer por Carlos Fuentes, pues le permite utilizar viejos medios de transporte y porque puede incursionar en la historia, unir sin problemas las geografías y sobre todo revivir en un libro las influencias, aquellas que pasan como fantasmas por el tejado (otra vez Torres Naharro) y que los críticos policiacos persiguen con afán conandoylesco. A menudo oímos en rumor y vemos en letras las acusaciones: Aura revive, plagia, recuerda *Los papeles de Aspern* de Henry James; sí, decide Fuentes; sí, dice Branly, su *alter ego*:

> Hay otra narración contigua, paralela, invisible de cuanto creemos debido a una escritura singular. ¿Quién ha escrito la novela de los Heredia? ¿Hugo Heredia en las ruinas de Xochicalco o el rústico propietario del Clos de Renards? ¿Yo que se la he contado, usted que algún día contará lo que yo le he dicho o alguien más, un desconocido? Piense otra cosa: la novela ya fue escrita. Es una novela de fantasmas inédita que yace en un cofre enterrado bajo la urna de un jardín o entre los ladrillos sueltos del cubo de un montacargas. Su autor, sobra decirlo, es Alejandro Dumas. Vaya tranquilo, mi amigo. Yo sé sobrevivir al terror.

El amigo es Fuentes, inscrito ahora en su propia novela oyendo un cuento —varios cuentos—, cuentos que recorren viejas páginas leídas en la infancia o en otra vida de otra infancia. Carlos Fuentes es Branly al enfrentarse con los espectros que primero y antes que nada son los libros, seres sin carnalidad, sin espesor, apenas el del amarillento color y textura del pergamino, color que más que la palidez ostentan los viejos, así sean tan vitales como Buñuel (a quien se dedica este libro en honor de su cumpleaños, o el de la editorial ERA, que también celebra su cumpleaños en el año 80, y lo festeja editando a sus viejos amigos, los primeros publicados en su imprenta).

Y si el *cumpleaños* es importante, primero como título de una novela publicada hace ya varios años y luego como signo del paso del tiempo, es porque marca una historicidad. Buñuel va con el siglo y Branly también, es hijo de él, se hermana a su acontecer, aunque entre él y la escritura haya una mediación. La mediación que obligaba a Constant a encontrar un manuscrito en un albergue: mediación que en Potocki se convierte en maldición.

Y no existe literatura sin maldición ni tampoco sin mediación. Aquí la mediación es aparentemente descartada, ofrecida en bandeja a los ojos del lector, que a su vez la oye trasladada a la voz de un narrador que va desenrollando un manuscrito hijo y nieto de otros manuscritos luminosos como antecedentes.

Luminosos, sí, porque forjan una tradición clásica y viva, una tradición que es a la vez, primero, con las palabras de madame de Lafayette, "una especie de agitación sin desorden", y, luego, citando a Proust, "son flores envenenadas entrelazadas con joyas preciosas". La luminosidad surge de la ordenación, de lo civilizado; la mediación, del entrelazamiento de lo corrupto —lo envenenado— con la joya; y la alianza de la agitación, con la pericia de la orfebrería se cumple en la mediación, ¿y qué será la mediación?: un jeroglífico.

Fuentes muestra sus cartas, las pone sobre la mesa elegante, supercivilizada de un club selecto donde conversan dos amigos comiendo y bebiendo un vino de Sauternes hecho de uvas casi podridas; Fuentes está oyendo una historia que luego pondrá ante nuestros ojos manuscrita por él, como antes puso ante nuestros ojos una historia encontrada en un viejo albergue suizo el viejo Constant, o también ese contemporáneo del taimado autor de *Adolfo*, el noble polaco que escribía en francés y fue a encontrar un manuscrito perdido en Zaragoza, publicado siglo y medio más tarde por Roger Callois. Todos son fantasmas, pero con voces muy presentes; todos los manuscritos son sus hijos, como es hijo Fuentes del viejo Buñuel y del conde de Branly, supuesto narrador del primer texto recontado por Heredia y recopilado y dado a la luz por Fuentes. Así se montan tres versiones del relato y se define el carácter ficticio de la creación: "figura creada por la imaginación narrativa, pues sólo ella es capaz de reproducir algo verbalmente, así sea incompleto, así sea aproximativo. Esa proximidad incompleta será de todos modos la única verdad posible". El relato del conde de Branly se cuenta a mediodía y el sol de Xochicalco brilla sobre él. Luego empieza a caer la tarde y también en el relato nacen las penumbras.

> Me preguntó si aceptaba esas condiciones, y le dije, sin remedio, que sí; jamás había leído o escuchado una ficción sin acceder al pacto que mi amigo, en esta cima vibrante, aunque peligrosa, de nuestro contacto efectivo e intelectual me ofrecía. Pero ¿era posible un acuerdo así entre dos amigos presentes, como lo era entre un lector y un autor fatalmente distantes?

El relato de Branly es el relato padre, el que engendra el relato que contará Fuentes para salvarse de una maldición, la que cae sobre el que revele al último el relato. Pero también el relato define la mediación que existe entre el que cuenta y el que lee y el misterio de una historia donde el tiempo entrelaza las memorias y las hace fantasmas. De este modo, el texto se entrelaza a las viejas fuentes, esas lecturas continuas ejercidas por un hombre civilizado y de una cultura clásica. Pero también esas lecturas se entrelazan con las de un mexicano transculturado a la cultura francesa que opone el desorden selvático de su realidad a la agitación sin desorden de lo europeo. A medida que el relato se desarrolla, se van abriendo las cartas, no sólo las que el relato mismo va descubriendo en su necesidad de definir la historia, sino aquellas que descubren sus orígenes, es decir, los relatos clásicos que un autor moderno, y por añadidura mexicano, lee para organizar el universo de su creación.

Y si Proust y madame de Lafayette definen las oposiciones y las marcan con violencia en una sola frase engastada como una joya (aunque pleonástica porque utiliza una metáfora de orfebrería), Dumas, Balzac, Lamartine, Laforgue, Jules Supervielle, Lautréamont y José María Heredia proporcionan la carne del relato y descubren las influencias, esas influencias que luego pueden concebirse por los críticos como plagio.

Vuelvo a explicar: el viejo Branly relata una historia de coincidencias en donde se encuentran México y Francia, como alguna vez se encontraron en la violencia de la intervención francesa. La vida de Branly se va descifrando al tiempo que se va integrando el relato, por lo que contarlo equivale a descifrar un jeroglífico, a poner en claro un enigma. Y la historia contada atañe a una familia en la que el padre es justamente descifrador de jeroglíficos: un arqueólogo a quien persigue la muerte porque se ocupa de las ruinas y porque en su propia vida se van encadenando las tragedias. Hugo Heredia se llama el arqueólogo, y su capacidad para entrever lo que las piedras dicen, o mejor, para descifrar el relato que las piedras esconden, se enfrenta a la necesidad que tiene Branly de entender una historia que ha vivido en relación con los Heredia y que se maneja como una incógnita. Incógnita porque reúne en su acontecer varios tiempos y varias reencarnaciones de personajes, que son a la vez históricos y, por tanto, verdaderos, pero también totalmente falsos en la realidad cotidiana, pues se gestan en los sueños y van a poblar después los caminos desvaídos y traicioneros de la memoria. Pero Fuentes no sólo cuenta una historia, la que proporciona los incidentes que conforman el relato; no, la cuenta tres veces, primero según el conde Branly, que la relata durante una comida y su sobremesa; luego según Hugo Heredia, que añade elementos a la historia y anuda hilos sin terminarlos; para finalizar con la historia de Fuentes, autor del relato entero, pero también del relato que se cuenta con su nombre y hasta con una bibliografía sucinta: los tres relatos se entretejen en orden agitado. El orden sería, en suma, la presentación de una historia fantástica, ya lo he repetido varias veces, fantasía nutrida de incidentes cotidianos y contemporáneos a los personajes y de sueños que se convierten en realidad en la persona de un extraño latinoamericano vuelto francés. Personaje que comprime en su cuerpo no sólo la historia de varias generaciones que llevan su nombre sino la historia de varios países del Caribe y también la de México. Pero al intervenir como personaje de la historia aclara la infancia y la memoria de Branly. También enturbia lo que toca porque su presencia puede recordar a los vampiros: Branly lo dice y Heredia demuestra que su imagen aparece en el espejo, pero en su jardín versallesco no aparece duplicando su simetría en ningún espejo.

Lo importante no es descubrir otro vampiro más, ya *Aura* demostró la capacidad de Fuentes para añadir vampiros a la literatura; lo fundamental es demostrar que toda la literatura está hecha de la sangre de los otros, del robo, del plagio, y el jeroglífico se resuelve de otro modo: Fuentes es el plagiario, peor, es el vampiro, pero por partida por lo menos doble. Su relato se nutre de los cuerpos de otros relatos, exhibidos como *la carta robada* de Poe (muy citada en el texto) ante los ojos de los descubridores de entuertos detectivescos, y es también la historia concentrada de todos los demás cuerpos de ficción que el propio Fuentes haya pergeñado. Es, en síntesis, una mirada crítica sobre la propia trayectoria, el deseo de advertir desde lo alto de una pirámide narrada los abismos y las fallas de una productividad producida a lo largo de varios lustros. Si Branly busca a sus padres y se detiene en un retrato de un joven de treinta años, puede ser padre de su padre, como Carlos Fuentes es padre de todos los relatos que ha engendrado gestándolos con la sangre proporcionada por sus antecesores revelados y por los que puedan inferirse de nuevo del relato; por ejemplo, Lowry, sus abismos y sus barrancos y los perros y los zopilotes y, claro, Cuernavaca.

La pirámide está trunca, sin embargo. La confesión del crimen no basta para disculparlo; tampoco para descifrarlo totalmente. El otro crimen es la bastardía. La incompletez de Latinoamérica: su relación con Europa, el enfrentamiento de los jardines pulidos y las salvajes selvas, la civilización y la barbarie. También la aceptación de una transcultura y el continuo ir y venir de las carabelas: los indianos son seres híbridos, nunca identificados consigo mismos, y entre ellos hay muchos poetas: Jules Laforgue, Jules Supervielle, Issidore Ducasse, conde de Lautréamont, salidos de ese Uruguay mitad europeo, mitad hirsuto que produjo los *Cantos de Maldoror* para romper la armonía del orden sacando a la luz el origen de la agitación, y que bien podría caber en esta descripción:

Y el jardín propiamente dicho, la disposición precisa de arbustos, pensamientos y pastos en una especie de arabesco de alcachofas y rosales cuya geometría, a medida que descendía esta primera lluvia pertinaz del otoño venidero, se revelaba brutalmente desfigurada por una herida honda y prolongada, un navajazo en la jardinería razonable y perfecta, una irrupción de la selva en este espacio diseñado para negarla: desde las hojas caídas, sobre la grava, entre el pasto y los arbustos, la lluvia revelaba, como en una solución fotográfica, una trinchera indecente, una marca tajante y oblicua en

119

el rostro del jardín, el jardín desfigurado por algo semejante a la huella de una bestia nocturna, secreta, acechante.

Esa huella y el deseo de borrarla está quizá en José María de Heredia, autor de *Los trofeos*, "el francés de La Habana, el conquistador entristecido que regresa al viejo mundo cargando con fatiga las altaneras miserias de sus trofeos, la bestia expansiva y la flora viviente, el sol bajo el mar y los temblores de oro". Así, los Heredias que van y vienen desde Europa a América y de América a Europa descubren las insignias de una monstruosidad y un salvajismo que descuaja y envenena cualquier orden: son vampiros teñidos de salvajes.

La constante relación entre Europa y América se marca en el cubano Heredia, heredero de ese otro Heredia, prerromántico, que también naciera en Cuba y escribiera el teocalli de Cholula, confrontado, como Fuentes, a las dos culturas: la civilizada y precisa y la selvática y sangrienta. Entre las culturas y los poetas, siempre una mujer —*cherchez la femme*—, también objeto policiaco, y los vampiros y los personajes en busca del tiempo perdido se detienen en un cuerpo, vestido a la moda del imperio, de una mujer que viaja en sentido inverso por la geografía y por la historia y que al llevar con ella las viejas canciones de ronda francesas las entronca, las entrelaza con las que América produce, y *à la claire fontaine* que cantan los niños y los barrancos se opone el cantar de la llorona que *ayer maravilla fue y ahora ni sombra es*. Pero en una novela de fantasmas las sombras encarnan en imágenes pintadas que cobran cuerpo y en cuerpos muertos que resucitan en la vida y en los sueños y que se convierten en patrimonio de los tres relatos, en su hilo conductor, en la imagen renovada de la mujer que llora siempre, recordando a sus hijos con los ojos encendidos y con los cirios clásicos de los velorios. Hijos y padres se encuentran en la madre loca, en la *llorona*, y en ella se concentra el entrelazamiento que hace posible el veneno y las joyas, la pirámide y el *faubourg* Saint Honoré, el barranco selvático y el jardín pulido. Y también la radiografía de la creación, la puesta al desnudo de una producción, el revés de la escritura, su tramado y el descubrimiento de que lo visible se torna invisible; en suma, destaca la identidad de un escritor que se ha enredado en su propio laberinto.

## EL NIÑO Y EL ADULTO SE VUELVEN
## EXPÓSITOS: ELENA GARRO

Vista de pronto, *Andamos huyendo Lola* de Elena Garro, podría entrar dentro de los dominios del kafkismo, "estaría a la sombra de sus temas", según la expresión del recién fallecido Roland Barthes. Los procesos invisibles, los jueces implacables pero sin justicia, los absurdos en cadena, la persecución constante, los desplazamientos, el dios que castiga y está ausente y no parece dios, sino una sombra, y sin embargo, aterroriza, y en fin, hasta la metamorfosis de hombres en animales y viceversa.

Tranquiliza colocarla dentro de un cauce conocido y tranquiliza también unirla a una tradición nacional en donde entran ciertos escritores mexicanos híbridos, en busca de su identidad, como lo sería Carlos Fuentes, mexicano-extranjero por su infancia diplomática, Elena Poniatowska por ser hija de polaco y mexicana, nacida en Francia y Elena Garro, hija de español y mexicana, nacida en un paraíso insolado y primitivo que produce *Los recuerdos del porvenir*, novela que, según su autora, fue escrita en 1953, pero publicada apenas en 1965 (con lo que sería hasta anterior a *Pedro Páramo* y definitivamente anterior a *Cien años de soledad*), obras de teatro reunidas con el nombre de *Un hogar sólido*, cuentos conocidos como *La semana de colores*, 1963, una obra de teatro política *Felipe Ángeles*, otra casi inédita, *La dama boba* y, ahora, quizá, pronto, unas memorias.

Elena Garro en sí es un personaje de novela y su misma presencia provoca desazón: cada vez que su nombre aparece en los periódicos se producen miradas de recelo y preocupaciones galopantes, cada vez que se la menciona en una reunión se encienden las provocaciones y se propician los rumores. Casi podría decirse que es una apestada y como tal existe, alejada del país desde el 68, año sombrío en la historia mexicana que produjo reconocimientos y desgracias. Paz publica *Posdata* y renuncia al servicio diplomático, Elena Garro, se dice, denuncia a los jóvenes del 68, y por ello se autoexilia.

Su peregrinaje se relata en *Andamos huyendo Lola*, ¿libro de cuentos?, se inicia en México con un nombre simbólico, el de Niño Perdido, nombre de una calle que proviene de las oscuridades de la Colonia y que permanece, como nombre, tan desconocido como la procedencia y el destino del niño que la nombra. El niño perdido es el antecesor de Lola, ser fantasmático que se esconde bajo las camas y dentro de los armarios, aunque de entrada sea un niño extraviado que pide ayuda a una pareja de mujeres que parecen decentes pero que están tan extraviadas como él, primero porque son rubias en un país de morenos y luego porque huyen, son perseguidas. El niño huye de una persecución definida, la de sus padres, y su definición añade perplejidad a la indefinición de la huida de las damas que cumplen primero el viejo ciclo de las arrimadas, tan clásico en la novela y en la historia mexicanas. El niño se arrima a las que buscan refugio y lo único que se produce es la catástrofe.

El segundo cuento, o segundo capítulo, es un relato fantástico, repleto de leyendas populares, de un cristianismo de *ex voto*, milagroso, tierno y cándido, pero también maldito. El tema principal es la orfandad pero a diferencia de la tradicional orfandad del niño expósito que puebla tantos relatos de novela folletinesca (entre ellos, la más conocida de las novelas mexicanas del siglo XIX, *Los bandidos de Río Frío*) esta orfandad sugiere una desprotección tardía que contrasta con el paraíso de la infancia. Infancia perfecta, luminosa, pero también violenta, semejante a la que se relata en *Los recuerdos del porvenir*, porque es una infancia donde la casa es un hogar sólido aunque sitiado, agujerado, primero, por la incapacidad de los padres, seres de fracaso, de irrealidad, y luego por una historicidad que se remata durante la guerra cristera, es decir, remata el pasado porfiriano que empezó a aniquilar la Revolución, y que prosigue en cierta forma durante el régimen del general Calles, por la persecución de la Iglesia y la prohibición del culto. Elena se coloca a la vez del lado del cielo y del infierno, es católica y cristera, lucha contra los esbirros de esa revolución que no resuelve la miseria ni liquida la orfandad; cree en Dios como soldado, y su ambición es ser general del ejército, pero al mismo tiempo lleva en ella el germen del pecado, el absoluto y pérfido deseo de la desprotección, la necesidad de purgar una culpa, el imperioso mandato de la cercanía con la muerte.

Y así sus juegos infantiles son tan peligrosos que colindan con la muerte: se juega al niño ahogado y se sumerge a los hermanos en el pozo o se coloca a otro hermano en un tinaco que se vuelve horno. El paraíso es imperfecto y predice la orfandad: Elena será una huérfana del porvenir, una niña expósita pero ya en la adultez desprotegida de los hostales miserables y los cuartos de pensión.

La persecución inicial, la que se gesta y se realiza en territorio nacional, conduce a una desprotección general en la ciudad más desprotegida del mundo, la ciudad de mayor orfandad del orbe, Nueva York. Allí se sitúa el cuento que da nombre a todo el texto (en realidad una novela de estructura curiosa y fragmentaria) y en un inmueble situado en Park Avenue un judío austriaco desterrado por el nazismo (quizá) quiere proteger a los desvalidos y les ofrece un mes gratis en su edificio de departamentos. Los desvalidos son siempre ingratos: su desvalimiento los invalida y empieza a gestarse un sainete trágico semejante a esas películas de Woody Allen en donde todo es gracioso pero a la vez trágico, absurdo. Y todas las razas y todos los perseguidos del mundo, los apátridas se reúnen pero no se juntan; repiten las memorias del subsuelo de Gorki por la falta de solidaridad, por la irrisión de una vida que se vuelve pública aunque pretenda ser privada, por la irrupción de mafias de minorías perseguidas y persecutorias: negros, judíos, rusos, argentinos, italianos, hasta neoyorquinos, homosexuales, lesbianas aparecen y desaparecen de un edificio elegante pero llenos de andrajos, de *wellfare*, de recuerdos de un mundo que se determina por una carta de identidad. Y el filo de la navaja hace caminar a los expatriados y se vuelve causa, destino, vida. Nadie sabe ya de dónde huye ni adónde huye, sólo sabemos que andamos huyendo Lola.

La huida se asocia con un curioso incesto, el que une a una madre con una hija y se reproduce en juego alucinante de espejos en la casa de departamentos de Nueva York y Lelinka y Lucía, las protagonistas, sufren una serie de accidentes demasiado realistas pero contados en tal forma que se vuelven metáforas y también parábolas. Hay algo evangélico en la huida, algo misterioso que se realza por el engaste realista de algunos de los relatos o por el contraste de realidad e irrealidad que en sabia mezcla Elena dosifica. Podría alegarse alguna teoría freudiana pero en verdad siempre se le trasciende: el incesto es tan impalpable como la persecución: su absoluta realidad es apenas la marca indeleble de su perfecta irrealidad, de su inaprehensibilidad. Elena lo subraya al hacer

123

referencia a otra historia que se hermana con la suya, la que relatará en forma magistral el protestante puritano Hawthorne, esa carta escarlata que une casi los cuerpos de la madre y de la hija con un hilo de seda rojo marcado en la vestimenta y traspasando las carnes: la marca gigante y siniestra del cordón umbilical, la incapacidad de romperlo, la continua gestación y el imposible parto.

La que ha sido demasiado hija es en cierto modo la hija de su hija aunque también sea a veces su hermana, casi nunca su madre. Esta pareja siamesa se repite y se vuelve grotesca al enfrentarse al espejo de dos mujeres negras o de dos norteamericanas que descienden del lujo al abandono y la persecución policial, pero también a la persecución de los grupos marginados del *establishment*, a las distintas mafias gangsteriles que amenazan a los inquilinos y destruyen una hermosa tienda de joyas conformadas como mariposas brillantes y perfectas. La volatilidad del texto se confirma y los extremos se reúnen y demuestran una promiscuidad sagrada, una relación mítica de Deméter y Core, convertida después en Perséfone, un descenso de los infiernos donde la madre busca a su hija, y la hija a la madre en relación de llanto y de muerte.

Furio Jesi estudia el mito del niño Dios abandonado que se recupera al llegar a la adolescencia y se convierte plenamente en Dios. Este ciclo lo recoge el folletín y también lo ha recogido Elena Garro al principio de su texto, pero el viejo mito de la orfandad que puede transexualizarse es en principio un mito masculino en el que caben Edipo, Moisés, Perseo, David Coperfield y el Ión de Eurípides, también Juan Robreño de *Los bandidos de Río Frío*, y el Niño Perdido que organiza los primeros relatos de la ¿novela? de Elena Garro.

Mas se produce la metamorfosis y el niño se ha vuelto niña y la orfandad es la separación de la hija y la madre y la persecución señala hacia una posible separación, la separación infernal que cercenó a Core de Deméter y que la hizo volverse Perséfone, la portadora de la destrucción, porque ha sido robada por Hades, dios de los infiernos, y porque ella misma ha comido las semillas de la granada, semillas de la muerte. Y la persecución real, la muy concreta y pedestre persecución, pedestre porque se camina incansablemente hacia los destierros, y pedestre por su cercanía con lo más prosaico, acaba colocando al polvo en dimensiones míticas.

La madre de *La carta escarlata*, Hester Prynne, permanece aherrojada a su hija bastarda, Pearl, pero cuando ésta llega a la adolescencia se separa de ella e inicia el camino normal de las doncellas, se casa y abandona a su madre. Core nunca se separa de Deméter y sólo es desgraciada y portadora de desgracias cuando está lejos de ella. Las dos mujeres se autoconciben y se gestan, mantienen vivo un régimen placentario y para poderlo perpetuar se exilian, viven fuera de la casa, porque la llevan consigo, como los caracoles.

La madre lleva prendida a su hija dentro del vientre y la hija permanece en él aunque a veces sea ella la que recoja dentro de su vientre a la madre. Su relación es eterna, mítica, perdurable, aunque para ello se tenga que vivir huyendo, como vivieron siempre aquellas que alternaban tierra e infierno, sabiendo siempre que al final del camino esperaba éste, siempre interminable, a veces atenuado por las reuniones furtivas y pecaminosas. *Andamos huyendo Lola* tiene que ver con los campos de concentración, con la vileza de la cotidianeidad del mundo contemporáneo, con los agentes aduanales, con los comisarios de ambos mundos, con los padres agresivos, con las orfandades de pobreza y cambios sociales, pero también con una reiteración del universo femenino, a veces desmelenado, semejante a las Erinias salvajes y sangrientas, paradas sobre los techos, ecos de Casandra que profetiza miserias al haber sido separada de su madre Hécuba, y convertida en Hécate o en Medea, mujer vengativa que grita y castra consciente de ocupar un sitio que de algún modo le arrebata el mundo.

# MONTERROSO Y EL PACTO AUTOBIOGRÁFICO

La palabra escribir en español procede de "desgarrar", "cortar", "rasgar" y es justamente este movimiento triple el que sigue Monterroso para lograr lo perpetuo. Veamos las dos cosas: la mutilación y lo autobiográfico que en este caso van juntos siempre, es decir en el caso de este escritor que estamos intentando explicar y digo estamos porque me pongo de acuerdo con la escritura de Monterroso y con sus opiniones sobre su propia escritura publicadas en *Viaje al centro de la fábula*, título de la entrevista que le hiciera en alguna ocasión Margarita García Flores y que ahora da título general a un libro de entrevistas que Monterroso concediera a lo largo y a lo ancho de sus años, o de sus días.

Lo que trataba de decir hace un momento era lo siguiente: Si el verbo escribir, verbo de acción pasiva, quiere decir en el fondo, por razones etimológicas, cortar, rasgar, desgarrar, todo acto de escritura es un acto de destrucción y todo escritor se destruye a sí mismo al cortar paño sobre su propio traje, o al desgarrarlo en el acto mismo de la autobiografía. Y aquí seguiré con una discusión de lo que se ha dado en llamar el pacto autobiográfico desde hace una década, con precauciones eruditas y estructurales.

Por pacto autobiográfico entiende Philippe Lejeune (quien ha propuesto ese nombre) la aceptación implícita del autor de un libro de que su libro lo es, es decir, es autobiográfico, como en el caso definitivo de Rousseau cuando escribe sus *Confesiones*; al definir un libro como confesión que se entrega a un lector se está determinando de antemano que es la vida del autor lo que el lector lee. No pasa lo mismo en autores como Proust o Constant ni en el Flaubert de *La educación sentimental*: la necesidad autobiográfica parece definir *En busca del tiempo perdido*, cuyo narrador pudiera muy bien ser Marcel Proust; la estratagema ideada por Constant al declarar que el manuscrito del *Adolfo* fue encontrado en un albergue suizo y entregado a un editor parece ocultar un deseo de negar la propia vida al tiempo que se la ofrece como texto. Muchas investigaciones policiacas se han hecho para demostrar que los personajes de Proust o que los lugares de su ficción tienen su correspondencia en la realidad vital del escritor. Muchos textos sostienen que Constant es Adolfo o que Frédéric Moreau es un Flaubert travestido de *bon vivant*, y sin embargo, esos autores desechan el pacto, no lo plantean, más bien se escudan en el acto de creación de la ficción para rechazar cualquier identidad como se rechaza en el cine cualquier semejanza que por coincidencia tuviera que ver con la realidad.

Y, efectivamente, podemos coincidir con lo anterior, cualquier semejanza con la realidad es pura coincidencia y Proust es el narrador de un personaje que narra una historia que es y no es la del propio Proust, y lo mismo puede decirse por extensión de Constant y de Flaubert. Y quizá también del personaje que hoy propongo a su atención, quien en ningún momento propone ningún pacto, aunque constantemente su escritura empiece con la primera persona y muchas veces le oímos —o creemos que lo oímos— sustentar un diálogo consigo mismo. La escritura de Monterroso examina asuntos cotidianos, tan de la vida diaria que uno de sus personajes favoritos es la mosca, animal que convive con nosotros hasta en la sopa. Tratándose de asuntos cotidianos su escritura se ajusta la banalidad de ese acontecer cotidiano organizando un texto de una sencillez fulgurante tanto por su brevedad (que cristaliza demostrando una capacidad prodigiosa de síntesis) como por la llaneza del estilo que rechaza cualquier ornamento.

En la brevedad tan elaborada descubrimos una de las rebabas autobiográficas, quizá en la pregunta muchas veces formulada en la textualidad sobre el porqué de la propia escritura, pregunta también constatada muchas veces con el humorismo satírico y nihilista que presupone la falta de importancia reiterada, no sólo de la propia escritura sino de la escritura a secas. Algunas de las conclusiones que se inscriben en el decálogo del escritor propuesto por Monterroso cuando confiesa su admiración por Borges y las consecuencias a que esa admiración somete al escritor son, entre otras, y numeradas, las siguientes: "5. Descubrir que uno es inteligente, puesto que le gusta Borges (benéfica) y 10. Dejar de escribir (benéfica)."

Al estipular que se puede demostrar la inteligencia por una preferencia (o que la preferencia demuestra una inteligencia o un modo inteligente de actuar) se constata que la escritura es de alguna manera necesaria, pero cuando se concluye que dejar de escribir es un acto positivo (si no se es Borges) como corolario de la premisa anterior se infiere que es la propia escritura la que falla, sobre todo en relación con el modelo que se ha elegido, modelo que responde a las características de la propia pasión escrituraria: Augusto Monterroso admira la claridad, la sencillez y la brevedad del estilo borgeano, cualidades todas que se aplican a su propia prosa. No creo que ésta sea una prueba muy contundente de la redondez de la tierra o de su capacidad de movimiento pero sí de una concepción de la escritura, a menudo implícita, literalmente, en los textos de Monterroso. Otro ejemplo sería el que se titula pleonásticamente "La brevedad", texto en que se advierte de nuevo la paradoja, se confiesa una necesidad que al mismo tiempo se rechaza: la brevedad no es buena, es necesaria como la escritura, aunque a la vez se desea no escribir o escribir textos más largos. La condición de escritor implica un deseo, el de ser inteligente, cualidad que sólo se tiene si se escribe bien y muchas veces la excelsitud de una escritura está en su brevedad. Con todo, se desea la extensión, al tiempo que se la rechaza en nombre del rigor de la escritura y se ama justamente porque colinda con el caos:

> Lo cierto es que el escritor de brevedades nada anhela más en el mundo que escribir interminablemente largos textos, largos textos en que la imaginación no tenga que trabajar, en que hechos, cosas, animales y hombres se curen, se busquen o se huyan, vivan, convivan, se amen o derramen libremente su sangre sin sujeción al punto y coma, al punto.
>
> A ese punto que en este instante me ha sido impuesto por algo más fuerte que yo, que respeto y que odio.

Esta declaración es de principios, también la puesta en marcha de los principios que se articulan ingeniosamente sobre la forma de decir las cosas y la cosa misma, es decir teoría y práctica se ensamblan en el espacio de unas cuantas líneas. Se ha logrado la materia de un texto al tiempo que una confesión autobiográfica, aunque ésta se desplace al acto mismo de escribir y sea por eso autobiografía sin pacto. Autobiografía como escritura: "Hoy me siento bien, un Balzac; estoy terminando esta línea." Autobiografía en un sentido especial, no en la relación de incidentes mínimos de la vida diaria (aunque mucho de lo que aquí se observa se forma de esos incidentes), si no en la violación del lugar común, el distanciamiento que da la autocrítica y la constante utilización (por ello) de una lupa dirigida a la propia ambigüedad. O mejor, es autobiografía justamente por eso, cuando al pasar al texto demuestra una exigencia de depuración tan colosal que sólo subsiste la quintaesencia de una realidad cotidiana y repetitiva que se modela en la forma, para usar una de las definiciones que el mismo Monterroso ofrece cuando delinea su método de trabajo, además de "tachar" que como a Chéjov le parece el medio más efectivo y más inmediato.

> Siempre he estado consciente o conscientemente, sujeto a reglas. En cuanto me salgo de ellas me siento mal. La sintaxis, la prosodia, la lógica me traen siempre del pelo. Claro que a veces trato de fingir rebeldía contra los preceptos clásicos, pero no me sale, y si alguna vez me ha salido debe haber sido por chambonada.

La constricción que imponen las reglas y el clasicismo que se declara son necesariamente la inserción de una tradición que dicta sus preceptos y que fuerza al escritor a ceñir la escritura, a darle apariencia de algo nuevo, totalmente marcado por la época de producción aunque a la vez sea un eslabón dentro de una genealogía escrituraria, e inclusive, aunque se niegue cualquier relación con una moral implícita en la moraleja y se evite caer en la actitud didáctica de los escritores que escribían fábulas, su inclusión dentro de la alegoría hace que sus textos sean de alguna manera moralistas. La diferencia con fabulistas como Samaniego *et al.*, estaría en un cambio de posición entre escritor y lector, posición que altera de raíz la relación estatuida. Monterroso es observador cuidadoso de todos los ridículos humanos, pero quizá su máxima preocupación, como la de los grandes humoristas, es una flagelada y terrible, aunque divertida, conciencia de la propia ridiculez, del propio caos. Además, su escritura se desgarra cuando en el acto de escritura Monterroso escinde la observación que produce la materia del relato y la polariza distendiendo la mirada a tal punto que su propia observación culmina en la alegoría.

> Toda literatura —le aclara Monterroso a Graciela Carminatti, en una entrevista— es alegórica o no es nada. Muchos escritores explican sus simbolismos, temerosos de que la gente se los pierda.

129

Bueno, si la gente se los pierde, peor para la gente. Creo que no explicar lo que uno quiso decir en un libro es cuestión de decoro.

La alegoría se construye "rascando" en las cosas hasta descubrir su singularidad, reduciendo la distancia que parece haber entre ellas, es decir se llega a la alegoría cuando se ha encontrado una regla general y puede erigirse como ejemplo. Y esto se uniría a las reglas de la preceptiva para reiterar su pertenencia a un mundo clásico. Clásico además porque la alegoría empieza a despreciarse justo cuando se rechaza el clasicismo al advenir el romanticismo.

Goethe la considera una forma menor de poesía cuando afirma:

> Hay una gran diferencia entre un poeta que busca lo particular en lo general y el que lo general en lo particular. El primero da origen a la alegoría, mientras que el segundo lo usa sólo como ejemplo de lo general; ésta es sin embargo la verdadera esencia de la poesía: la expresión de lo particular sin ningún pensamiento de, sin referencia a, lo general.

Aunque la definición de lo que es alegoría no es estática y por la palabra y su significado pasa la historicidad y se plantean muchas discusiones sobre el verdadero sentido de la alegoría, quizá la definición de Goethe es bastante adecuada como estereotipo y puede servirnos porque es una definición corriente y porque de ella se deduce un rechazo característico de los dos últimos siglos.

Monterroso acepta complacido el carácter alegórico de sus textos, en donde se usa, según él, esa figura retórica que consiste "en hacer patentes en el discurso, por medio de varias metáforas consecutivas, un sentido recto y otro figurado, ambos completos, a fin de dar a entender una cosa expresando otra diferente". Y claro, las definiciones de la Real Academia son dignas (y lo han sido) de un breve texto de Monterroso en que repudia las metáforas, haciéndonos caer en una confusión mayúscula cuando lo vemos elogiando la alegoría y rechazando la metáfora. "Huyo de las metáforas, sólo los malos escritores se ponen felices con ellas". Y bueno, quizá lo mejor es creerle a Monterroso y no al diccionario y pensar que en la alegoría no deben entrar en juego las metáforas porque para Monterroso lo metafórico es negativo y lo alegórico es positivo, pero también dice que la alegoría es un producto de varias metáforas. Pero sigo: la alegoría tiene que ver con el apólogo que organiza como la fábula moralejas. Gilbert Durand dice en *La imaginación simbólica*: "La alegoría es traducción concreta de una idea difícil de aprehender o de expresar fácilmente. Los signos alegóricos contienen siempre un elemento concreto o ejemplar del significado" y Jung asegura que la diferencia entre "una representación simbólica y una representación alegórica reside en el hecho de que la última ofrece únicamente una noción general, o una idea que es diferente de ella misma, mientras que la primera es la idea misma convertida en algo sensible, encarnada". Con lo que se demuestra que sólo coinciden las definiciones cuando se habla de tomar lo particular y convertirlo en lo general organizando una ejemplaridad.

¿Y la autobiografía? Monterroso escribe, según su propia confesión alegórica, para divertirse o para que sus amigos le tengan envidia y el ingrediente que se utiliza es el ingenio, además la idea esencial que parece surgir de los textos es una medición de la inteligencia casi como sustituto de la altura física: los gigantes son objetos de circo, avaros y estúpidos. Vuelvo a preguntar: ¿y la autobiografía? Está magnificada en la elección de un molde donde se va a verter acromegálicamente como en el "Diógenes también" de *Obras completas (y otros cuentos)* una mirada sobre el mundo, mirada que antes que nada inquiete sobre la minúscula figura del escritor, quien al mirarse inicia la alegórica distancia que media entre lo particular y su propia realidad y esa generalidad:

> En mi caso —precisa Monterroso en *Viaje*—, no se trata de presentar ninguna costumbre para castigarla, ni riendo de ninguna manera. Todos somos tontos. Si en mi libro aparece gente tonta es porque la gente es así y no hay nada que pueda hacerse. Cuando siendo adolescente leí *El diablo cojuelo* me impresionó la frase: "Todos somos locos, los unos de los otros" y me di cuenta de que así era. Después leí en Gracián que "son tontos la mitad de los que lo parecen, y la mitad de los que no lo parecen", de manera que lo mejor es tratar de averiguar en qué mitad está uno.

Y en la averiguación se va la vida, es decir por ella pasa la propia vida, el tiempo buscado y el perdido y el que se concentra en la literatura, mas si todos son tontos y no hay posibilidad alguna de cambiar a nadie y no se tiene la ilusión que tenían los antiguos moralistas respecto a cambiar al hombre fustigando sus costumbres, ¿para qué se escribe? Para divertirse, insiste Monterroso. Y si además de divertirse el texto es inteligente aunque el autor insista en que todos somos tontos, ¿en dónde para el ingenio? Aquí se prepara la difícil tensión, la cuerda floja donde el equilibrista Monterroso se detiene con toda su estatura: la observación de la propia tontería o de la vanidad de vanidades que todos llevamos dentro y sobre todo si se es escritor y la fama (?) puede alcanzarnos, entonces hay que decir:

> Pero lo poco que pudiera haber tenido de escritor lo he ido perdiendo a medida que mi situación económica se ha vuelto demasiado buena, que mis relaciones sociales aumentan de tal forma que no puedo escribir nada sin ofender a alguno de mis conocidos, o adular sin quererlo a mis protectores y mecenas, que son los más.

Y claro, aunque esto es de broma y es una declaración dicha en una entrevista y al autor hay que tomarlo por lo que escribe como autor y no por sus confesiones autobiográficas, lo mismo se ha dicho en "El mono que quiso ser escritor satírico", donde cualquier intento de sátira se estrella contra la posibilidad de ofender a los animales que nos rodean. Y uno se cura en salud y pone en salmuera a los demás y se logra otro de los propósitos de la escritura: "ver mi nombre en el periódico y que algún amigo se moleste al verlo". Además, determina una incisiva y cuidadosa ojeada a la propia particularidad pero para condensarla en una breve y violenta textualidad que nos ilumine ordenando el desorden asiático de la realidad (según palabras de Borges a quien Monterroso excluye del catálogo de Gracián) hay que renunciar a la pequeña y propia vida, hay que cancelarla en la escritura para que ésta se nutra de ellas, explicación elemental que nos hace entender por lo menos el tamaño de Monterroso y su olfato, porque como él mismo lo dice en "Estatura y poesía": los enanos tienen una especie de sexto sentido que les permite reconocerse a primera vista:

> Sin empinarme, mido fácilmente un metro sesenta. Desde pequeño fui pequeño. Ni mi padre ni mi madre fueron altos. Cuando a los quince años me di cuenta que iba para bajito me puse a hacer cuantos ejercicios me recomendaron, los que no me convirtieron ni en más

alto ni en más fuerte, pero me abrieron el apetito. Eso sí fue problema porque en ese tiempo estábamos muy pobres.

Lo que no deja de ningún modo de ser totalmente autobiográfico pero también alegórico, porque lo que Monterroso no confiesa en ese texto aunque se deduzca alegóricamente de él, es que Monterroso sacrificó su estatura para alimentar sus textos y al sacrificarse así para crecer en la escritura se quedó chiquito.

## TITO MONTERROSO: UN CAMALEÓN

Tito Monterroso es ya un clásico. Un clásico que, como dice Monsiváis, es guatemalteco de origen y mexicano por nacimiento. Su nuevo libro, *Esa fauna*, ilustrado con sus dibujos acaba de aparecer en una bella coedición (ERA/Biblioteca México/CNCA), amén de otra edición de lujo de *La oveja negra*. En España ha sido consagrado por *Cambio 16* como el hombre del año 1992.

Estas maravillas nos hacen pensar en la multiplicación de los panes. Y me hacen volver a una idea que siempre me pasa por la cabeza cuando leo y releo por quincuagésima vez los textos que conforman *La oveja negra*: sus textos son milagrosos. Por muy pequeñitos que sean acaban volviéndose gigantes y su gigantismo no es un gigantismo cualquiera, es el de los animales prehistóricos cuyos esqueletos ocupan enormes salas de alturas desmesuradas, parecidas a la de ese dinosaurio que cuando Tito despertó "todavía estaba allí". Archiconcentrados esos textos, su economía es singular, su brevedad proverbial, pero también inexplicable. Me propongo intentar una explicación, sin embargo, segura de antemano de que voy a fracasar. Quiero saber el porqué del desafuero, la razón de esa capacidad explosiva que permite que de un texto breve, apretado, ceñido al máximo, se obtenga de pronto un texto gigante, objeto de asombro, susceptible de llenar por sí mismo espacios inconmensurables, como los de este mismo pequeño objeto que, compactado, condensa en un cuadradito luminoso un libro entero.

Si atiendo a la introducción que de *La oveja negra* escribió Monsiváis en 1970, advierto una profesión de definiciones negativas, antes de llegar a una afirmación contundente sobre su obra: "Su fin es más ambicioso, pues trata de ejemplificar el gozo de la vida." Antes de alcanzar esa contundencia, Monsiváis explica que: "Monterroso *no* es prolijo ni es chistoso..." "Monterroso *no* se propone industrializar la diversión..." "Monterroso *no* es humorista porque carece de la mecánica, la profesionalización del chiste, el amor por las facilidades de pago del retruécano..." "Como Thurber,

Monterroso *no* se ocupa en sus cuentos y fábulas de ofrecer un diagnóstico de nuestro tiempo..." "La reflexión de Monterroso *no* persigue la demolición de las circunstancias, sino la exhibición de los datos esenciales", y, por fin,

> Monterroso no se propone industrializar la diversión y en eso es semejante a los grandes poseedores del sentido del humor. Tampoco se dedica al aleccionamiento y sus cuentos y fábulas no culminan en la moraleja; si el lector la extrae, nada habrá ganado con ello..., *No* quiere generalizar ni anhela ser divertido... sino que quiere divertirse a costa de un microcosmos que sólo mediante la responsabilidad del lector podrá devenir en macrocosmos.

Quizá este discurso negativo permita dar cuenta de lo inasible. ¿Cómo definir de otra forma a un escritor cuyos textos aparecen tan moderados en su lenguaje y tan simples en su saber, sino con lo que *no* es? Negar es un sistema parecido al que Colón impuso en América hace ya casi quinientos años: se atrapa lo diferente negando que lo que analizamos sea distinto a aquello que conocemos, excepto en ciertas cosas extrañas que, cotejadas con las otras, las que nos son familiares, trazan un esquema aproximativo de lo diferente. Con ello se aquieta el sentimiento que provoca esa diferencia, esa distorsión de una realidad o un saber que suponíamos estable; partimos de un conocimiento adquirido previamente para asomarnos a algo desconocido cuya perversa inocencia descoyunta nuestra cotidianidad.

¿Pero qué podría hacerse para definir, sin recurrir a la negación, una fábula de Monterroso? Empezaré por analizar un tipo de texto que se aproxima a lo que, en su cuarta definición de la palabra, la Real Academia define como fábula: "Composición literaria, generalmente en verso, en que por medio de una ficción alegórica y de la representación de personas humanas y de personificaciones de seres irracionales, inanimados o abstractos, se da una enseñanza útil y moral." Quizá se podría descomponer esta definición en algunos de sus elementos: destaca el uso de la alegoría como una de las partes fundamentales de ese tipo de composición. De la alegoría dijo Tito, en alguna ocasión, "Toda literatura es alegórica o no es nada", y aunque esta figura retórica, ahora desprestigiada, exige múltiples interpretaciones, pareciera que en la superficie sólo tuviera una, la explicación emblemática, contra la cual endereza Tito todas sus baterías; es más, la construcción de sus fábulas parte de una reficcionalización de ciertos emblemas, convertidos en lugar común, que al descuadrarse provocan la sorpresa. La función de ese emblema o esa fabulación es colocarnos en el terreno seguro de los viejos hábitos en donde reconocemos ciertas acciones animales como formas idóneas o alegóricas para enmascarar un comportamiento humano: en la fábula del Conejo y el León que abre el libro, el León mantiene su puesto tradicional de rey de la selva y el Conejo es frágil, cobarde, aunque veloz; hasta aquí todo es normal, pero esa normalidad se subvierte cuando advertimos que el narrador maneja una flagrante tautología: es a la vez el viejo narrador omnisciente, el transmisor de una legendaria tradición, y también un narrador oculto tras otra mirada, la de un psicoanalista que observa con perfecta impunidad, encaramado en la copa de un árbol, la vieja conducta animal, presentada anecdóticamente de la misma forma en que se ha resuelto durante siglos, pero vista desde un ángulo totalmente diferente, el del psicoanalista, personaje ajeno a las viejas fábulas y con todo muy familiar en nuestra época, sobre todo cuando es presentado a través de la sátira: al enfrentarse el amo de la selva con un animal inferior, el León ruge, sacude su melena y el Conejo se aleja corriendo. En cierta forma, el psicoanalista es una especie de máscara paródica del propio escritor quien se desdobla y nos prepara la sorpresa:

De regreso a la ciudad el célebre psicoanalista publicó *cum laude* su famoso tratado en que demuestra que el León es el animal más infantil y cobarde de la selva, y el Conejo el más valiente y maduro: el León ruge y hace gestos y amenaza al universo movido por el miedo; el Conejo advierte esto, conoce su propia fuerza, y se retira antes de perder la paciencia y acabar con aquel ser extravagante y fuera de sí, al que comprende y que después de todo no le ha hecho nada.

Lo que produce desconcierto es relacionar el viejo emblema con el nuevo desenlace que le ha dado el autor. Quizá la confusión radique en una sencilla operación que pareciera inscribirse en un espacio intersticial en el que tácitamente se ha producido un vuelco de sentido. Además se ha alterado el lugar que ocupa tradicionalmente el narrador de las fábulas clásicas y se ha subrayado otro de los sentidos proverbiales de este género, el cual ocupa el segundo lugar entre las definiciones que la Real Academia proporciona a esta palabra: "ficción artificiosa con que se encubre o disimula una verdad". Y es cierto, trabajar de esta manera la fábula hace de Monterroso un escritor singular. Enmienda un género poco frecuentado en nuestra época y al retrabajarlo lo hace participar de nuestra familiaridad con él. ¿Quién no ha oído alguna vez una fábula ya sea en su infancia o después? ¿Quién no sabe que el León es el rey de la selva? ¿Quién puede olvidar que la fe mueve montañas o que hay y habrá siempre ovejas negras? De esta manera, la escritura de Monterroso está colocada sobre un palimpsesto mental que en sus enmiendas y desgarraduras va ocultando una serie de dobleces donde hay varias escrituras anteriores, mismas que de alguna forma tenemos siempre en cuenta cuando leemos la suya. Así el texto no sólo se duplica sino que se multiplica proporcionando de entrada una infinitud de sentidos y sugerencias. Sentidos, ecos, sugerencias que reescriben la fábula junto con Monterroso. El final sorpresivo y los vuelcos de sentido que produce reinscriben aquello que estaba cubierto por las diversas capas de escrituras superpuestas, orales, épicas, míticas.

Las fábulas son siempre textos muy simples. Se parte por lo general de la idea de que los animales se parecen tanto al hombre que es imposible distinguirlos de él, y por ello, se vuelven elegibles para convertirse en personajes ideales en ese género específico de la literatura. Tito nos avisa que su libro nunca hubiera podido escribirse de no haber contado por lo menos con la ayuda generosa de un entomólogo y de un domador, y otras personas, "cuya reconocida modestia... las inclinó a pedirle (al autor) no ser mencionadas aquí". En la segunda fábula del libro, que en el disco compacto pasa a convertirse en la primera, el personaje principal es un Mono... "que quiso ser escritor satírico" y que, como el psicoanalista de la fábula anteriormente reseñada, observa a los otros animales en plena selva, lugar en donde, reitera Monterroso, "cada cual reaccionó como lo había venido haciendo desde que el hombre era hombre". En verdad, este oficio ejercido por un Mono que, como bien sabemos, es el que imita los gestos de los otros, y entre esos otros se cuentan los hombres, es reiterar el propio oficio, es decir el de fabulador, o más bien el de escritor de fábulas, pues entre otras cosas un escritor satírico puede ser justamente aquel que escribe fábulas. Si agregamos a esta lista de fábulas la de "El espejo que no podía dormir" podríamos remachar la semejanza entre ese Mono que se resigna a no escribir la verdad porque al elaborar finalmente "una lista completa de las debilidades y los defectos humanos... no encontró contra quién dirigir sus baterías, pues todos estaban en los amigos que compartían su mesa y en él mismo... En ese momento renunció a ser escritor satírico"; pero esa renuncia le provoca un síndrome semejante, podríamos suponer, al de ese Espejo de Mano recién mencionado que, "cuando se quedaba solo y nadie veía en él se sentía de lo peor, como que no existía, y quizá tenía razón; pero los otros espejos se burlaban de él, y cuando por las noches los guardaban en el mismo cajón del tocador dormían a pierna suelta satisfechos, ajenos a la preocupación del neurótico".

Ésta puede ser una interpretación entre las muchas que los dobleces implícitos de la escritura monterrosiana ocultan entre sus múltiples recovecos, y convierten una escritura diminuta en una escritura desorbitada por su gigantismo. Tito mismo lo ha dicho muchas veces y lo hemos visto reproducido en una entrevista que concedió a *La Jornada*: "... en cuanto a las respuestas más bien me preocupa porque después de tantas respuestas que he querido dar... me doy cuenta que sigo sin saber muy bien que es el sentido del humor... Más bien prefiero no tener que definirlo. Afortunadamente en literatura no hay definiciones". Estoy de acuerdo con él, a pesar de que he querido cercarlo configurando algunas. Me gustaría terminar esta intervención, que por respeto al autor tiene que ser también breve, con unas palabras que ya dije en otra parte, aunque las he modificado levemente:

> Monterroso acepta complacido el carácter alegórico de sus textos, en donde se usa, según él, esa figura retórica que consiste (de nuevo según la Real Academia) "en hacer patentes en el discurso, por medio de varias metáforas consecutivas, un sentido recto y otro figurado, ambos completos, a fin de dar a entender una cosa expresando otra diferente".

En suma, la sencillez reiterada por Monterroso es engañosa y responde a su enorme necesidad de sintetizar, vista como una incapacidad, la cual, resumida con sus propias palabras, nos mostraría en realidad que Tito Monterroso es un escritor barroco:

138

Lo cierto es que el escritor de brevedades nada anhela más en el mundo que escribir interminablemente largos textos, largos textos en que la imaginación no tenga que trabajar, en que hechos, cosas, animales y hombres se curen, se busquen o se huyan, vivan, convivan, se amen o derramen libremente su sangre sin sujeción al punto y coma, al punto.

# BAJO EL SIGNO DE PISCIS:
# SERGIO FERNÁNDEZ

## El linaje de los peces

¿Qué son los peces?, animales con escamas, de sangre fría, habitantes vertebrados de un universo acuático, dulce y salado, propietarios de agallas y branquias, seres viscosos y resbaladizos que nadan, reptan, flotan o se arrastran.

"El agua ha impuesto a los peces su forma genérica —dice un tratado científico—, su forma de respirar, su método de locomoción y de reproducción, y les ha dado... un sexto sentido exclusivo que no posee ningún otro animal." Es este sexto sentido el que los unifica con el hombre cuando aparecen como símbolo mágico de una sustancia transformada en Verbo, o como la doblez estelar de un signo del Zodiaco.

Los peces son habitantes múltiples de un reino diferente al nuestro, son los innumerables individuos que se deslizan por las aguas, pero también son la palabra divina que nombra a Cristo y el signo disperso y confundido del Zodiaco que termina. A la vez son la metáfora barroca por excelencia, la metáfora-epígrafe que abre el libro de Sergio Fernández, que con ecos de Sor Juana repite: "En peces transformó simples amantes." Los peces, son como signo astrológico, el símbolo de la disolución, la putrefacción, lo indeterminado y lo confuso. Los peces son el principio, pero también el final de un ciclo, la terminación arbitraria del círculo que no debiera tener ni principio ni final y que por ello es a la vez lo primordial y lo último, lo perfecto pero también la imperfección más total y definitiva. El signo Piscis es doble y se representa mediante dos peces que nadan en sentido inverso, unidos por un hilo que les sale de las bocas. Uno sube y otro baja, pero los dos se detienen en un movimiento contradictorio que los suspende en el tiempo y en el espacio líquido. Este símbolo primordial de la contradicción interna se redime en el Verbo, en la figura mística que define al Salvador, al Cristo, trasmutándolo en animal sagrado, de cuaresma y de vigilia, en alimento espiritual que niega lo corpóreo y lo carnal, en sustituto ferviente de un cuerpo y de un nombre que gobiernan dos mil años de vida cristiana.

Y los Peces nadan en Roma y en movimientos concéntricos y volátiles, trasmutados en pájaros, llegan a Ostia Antico, y peregrinan rumbo a Pestum, ciudad híbrida, de columnas amarillas y arenas calientes y sensuales. Roma, la de los Foros imperiales, la de los sacerdotes y seminaristas, la de las fuentes y las estatuas, la de las mujeres hermosas, Roma la de la Sede Santa.

Así tenemos combinados los signos y las palabras: signo astrológico de connotaciones muy diversas, símbolo cristiano por excelencia y contradicción barroca inserta en la palabra. Escenario: Roma. Con estos elementos y una historia dislocada, Fernández inicia el difícil camino de integrar una cultura dispersa en textos clásicos y palabras rotas por el manoseo continuo del tiempo, en un paréntesis novelado. Por eso la historia que se narra, "páginas adentro" no es la historia verdadera, sino su trasmutación alquímica en signos verbales, en símbolos nuevos de un barroco transformado.

## La historia páginas adentro y páginas afuera

*Los peces* es —y no es— la historia de una extranjera que visita Roma y se encuentra con un sacerdote, italiano del norte, de visita también en la ciudad sagrada. El calor y el sexo inician el acoso; el sacerdote se deja llevar por una "bella bestia" que lleva adentro y la mujer, que siempre ha deseado acostarse con un sacerdote, lo rechaza en escamoteo maligno y decidido. Pasan juntos unas horas en vieja inercia repetida y se separan sin realizar el encuentro. Los Foros imperiales han sido el escenario. Ostia podría haber sido el de su reunión, aunque él sugiere Pestum que está más lejos. En el trasfondo, casi inmóviles, esperan otros personajes: un negro americano enredado a la vez con una recamarera y un ascensorista, un amante de la muchacha que la espera en el cuarto y una presencia vaga, apenas sugerida en el ámbito de su nombre, Clara. Ésa es la historia, ésos los personajes, en medio un epígrafe: "en peces transformó, simples amantes" y luego la ¿novela?

Los elementos podrían ser tradicionales, la anécdota hubiera podido desarrollarse, el acoso intensificarse, pero Sergio Fernández prefiere relegar la historia a la manera de los pintores cubistas que retratan una mujer desintegrando sus elementos. La nariz y las piernas se unen mientras los ojos atisban desde lejos el panorama devastado y se ofrecen "distintos borradores de la historia". Todo esto está, pero trastocado, como si la corriente interna del pensamiento hiciese pasar los peces de lado a lado combinando elementos, recreándolos y alterando el cuadro. La caminata por Roma, el encuentro furtivo de caricias y manoseo entre las piedras ruinosas de los Foros imperiales, el acoso, Clara y los gatos, Gabriel, el amante del hotel, Ostia y el mar salado, Pestum y sus arenas se reúnen en un coito que se instala a gritos en el calor, sexualizando a la ciudad entera. La desintegración cubista de los colores, de las calles, de las ruinas, de las fuentes se une a la sucesión ininterrumpida de posibilidades que terminan copulando entre ellas sin pudor: "En el cielo encajan las torres de la Trinidad de los Montes porque son en sí mismas una erección"; "masturbo al obelisco"; "penetro al centro del animal que es Roma... No sé por qué he venido y me abandono a acariciar el vello de sus piernas, que tan bien hacen lo que saben hacer"; "antes Roma se va entregando sin el menor escrúpulo a mí"; "Al mismo tiempo el pene de Neptuno es un apoyo que me lleva y me trae a los infiernos, pues no he pecado a mi satisfacción". La cópula entre la viajera y el sacerdote no se realiza en la anécdota, pero se desarrolla agigantada en el cuerpo del libro hecho ciudad. Las asociaciones mentales, las descripciones de monumentos y la ordenación de las palabras le otorgan al texto una lubricidad mayor y más depurada. La cópula se ejerce en todos los niveles, menos en el concreto y cotidiano. La ciudad se vuelve un inmenso espacio sexuado que se ofrece en columnas, promontorios, torres, ruinas, estatuas y paseantes. Los peces deambulan en ese líquido seminal, pegajoso, exaltante y a menudo se truecan en palomas o sugieren gatos lascivos y demoniacos.

Trascendida así la materia concreta de una historia, la novela adquiere una coloración definitiva que se funde para romper la barrera que plantea el barroquismo intenso de las imágenes y las ideas; se desata la sensualidad y el calor de la canícula fusiona en su interior los deseos y los cataliza realizándolos en todas sus facetas y en todas sus texturas; integra la piedra a la piel suave y mantiene en erección a las palabras que nos penetran lujuriosas.

La descomposición de la anécdota, su desvanecimiento entre las imágenes y los conceptos descubre la sensualidad profunda de la prosa, define el cubismo sugerido a lo largo de sus páginas y lo reitera por fin en una cita: "Sorda, comprendo entonces al grupo de turistas que abolieron los viajes para ver el cubismo donde cuadro por cuadro de mi cara contiene el astringente donde nadan los peces..." Geometría visual que deshace en planos una trama descuadrada por imágenes insólitas y tenaces: "Lo ayudo a tenderse en la arena mientras el sol facilita su cuerpo, tanto más inocente cuando estando conmigo me penetra en silencio. Se riegan en los riscos piernas, brazos; se esparcen los gemidos, la forma de admitir y volver explicable la crueldad."

## Símbolo y mito

El sexo desatado se contiene, sin embargo, en la mitificación, en los símbolos que permean el conjunto. En el linaje de los peces hay de todo: un territorio animal donde se precisan escamas y deslizamientos acuáticos; una presencia religiosa que redime la figura peculiar del pez y la convierte en signo grabado con dureza en catacumbas y emblemas de la primera cristiandad; una marca celeste girando en el Zodiaco y dando término al ciclo de las estaciones: la palabra que unifica tiempos, espacios, erudiciones, citas clásicas, imágenes y metáforas. Y este linaje se descarna en Roma, ciudad eterna. Allí se aloja la cristiandad y sobreviven las ruinas y los Foros imperiales, por ella caminan los sacerdotes y deambulan los pecadores: en Roma se mezclan diversos procesos y sustancias, los peces se deslizan por el aire aleteando como pájaros o se arrastran por el suelo como gatos de ojos verdes. Lo pagano se alía a lo sagrado. El pecado se integra a los colores y decora capiteles, se enrosca en las volutas y repta entre la hierba, ya no como serpiente sino como escamas, plumas y bigotes alcalinos de los gatos. Antonio el sacerdote se deja tentar como el Antonio de la leyenda, por la mujer que narra, mientras Gabriel —en su disfraz de arcángel— deja caer las plumas. Así el pez, el nombre del Señor, se vuelve paloma: "no hay nada más ni se incluye, en la misma persona, el vuelo de la Trinidad".

Enfrentado a la Trinidad, al Verbo, está el pecado, y ¿cómo

encontrar al pecado sin mirar al diablo? "Ahora por vez primera, se me aparece el diablo. En medio de los cuernos —yo de rodillas— le coloco la marca que impulsada hacia abajo le provoca el azufre y la distancia que entre ambos acorta la memoria." El diablo es una imagen tosca, apenas encubierta por el cuerpo de una cabra o de un macho cabrío, símbolo grosero de superstición y magia; pero no así el pecado que abarca en graduaciones las más deliciosas cosas de este mundo. Pecado y diablo tientan a Antonio y escapan a la vigilancia del arcángel. Y el pecado se entroniza en una mujer que entreabre las piernas, y entre las piernas abiertas naufraga la virtud: "¡Oh, qué habla, qué besos, cuánto deleite contra la virtud!", y así el pecado se vuelve delicioso, y el diablo partícipe. "Se cuentan a puñados las mujeres que el diablo deja sueltas y que unidas palpan lo breve de sus cuernos amablemente, tiernamente, para luego metérselos." Y el placer destruye a la virtud y el pecado se envuelve en el cuerpo de los gatos en goce activo, oliendo a azufre: "cada porción se vuelve inestimable y por eso fustigo a quienes contrarían la ocasión de los gatos, excitados, consustanciales, divergentes, cuya orden recae en las estaciones y en bramidos de índole menor". Los gatos que se arrastran son la escala más baja del pecado; ésta asciende consumiendo, escrupulosa, todas las virtudes. La carne se enfrenta a la vigilia y la lujuria recorre su camino en un ejercicio enardecido pero también masturbatorio. Se oficianmisas negras en los Foros imperiales, al tiempo que la sodomía, el bestialismo y toda suerte de perversiones alternan con la violación y la ruptura de un cinturón de castidad que asoma desde la Edad Media entre tapices por donde se advierten unicornios.

Pero el pecado y la virtud parecen carecer de significado si se recuerda la iconografía de viejos juicios finales que ornan las paredes de las iglesias italianas. Los demonios no asustan a los condenados, el pecado no tiene un significado doloroso. La tentación pierde los aguijones y el retorcimiento angustioso que define a los personajes de Dostoyevski o al sacerdote de Madre Juana de los Ángeles. En ellos, el pecado encarna brutalmente y los demonios penetran en seres doloridos, como una enfermedad contra la que se lucha ardientemente. La división tajante de virtudes y pecados sostiene el edificio: la pérdida de la castidad, dejarse tentar, significa perder el alma, abandonarse al demonio, dejar el reino de los cielos. Una lucha se entabla y el ser humano se doblega y recoge

144

los demonios. El dolor de caer en pecado mortal es inconmensurable porque se ha perdido la salud del alma. En *Los peces* el pecado juega voluptuosamente con la virtud y el reino es de este mundo.

El orden del pecado, la aureola de la tentación se restringen a una vida terrena. La dualidad cielo e infierno se reduce a la dualidad pasado-presente que se cancela en un tiempo concentrado. Más aún, el cuerpo de la narradora concentra en su sensualidad los tiempos y los modos. Roma se ofrece en su cuerpo; ella recoge la tradición y hace suyas las ruinas. Las columnas y las fuentes, las viejas piedras raídas, el calor canicular se integran a su cuerpo en una historia que cabe en el puño de su mano, en metáforas que acarrean el peso de los siglos como piedras deslavadas pero preciosas. El pecado existe sin tortura, más bien como lascivia. El pecado ostenta su refinamiento enriqueciéndose con viejas versiones y connotaciones nuevas, de repente unificadas en el monólogo incansable de un cuerpo-ciudad, de una mujer que resume voluptuosa toda una historia, todo un catálogo de tentaciones. Se peca como pecó Salomé: por refinamiento, para aumentar el placer. Es un pecado del que Dios está ausente.

## La alquimia del lenguaje

La ausencia de Dios no parece preocupar mayormente a Sergio Fernández: el pecado está allí como una estructura y la estructura se define en el lenguaje. Asegura Foucautl en *Las palabras y las cosas*:

> Lo que ha cambiado en la primera mitad del siglo XVII y por mucho tiempo —quizá hasta nosotros— es todo el régimen de los signos, las condiciones en que ejercen su extraña función; es aquello que, en medio de tantas cosas sabidas o vistas, los erige de súbito como signos; es su ser mismo. En el umbral de la época clásica, el signo deja de ser una figura del mundo; deja de estar ligado por los lazos sólidos y secretos de la semejanza o de la afinidad que marca.

La supervivencia del signo vaciado de contexto se refleja en la obra de Fernández y su pasión, su pecado y su placer mayores están en el hecho mismo de devolverles su sentido, recreándolos en el lenguaje, rellenando de nuevo el signo con la herencia del pasado, esa herencia que se intensifica en las ruinas —los Foros imperiales— y que corre en las venas, apelmazada de conceptos, revuelta entre asociaciones y palabras.

Si el signo de la confusión primordial y fructífera está en *Los peces*, si las aves son presagio y remedo de ángeles, si los gatos acompañan a Clara arqueándose junto a Tito y, a Constantino, las palabras se asocian para producir un placer sensorial y revivir el signo que habían perdido. No en balde, Fernández ha publicado un libro que lleva justamente ese título, *Los signos perdidos*.

> Por eso aquí, en las ruinas; aquí entre los diptongos; aquí en este cementerio de épocas, de adiciones, me entregaré a Antonio sin decoro posible para que el sacrilegio, que es su mayor recurso, brinque en mi descripción. El amontonamiento de épocas y las figuras plantean la búsqueda del signo, implícita en el sacrilegio de copular en la Ciudad Sagrada sobre las ruinas, con un sacerdote, mensajero de castidad. Pero la transgresión se realiza en blanco, su campo de acción de límite es el placer, privado de toda relación metafísica, como erupción del deseo (para utilizar una frase de Octavio Paz).

"La erupción del deseo" estalla en abstracto, no canalizada en una pareja carnalmente constituida, sino en la Mujer que recibe la lluvia de palabras, esa nueva Dánae que prescinde de Zeus y copula con el lenguaje. La creación de signos se logra con operaciones sintácticas en un nuevo conceptismo. Si don Luis de Góngora y Argote decía en su fábula de Polifemo y Galatea:

> De este, pues, formidable de la tierra
> bostezo el melancólico vacío
> a Polifemo, horror de aquella sierra,
> bárbara choza es, albergue umbrío
> y redil espacioso donde encierra
> cuanto las cumbres ásperas cabrío
> de los montes esconde...

escindiendo el hipérbaton, Fernández lo sustituye por "Me veo por el reverso y al palparme descubro los huesos de la pelvis sumidos en un marcado desinterés moral", que escinde el sentido clásico de la frase. La anécdota se ha diluido, pero también la lógica aparente de los párrafos que se construyen para expresar y comunicar una idea. Esta fórmula se vuelve rápidamente una reiteración.

146

"Es tanta la prosapia que mi ánimo se abate por importante."
"¿Será que he invertido dinero en tropas frescas para que me custodien en abril?" "A estas horas los hombres prácticos se extienden con voz suave, que gime cuando el adolescente se masturba en el palacio con los soldados." El juego de asociaciones no se ejerce siguiendo una corriente de pensamiento, sino una corriente de erudición.

La sensación despersonalizada, trasladada a la Mujer que narra, bifurca las frases y les otorga sentidos muy diversos, se oye el eco de una dicción versificada cuando se utilizan algunas palabras a la manera de un verso de fray Luis y se pronuncia "süave" o "acentüada"; o aparece Quevedo con brutalidad. "Pero el turismo opina que morir es bicoca y para celebrarlo, durante la cuaresma, abre las piernas"; mejor se unifican referencias históricas que enmarcan una historia literaria a lugares comunes o se trastruecan violentamente las asociaciones cotidianas. Las connotaciones abstractas se concretizan y lo concreto reviste una significación moral. A menudo este juego amenaza con convertirse en un regodeo retórico, en un mecanismo bien aprendido pero inerte; sin embargo, la mayor de las veces logra mediante la bifurcación y la alteración de los significados lógicos efectos poéticos y descubre la sensualidad.

"El momento lo dan otras mujeres que se mueven dentro de mí al desear el cirio que gotea la emoción de existir. Entonces mojo los dedos en saliva y al apagarlo, ya satisfecha, concilio mi nueva inquietud."

La palabra cirio se asocia al ritual cristiano, a la ceremonia de iglesia, pero también al sexo, y la humedad lo reitera en una imagen clara de fornicación y orgasmo, se hacen —éstos y aquéllos— medidas mansas, misericordiosas en tanto que las dueñas, por una transferencia, relinchan en el coito. Aquí se telescopian dos imágenes de la literatura clásica española: la figura inconfundible de la Celestina y su linaje de dueñas viejas y terceras y una frase muy quevedesca que zahiere el coito. "Hay una pausa breve y los templos de Pestum unen con las columnas la cambiante medida de los nexos": aquí la frase sigue un ritmo ascendente y los elementos arquitectónicos se sexualizan gracias a la connotación que han tenido desde que el libro se inicia y a la reiteración implícita en la palabra nexo.

Una palabra clave es barandal. Los barandales aparecen una y

147

otra vez a lo largo del libro, acoplados en diversas posiciones y con una fuerte carga de significado. Los barandales limitan los puentes y desde ellos se contempla la ciudad: los barandales defienden y adornan; los barandales aparecen en las ruinas y en las plazoletas renacentistas, los hermosos pórticos tienen barandales. El barandal divide las estructuras, detiene las caídas, provoca los apoyos: "Me recargo sobre el barandal y reúno en las manos pájaros y memorias con el objeto único de producir especies que se miran de frente al pasar."

El barandal actúa como elemento de realidad. Tal parece que no reclinarse en él impide ver, caer al agua. De un lado del barandal está la realidad concebida dentro de un tiempo contenido en el mecanismo de un reloj que avisa que sólo han transcurrido tres horas: "Son las tres", "Son las seis". Del otro lado están los peces que ovulan en la arena y la Mujer que los define y los encarna reuniendo la vigilia y el pecado.

Del otro lado del barandal está la historia, están los Siglos de Oro, la poesía barroca, la trabazón de las piedras, de éste, los cambios, las trasmutaciones, la alquimia. Y hay que recordar que para los alquimistas todo ha de volver a un Principio en el que la Identidad persista sobre todos los cambios pero si los alquimistas no logran nunca la trasmutación de los metales en oro, por carecer de la energía necesaria para ello, sí logran trasmutar las cosas metafísicas, místicamente. Así Sor Juana "en peces transformó simples amantes" y Sergio Fernández situado en el lindero de los signos agotó el de Piscis.

# *FARABEUF*: ESCRITURA BARROCA
# Y NOVELA MEXICANA

Publicada en 1965, *Farabeuf* de Salvador Elizondo[1] presenta características singulares dentro del contexto en que surgió. Novela mexicana sin regiones transparentes, sin indios ensombrerados, sin mujeres enlutadas de pueblos del Bajío, sin caciques rencorosos, sin esquemas sociológicos del México posrevolucionario, sin *dolces vitas* locales, sin *argots* de adolescentes, *Farabeuf* parecía ser mexicana sólo por el sello de su editorial, Joaquín Mortiz, o porque el autor había nacido en la ciudad de México, D.F., en el año de 1932. Así, fuera de contexto e inmersa de inmediato y por ello en su torre de marfil, *Farabeuf* pasaba automáticamente a convertirse, ¿por qué no?, en una muestra evidente de la influencia novelesca que poco a poco iba adueñándose de las mentes de los países subdesarrollados, el *nouveau roman. Nouveau roman* a la Robbe Grillet o a la Butor por su estructura policiaca y cinematográfica (Dashiel Hamett-Sidney Greenstreet), *nouveau roman* también porque la intriga exterior está despojada de un contenido novelesco propiamente dicho, a la manera en que se entendía éste en el XIX, y a la natural evolución del género en el XX, porque ofrece una visión fragmentaria, caleidoscópica de la realidad, y sobre todo, porque pretende ser más que una novela una escritura.

*Farabeuf*, hipotética, conjetural, policiaca, es una novela que exige la participación del lector —lector-autor— en tanto que crítico (otra de las características de algunas novelísticas contemporáneas), es una creación de doble filo, es un juego de teatro dentro del teatro como en el isabelino o en el barroco, es la contemplación de un espectáculo creado por las palabras y situaciones organizadas en

---

[1] Salvador Elizondo, *Farabeuf o la crónica de un instante*, México, Joaquín Mortiz, 1965 (2a. ed. 1967).

hipótesis o fragmentaciones que la imaginación o la argucia del lector sacará del aparente caos.

Pero decir que *Farabeuf* es una antinovela no es decir mucho, es apenas encajar a su autor dentro de una corriente para sentirnos protegidos y explicar la rareza de su no pertenencia a un mundo visiblemente mexicano; es también vincularla a nuestro tiempo, lo que a fin de cuentas es situarla en alguna parte. Pero su confinamiento, su tendencia explícita a crear una *escritura*, su visión dislocada, la tortura real metafórica que enfatizan la distorsión de su mundo son expresión perfecta del signo barroco que de nuevo nos conforma.

## La escritura

Escribir novelas ahora, ha dicho Elizondo —y aquí no es en absoluto novedoso—, no significa más que repetir esquemas magníficos, pero agotados, es centuplicar los *Tiempos perdidos*, las *Madamas Bovaríes*, los *Ulises*, los *Orlandos*. Repetir esas novelas ya no basta, hay que crear nuevas estructuras formales. Una de ellas es la *escritura*. La escritura sería para la ficción lo que la naturaleza muerta es a la pintura: la creación de objetos delimitados por su propia esencia y que no se refieren nunca a otra realidad que no sea la suya propia, porque son creaciones interiores de la mente, están asentadas en un espacio relativo a ellas, delimitadas y detenidas por su creación misma y sin posibilidad alguna de salir de sí. La luz y el calor de una naturaleza muerta en la que hay copas, caracolas y la plataforma que las sustenta es la luz propia de esas copas, esas volutas pertenecen a las sombras de las caracolas y la plataforma surge de un espacio creado en el instante mismo en que se coloca en la tela. Son objetos puros, fórmulas pictóricas que eligen su propia luz y su propia dimensión espacial y temporal. Las escrituras siguen esas reglas a su modo; el escritor describe, pero no la realidad; si describe algo, ese algo pertenece a aquello sobre lo que su propia realidad se sustenta, porque la escritura encuentra en la mirada del lector la posibilidad de una forma nueva, de un compartir cosas incompartibles, de congelar mundos en hipótesis, de captar la imagen en reflejos, de especular. Por eso Farabeuf es "el reflejo de un rostro en un espejo, un rostro que en el espejo ha de encontrarse con otro rostro" (p. 15).[2] La mirada converge en el reflejo porque nunca hay encuentro sino juego de reflejos como el que la palabra así organizada nos librará. Lo policiaco, lo enigmático, no se han de resolver como se resuelven en la novela policial o en la novela gótica, por el descubrimiento del asesino y la develación del cuerpo de la víctima, éstos serán como la palabra escrita, los vehículos de la ceremonia erótica que el libro instituirá. Para aclararlo utilicemos otro de los objetos clave del libro, la fotografía. La mirada en el espejo encuentra otra mirada —no directa, sino en reflejo—; la mirada del que mira la fotografía encuentra muchas miradas que no lo miran, pero él contempla a su vez lo que el ojo fotográfico ha contemplado en el instante del reflejo. Y este instante fragmentado y "congelado" se intenta reproducir en el libro. Pero la aventura de congelar el instante y precisar otro tiempo, se inserta en la palabra que describe objetos, que acude a ruidos, que contempla imágenes especulares y recuerdos y también fotografías.

Estos reflejos tanto especulares como fotográficos que se acuñan en las palabras acaban conformándose a un ritual erótico y ceremonial: son los objetos de la pasión y la pasión misma. Como en Calderón de la Barca, para quien el libre albedrío y la predestinación concurren al unísono en el juego de metáforas y en los objetos, en *Farabeuf* la escritura es la ceremonia y los objetos su conducto. En *Eco y Narciso* de Calderón de la Barca es la voz y luego el espejo quienes destruyen a los pastores —aquí la voz se vuelve la metáfora, pero también se concretiza en objeto-símbolo: la bella Eco canta y enmudece porque el sonido de su voz y el principio de su hermosura despiertan en Narciso la necesidad de contemplar la suya. Las únicas voces y las únicas hermosuras que Narciso ha contemplado son las aves y las fieras, los cielos y los montes. La mirada de Narciso recae en su propio rostro después de mirar a Eco, pero sobre todo después de oírla. Ese reflejo inasible los condena a ambos, Narciso sacrifica su propia imagen y Eco se desvanece en voz y en cuerpo. Voz y hermosura son los vehículos que unidos a la versificación barroca comprueban por igual los opuestos absolutos: predestinación y libre albedrío. En *Mayor monstruo del mundo*, otra obra del mismo dramaturgo español, Herodes y Mariene

[2] Todas las citas corresponden a la segunda edición.

151

se destruyen abandonados al arbitrio de una profecía encarnada en un retrato y en un puñal. Ceremonia y pasión se realizan en el ámbito sobrecargado de la palabra a la que se añade el objeto-símbolo.

En Elizondo esa escritura preside un rito de sacrificio y realiza una ceremonia. El rito acumula objetos, almacena sonidos y se ejecuta en el reflejo; los objetos se presentan reiteradamente como en los dramas calderonianos y su fragmentación significativa se aclara a lo largo del libro cuando van adquiriendo diversas connotaciones y representando nuevas claves para revelarnos poco a poco su simbolismo.

## El ojo que contempla la escritura

La intención esencial del libro es la ejecución de una ceremonia que se inscribe en un rito descrito y también la reflexión en torno a una fotografía del asesino de un príncipe chino que sufre tormento a manos de varios verdugos que lo despedazan siguiendo reglas fijas. Estas reglas fijas constituyen un procedimiento y no el ritual porque como dice Elizondo: "El rito es nada más que mirarlo" (p. 137). ¿Mirar qué? El descuartizamiento del prisionero. Pero si mirarlo es ejecutar la ceremonia y los que miran son sus verdugos a la vez que ejecutan el procedimiento, el asesino de un alto mandatario y el pueblo chino, nosotros sólo miramos lo que una cámara fotográfica de principios de siglo nos deja mirar. Una fotografía borrosa realizada por un cirujano llamado Farabeuf es el objeto a mirar y el objeto-libro, o mejor, el objeto que se ha vuelto libro. Nosotros, lectores, tenemos que mirar esa fotografía y contemplar el martirio y al hacerlo iniciamos el rito. Aún más, la ceremonia se restablece en el cuerpo del libro utilizando la imagen del supliciado para que dos enamorados —si así puede llamárseles— realicen a su vez un sacrificio propiciatorio en que sus cuerpos son el recinto, el espacio sagrado de una nueva ceremonia. Hombre y mujer —una pareja desdoblada en imágenes reiteradas de nuevo en los reflejos— contemplan la fotografía de un suplicio para ejecutar en su propia carne un acto ritual que se detendrá en el tiempo, como la fotografía del supliciado: "El desarrollo de esa intervención quirúrgica que el hombre realiza en el cuerpo de la mujer y que llaman el acto carnal o *coito*" (p. 93).

Reexpliquemos: Una fotografía es el resorte que mueve el libro, pero nuestra participación en él es como el resorte que mueve el obturador de una cámara fotográfica que reproduce lo que otros han mirado; concomitantemente, es el resorte que dispara una serie de imágenes que el autor del libro nos presenta para que nosotros-lectores sigamos con el juego. La contemplación de un instante detiene el tiempo porque la fotografía, como dice Farabeuf-Elizondo, "es una forma estática de la inmortalidad" (p. 26). Entonces, fotografía y amantes reflejados en un espejo son los primeros objetos, pero a éstos se añaden otros. Como en la pasión de Cristo, algunos objetos se vuelven rituales y simbolizan los momentos sagrados del sacrificio: la corona, las espinas, la cruz, el sudario, el martillo, etcétera, son elementos constitutivos de la pasión cristiana; así el lago, la voz, el campo, los pastores, los cielos y la tierra y hasta unos listones son los elementos de la pasión de Narciso, y el espejo, la fotografía y otras cosas que señalará más adelante, constituirán la pasión farabeufiana.

## La simbología de los objetos

Si el acto de mirar constituye una ceremonia que se ejecuta con instrumentos de tortura y si esa ceremonia se reconstituye a la vez en los cuerpos unidos de dos amantes que la propician mirando la fotografía de la primera ceremonia, los objetos que se utilicen serán necesariamente rituales. Su ritualismo puede entenderse si se toma como ejemplo un juego oracular chino, el *I Chin* o la tablilla surcada de letras y números llamada *ouija*. Al método adivinatorio chino corresponden tres monedas que permiten trazar un hexagrama simbólico basado como la *ouija* en una dualidad antagónica de respuestas. La *ouija* y el *I Chin* guardan entre sí la misma relación que hay entre el espejo y la fotografía, son símbolos de oráculos máximos, se fundamentan en un juego de opuestos como la predestinación y el libre albedrío y ambos producen cierto tipo de ruidos específicos, de ecos. Tirar las monedas produce un leve tintineo, utilizar la *ouija* un deslizamiento sonoro. El tintineo de las monedas y el deslizamiento de la *ouija* propician la llegada del cirujano-fotógrafo Farabeuf que arrastra su pierna artrítica como se arrastra la *ouija* para proporcionar respuestas y los instrumentos

153

que el médico lleva en su viejo maletín suenan levemente reproduciendo el sonido del *I Chin*. El hexagrama chino que utiliza monedas y la *ouija*, "parte del acervo mágico de la cultura de Occidente" (pp. 9-10), convocan presencias e instigan a la ceremonia, como la aparición de Farabeuf provisto de los instrumentos que lo definen como cirujano, propiciará la ceremonia que se prepara a lo largo de cada una de las páginas del libro.

Hemos asociado así objetos a ruidos; pero aún sigue la lista. La Mujer que puede ser muchas, o simplemente una Alegoría de la Mujer como sacerdotisa-víctima, llama a Farabeuf, o al Hombre, complemento necesario de esta dualidad antagónica, tirando las monedas y deslizando la *ouija*. El Hombre-Médico-Farabeuf le responde a la Mujer-Enfermera-Mélanie, deslizando el pie para producir el eco del ruido de la *ouija* y toca sin querer la pata de una mesa de forma específica que produce también el sonido de las monedas. La comunicación se establece por medio de los objetos y de los ruidos que estos objetos producen. El pie que topa por accidente con "la base de metal de la mesilla de mármol junto a la cual yo aguardaba tu contacto, el roce de tu cuerpo, la posesión de tu mirada y tu piel, al chocar contra la pieza de metal que figuraba la garra de una quimera o de un grifo que retiene entre las uñas afiladas, una esfera, hubiera producido un ruido característico" (p. 114), llamada, aviso premonitorio por tanto.

La quimera, el grifo, son símbolos enigmáticos, símbolos de la cultura grecolatina o de la iconografía renacentista, o hasta de las arquitecturas del *art nouveau*, pasando por los grifos y quimeras medievales. La quimera se puede convertir en tigre, símbolo a su vez del Oriente, tigre metafísico, solemne, situado en la apertura de la existencia para definirla o para cerrarla. "Alguien que tal vez eras tú, tú o Farabeuf, esperándome como el tigre, en un quicio que, traspuesto, es la frontera entre la vida y la muerte, entre el goce y el suplicio, entre el día y la noche...?" (p. 119). Y la asociación simbólica que sigue al sonido termina en una asociación mucho más abstracta y de otro orden: es decir, se trata de un signo constitutivo de una escritura que pregunta los enigmas.

## El enigma como signo de la escritura

Y los enigmas se replantean mediante alegorías y se aclaran con repeticiones. Una mosca golpea insistentemente las páginas del libro, relacionando escenas y completándolas. Aparece de repente como aparece cualquier mosca, golpea en la ventana y cae. Su aparición se repite, pero casi siempre dentro del mismo contexto, un contexto que se integra a la escena que se desarrolla en la habitación en la que una mujer contempla en un espejo su imagen, al tiempo que arroja las monedas de un juego adivinatorio, mientras suena la *ouija* y se oyen los pasos del Hombre en la escalera. La mosca vuela y en el tocadiscos permanece un disco dando vueltas en un instante detenido en la melodía, como el vuelo y la agonía de una mosca o el suplicio de un príncipe chino grabado en un papel fotografiado. Las alusiones se vuelven cada vez más constantes, como esas películas que aún no se han montado y que se presentan en *rushes* para que el director ordene la edición, o como en la película de Resnais, *El año pasado en Marienbad*, en la que la misma historia nos aparece contada desde diversos ángulos y con matices más cercanos.

De la mención de los objetos se pasa luego a las asociaciones que los objetos provocan. Una estrella de mar que la mujer encuentra cuando los amantes pasean a la orilla de la playa —escena igualmente repetida y revivida desde diversos ángulos— nos da la clave: Estrella marina que las aguas arrojan a la playa, estrella que la mujer recoge y desdeña; repugnancia que se resiente por algo viscoso, salino, pegajoso, que se adhiere a los dedos, aunque adherida a la sensación vaya también el sentimiento morboso que se le conecta: primero la rememoración obvia de actos sexuales, de humedades, pero luego, y es lo más importante, la cercanía que lo viscoso tiene con la sangre que cae, se coagula y deja manchas negras y viscosas en la caída. "Mira una estrella de mar y ese ser putrefacto tenido delicadamente entre las yemas de tus dedos te contagió una ansiedad como si tus manos hubiesen tocado un cadáver antes que tu corazón se hubiera dado cuenta de ello ¿recuerdas?" (p. 29).

Estas asociaciones que provocan los objetos no se detienen a la altura de las asociaciones del inconsciente, ya sea en el orden de la sexualidad o de la muerte; su función es más compleja, se cumple en la alegoría. Específicamente la alegoría se menciona bajo la forma de un cuadro a su vez alegórico: *El amor profano y el amor divino* del Tiziano. La significación del cuadro que el lector mira cuando el autor lo describe guarda parentesco con el problema de los espejos. Refleja imágenes, no realidades, y la visión será siempre a la inversa: como lo que se mira en una fotografía que se ordena siguiendo una colocación contraria a la que las cosas tienen en la realidad, o como las figuras que el espejo nos devuelve para reproducir en otra dimensión espacial una visión relativa de nosotros mismos. Estas posibilidades se multiplican cuando Elizondo nos hace ver en el cuerpo del libro distintas colocaciones que copian la realidad, pero al revés, como por ejemplo el siguiente texto: "*Aviso* —Cuando se lea en este libro: Incídase de izquierda a derecha...; atáquese el borde izquierdo del pie...; prosígase hasta la cara derecha del miembro... adviértase que los términos *izquierda* y *derecha* se refieren al operador y no al operado" (p. 136).

Farabeuf opera y sigue concretamente este tipo de instrucciones, el lector que mira la fotografía debe seguirlas también y la Mujer que espera al Hombre y que en el libro se llama la Enfermera, se mira al espejo reflejada, junto a un cuadro que ofrece en paralelo las dos posibilidades extremas del amor: lo profano y lo divino. La profanidad del instante amoroso se detiene cuando lo divino desmistifica y eleva a eterno lo deleznable y pasajero del tiempo.[3]

Pero esta alegoría no se termina tan simplemente, continúa aumentando en complejidad y se convierte en signo de una escritura que descifra los enigmas.

El símbolo escrito se concretiza en los límites de su representación, en su ideograma y las imágenes pasan así de una abstracción aparente para revivir en el signo concreto y representado. El signo numérico chino que representa al seis es la figura simplificada al máximo —que podría dibujar un niño— de un hombre con los brazos extendidos, aunque este signo sea también el del hexagrama que se utiliza en el *I Chin* para la identificación de los enigmas, a la vez que es la representación de la figura del supliciado, atado a una estaca y atravesado por dos barrotes transversales que lo desgajan. La figura del supliciado se santifica con la sonrisa última del dolor supremo, el hexagrama que corresponde al seis chino, contesta a

---

[3] Véase Octavio Paz, "Farabeuf", en *Voz Viva de México*, México, UNAM, 1968.

los enigmas que los hombres se plantean y es también la representación simplificada de una estrella de mar. Los símbolos se han vuelto signos y se acercan a otro de los esquemas reiterados sin cesar: La mujer que espera junto al espejo se acerca a la ventana y traza un signo, junto cae la mosca. El signo que se traza en la ventana se aparece en la punta de la memoria como las palabras en la punta de la lengua, pero su significado no se recobra.

## El signo erotizado intenta el misticismo

Una gradación se establece y pasamos de lo concreto representado mediante signos dibujados, de lo que es ideograma, iconografía, a lo que es escritura hierática y precisa de una sabiduría antigua que desemboca en lo metafísico pasando por el misticismo. Cada objeto reiterado en el libro deja de ser un objeto para convertirse en el signo preciso o en la letra específica —dígase número quizá— de un alfabeto especial que responde también a la escritura especial que el libro nos ha planteado.

La descripción de la narración tradicional se utiliza a nivel de signo que representa un nuevo tipo de alfabeto constituido por las letras-objetos que se reiteran en toda las escenas y que se reflejan en sus imágenes: en los espejos, en la fotografía, en el recuerdo, en la memoria, en un coito, en el cuerpo del supliciado. Los signos son parte de un lenguaje, revelan los enigmas. Elizondo nos los ofrece a varios niveles. Primero mediante una explicación de tipo histórico y circunstancial que podría explicar superficialmente los problemas de la anécdota. En suma, se trataría escasamente de una historia de espionaje. Pero esta historia banal, la de un sacerdote que viaja a China para intervenir en los asuntos del Oriente, a la manera de los europeos colonialistas de finales de siglo, conduce a la historia de un cirujano que toma fotografías y tiene una amante. Los personajes de esta historia medio velada pasan a ser los personajes de otra historia más definitiva porque se convierten en el Hombre y en la Mujer, signos de la dualidad antagónica de los opuestos, pareja de amantes eternos que realizarán el acto carnal como un sacrificio propiciatorio y total. Un sacrificio en que la mujer se ofrecerá al hombre no ya en vida, sino en la muerte. Su muerte demostrará su vida y la vida terminará en el derramamiento de sangre. Esta ceremonia ritual se llevará a efecto bajo el influjo de una mirada que detenida en una fotografía ha de evocar todo un mundo, a la vez que el deseo de unirse en la muerte.

La muerte se representará como en el gabinete de un ilusionista ante una galería de espejos, o en un hospital sobre esas camillas ginecológicas que se utilizan para que las mujeres den a luz o para ser examinadas. La alegoría nos lleva de nuevo al cuadro del Tiziano, a la realidad del sexo y a su trascendencia en la purificación que se efectúa en la muerte. Es más, nos conduce a la novelización de las teorías que Georges Bataille ha expuesto en *Las lágrimas de Eros* y en *El erotismo*.[4] El supliciado, en fotografía, es la imagen que los amantes necesitan para iniciar su rito, que nosotros, lectores, cumpliremos al mirarlo en la Escritura y en la imagen.

El miedo a la muerte se conjura con la muerte. El hombre torturado se convierte en el símbolo iconográfico y místico de un nuevo santo, del hombre emasculado que representa la unión de los opuestos en la muerte, porque con el martirio la dualidad se funde y el Hombre y la Mujer son Uno: "Se trata de un hombre que ha sido emasculado previamente... Es una mujer, Eres tú, Ese rostro contiene todos los rostros. Ese rostro es el mío, Nos hemos equivocado" (p. 146).

La Mujer y el Hombre, Farabeuf y la Enfermera, él y ella, Tú y Yo, imágenes diversas que revelan la misma identidad esencial de la pareja de opuestos tradicionales en todas las religiones primeras, terminan abandonando la fotografía que les abre las puertas del Enigma y del Deseo, para convertirse ellos mismos en la imagen contemplada, que nosotros vislumbramos en la galería de espejos del último capítulo del libro. "Ahora serás *tú* el espectáculo. Ese juego de espejos hábilmente dispuestos reflejará tu rostro surcado de aparatos y mascarillas que sirven para mantenerte inmóvil y abierta hacia la contemplación de esa imagen que tanto ansías contemplar" (p. 178).

Aunque la memoria de la protagonista se detenga en el umbral del significado de los signos y sólo deletree los alfabetos de una nueva escritura de la que entiende las letras, pero no el idioma, como quienes descifran escrituras arcaicas grabadas en tabletas sin poder

---

[4] Georges Bataille, *Las lágrimas de Eros*, Buenos Aires, Signos, 1968, y *El erotismo*, Buenos Aires, Sur, 1962.

identificar las palabras, aunque el recuerdo no se verifique porque el olvido —frase banal— es más tenaz que la memoria, las respuestas se hallan formuladas a su vez como preguntas en el mismo libro, porque todos los personajes son en realidad "un esquema irrealizado" (p. 93).

Este esquema irrealizado nos desidentifica aparentemente y conduce a Elizondo a utilizar, a profusión, argumentos que Borges ha puesto en circulación en la literatura hispanoamericana: "... Podríamos... ser la conjunción de sueños que están siendo contados por seres diversos en diferentes lugares del mundo. Somos el sueño de otro... Somos el pensamiento de un demente. Alguno de nosotros es real y los demás somos su alucinación" (p. 93).[5]

## Lo barroco en el lenguaje y en las situaciones

Salvador Elizondo utiliza como Carlos Fuentes en *Cambio de piel* una serie de situaciones que se plantean como enigmáticas. Son enigmáticas porque ocultan elementos fundamentales dentro de la trama y también porque se colocan en aparentes tiempos y espacios distintos dentro del libro. Cada aparición reiterada de la misma situación arroja nueva luz sobre el enigma y el autor nos va entregando nuevas claves que redibujan el tramado. La repetición de escenas y la proliferación de elementos prodigan la sensación de complejidad, pero, en suma, dan como resultado su clarificación. La fragmentación representa entonces, más que un enigma, una especie de rompecabezas de figuras diminutas que acaban por encontrar el sitio que les corresponde en el dibujo. La mirada del lector perdida entre espejos, se recupera en la fotografía de la cual se parte y se reafirma en la representación de los ideogramas. Resuelto este problema de novela policial, el lector-autor se enfrenta a uno nuevo que vuelve a dar la apariencia de una gran complejidad: el deslinde de los mitos y el proceso mitificador.

Aunque su obra parezca distinta a la primera lectura —y en muchos sentidos lo es en verdad—, ambos escritores presentan semejanzas. En este caso las semejanzas se hacen nítidas porque

---

[5] Véase "La escritura del Dios", "La busca de Averroes", en *El Aleph*, Buenos Aires, Emecé, 1961.

ambos utilizan tiempos y espacios sagrados que se encarnan en un mito, pero que les es ajeno, que no tiene vigencia porque es un artificio. Elizondo utiliza elementos de cosmogonías orientales y Fuentes acude a los mitos prehispánicos de México y a los mitos tradicionales de Occidente, los griegos y los hebreos. Pero en ambos también la labor se traduce en este sentido por el mismo fracaso —visible de manera especial en otro escritor mexicano, Fernando del Paso y específicamente en su novela *José Trigo*— porque los mitos nunca llegan a amalgamarse, a fundirse con el cuerpo del libro: el proceso mitificador es artificial, impuesto. Se utiliza como arquitectura estructural, como andamiaje, pero su consistencia se pierde, pues no significa más que un trabajo artesanal de gran inteligencia, es cierto, pero elaborado a sabiendas, sin impulso, sin alucinación. Es como aplicar una teoría sociológica de los mitos a una novela, pero para explicarla, no para otorgarle esa sacralidad que sólo el mito verdadero puede alcanzar. En *Cien años de soledad*, de Gabriel García Márquez, y en *Pedro Páramo*, de Juan Rulfo, se pueden recuperar mitos griegos, mitos bíblicos y mitos prehispánicos; pero su mitología trasciende la curiosidad libresca y la bella arquitectura de la inteligencia que se ha edificado con palabras y con escrituras formadas de ideogramas. En Elizondo y en Fuentes, el barroquismo está en el lenguaje, en la mirada sagaz que calcula el movimiento de una pieza de ajedrez, en el juego de asociaciones que crean luces y perspectivas caleidoscópicas.

Y ese juego de perspectivas invade el misticismo. La tesis de Bataille, esa cercanía indisoluble de amor y muerte, ese erotismo a la vez vital y mortal aparece vaciado de su sentido más profundo, de la angustia existencial que la muerte reclama y de la exaltación que un erotismo vuelto misticismo provoca. La pareja Farabeuf-Mélanie, Médico-Enfermera, Él-Ella son las imágenes heladas que el espejo nos devuelve, el sonido metálico de los instrumentos y el frío acero de una camilla ginecológica. La novela es un acierto mientras se va tramando, mientras las asociaciones se revelan, cuando los signos se vuelven ideogramas, misterios oraculares y acertijos. La escritura falla cuando nos arranca de un mundo vivo en el que la muerte juega su más definitivo papel porque nos remite a eso que Borges llamaba, hablando de "Pierre Menard, autor del Quijote": "un mero elogio retórico de la historia".

# SERGIO PITOL: ¿EL ESPEJO DE ALICIA?

*Ese espejo que [Roussel] tiende a su obra [...]*
*está dotado de una extraña magia: hace retro-*
*ceder la figura central hacia el fondo, donde*
*las líneas se confunden, aleja a mayor distancia*
*el lugar en que se produce la revelación, pero*
*aproxima, con una especie de extraña miopía,*
*lo que está más alejado del instante en que la*
*obra habla. A medida que ésta se acerca a sí*
*misma, su secreto se vuelve más denso.*

Michel Foucault

Cuando leo estas frases que Michel Foucault le dedica a Raymond Roussel, me parece que empiezo a entender la obra de Sergio Pitol, o por lo menos, que he descifrado una de sus claves; sin embargo, a medida que intento penetrar en ellas, las claves me remiten a otras claves y la posible explicación se me queda en el tintero, o en el teclado del computador, la pantalla me regresa la mirada, los dedos se quedan en el aire y la duda vuelve a cubrir cualquier tipo de interpretación o por lo menos de explicación.

Y si uno revisa con detenimiento y deleite algunos de sus textos, los que se encuentran en el libro que se llama a la vez *Nocturno de Bujara* y el *Vals de Mefisto*, quizá textos limítrofes entre su primera escritura y la que ahora se ha dado en llamar carnavalesca, sobreviene la perplejidad y se desatan las preguntas, al tiempo que se puede trazar un ligero esbozo de explicación y la certeza, la única, de que en cierta medida se encuentra la promesa de una clave, no sólo de estos cuentos, sino de varias de sus obras. Pero empiezo, reviso el cuento que se llama justamente así "Vals de Mefisto":

¿Qué tiene que ver un problema conyugal, absolutamente banal para todos aquellos que no son los miembros de la pareja en vías de separación, con un concierto en el que un virtuoso ejecuta casi

161

sobrenaturalmente el vals "Mephisto" de Liszt?, o ¿qué relación puede existir entre una mujer que cuando viaja toma somníferos, a bordo de un tren de Veracruz a México, con el problema de la escritura misma del relato que ella empieza a leer, enfundada en un cómodo y hermoso piyama de seda azul? ¿Por qué un relato que podría ser llana y simplemente una escena de la vida conyugal, tema constante en las obras de Sergio, y problema medular de su última novela, exige esa mediación? ¿Qué es lo que se nos cuenta en el relato? ¿Son los problemas de una mujer que advierte al leer otro relato, el de su marido, que su historia con él está totalmente terminada?, o ¿se trata de definir la forma como el autor, su marido, ha construido el relato que ella lee en una litera, en pleno viaje?, o, para seguir abundando en esta cuestión, ¿importa más ese otro relato que se construye de manera triangular, cuando pone en escena tres conciertos realizados en tres ciudades diferentes, Roma, París, Viena?, aún más, ¿por qué ese relato nunca acaba de perfilarse, al ser contado por su autor, pero leído por la mujer de ese autor, después de tomar unas pastillas para dormir, en un viaje en tren, de Veracruz a México, vestida con un piyama de seda azul, acostada en una litera? ¿Por qué, insisto, ese relato no acaba nunca de definirse y por qué se nos presenta en tres formas, debidamente inscritas dentro del cuento que las contiene como tres nociones posibles no sólo de explicación de un enigma, sino de una probable escritura de ese mismo relato? ¿Y no hay también un casi perverso intento de explicación de la factura del relato, intercalada por el narrador? Y, musitada por la ¿protagonista?, ¿esa explicación no nos proporciona aún otra clave que en lugar de aclararnos algo, nos aleja cada vez más de la posible solución?

Y una vez localizada la cita, comenzó a releer el cuento desde el inicio y pudo disfrutar de la belleza de ciertas frases, trenzar los hilos, observar que la anécdota, como en casi todo lo que escribía, era un mero pretexto para establecer un tejido de asociaciones y reflexiones que explicaban el sentido que para él revestía el acto mismo de narrar. En sus primeros cuentos las asociaciones eran más libres, un surtidero de imágenes y acontecimientos *por lo general unidos con una sutura muy enterrada y cuya conexión el lector no lograba advertir hasta bien avanzada la lectura*; en los posteriores el discurso serpenteaba por un cauce más lento, más espacioso también, donde con deliberación se dejaba sentir el eco de ciertos

autores alemanes y sobre todo austriacos que lo habían entusiasma-
do desde sus años de estudiante.[1]

Pero, a pesar de su aparente transparencia, esa clave hace aún más
intrincado el relato: ¿En qué consiste esa sutura tan enterrada,
siempre presente aún en los relatos más serpenteantes? ¿Nos
tranquilizaría decir que Sergio echa mano de ese procedimiento
conocido como la puesta en abismo que siempre nos remite a otras
figuras centrales, pero que nunca se tocan? Esbozo un asomo de
respuesta, acudiendo de nuevo al autor: "La necesidad de desentrañar el misterio, había llegado a poseerlo de una manera muy viva",
piensa el niño protagonista de uno de sus cuentos, "La casa del
abuelo".[2] Pero esa necesidad se enfrenta al terror de desvelar "la
presencia de lo vedado", imposible de verbalizar, pero sí de rodear,
con la ventaja de que este procedimiento propicia "una actitud de
saludable lejanía".

La cercanía con lo vedado nos conduce de nuevo al abismo. Y
vuelvo a detenerme porque la palabra abismo se aproxima a varias
nociones que se relacionan con la profundidad, el infinito, el vértigo
y la fuga.[3] ¿A qué profundidad nos remite el relato? ¿Es a la anécdota o a la noción misma de escritura? ¿O es, quizá, al intrincado
tramado que las informa?

Y es aquí, muy probablemente, en esta zona de sombra vertiginosa, en el mismo centro del punto de fuga donde reside una de las
mayores virtudes de la escritura de este autor enigmático. Ese punto
de fuga donde se inicia la sombra coincide a la vez con la preocupación del relato, la anécdota misma que se narra, es decir, el punto
de partida imprescindible, una de las bisagras sobre las que se
articula la sutura. La anécdota instaura la noción de realidad,
fundamental para que el relato adquiera forma. Una vez definida la
anécdota con precisión, se puede empezar a establecer "ese tejido
de asociaciones" necesario para dar cuenta del "hecho mismo de
narrar" y prescindir en apariencia de la anécdota, que, sin embargo,

[1] Michel Foucault, *Raymond Roussel*, Buenos Aires, Siglo XXI, 1973, pp. 11-12.
[2] Sergio Pitol, "La casa del abuelo", en *Vals de Mefisto*, Barcelona, Anagrama, 1984,
p. 14.
[3] Sergio Pitol, "Asimetría", en *Asimetría*, México, UNAM, 1980, p. 46.

163

permanece siempre como trasfondo esencial, uno de los puntos más sólidos, es decir, de nuevo con palabras del propio autor... "para ella, la palabra debía someterse y hasta ser el resultado de una trama. *Las olas* o el *Ulises* —acostumbraba decir— eran entre otras cosas producto de las múltiples anécdotas en que descansaban".[4] La anécdota es, entonces, el apoyo, el andamiaje de la estructura narrativa, sin ella, el texto no tendría sustento, y sin embargo se nos antojaría prescindible. Y es porque sobre ella, sobre la anécdota, se monta otro andamiaje más sutil, más misterioso, un texto que parece explicar el sentido del verdadero texto. A tal grado que...

> Tan dudosos aparecen su estatuto, el lugar donde se erige y donde deja ver lo que muestra, las fronteras hasta donde se extiende, el espacio que sostiene y socava a la vez, que sólo alcanza en un primer deslumbramiento, un efecto: propagar la duda, extenderla por omisión concertada allí donde no tenía razón de ser, insinuarla en lo que debería estar protegido, y afincarla hasta en el suelo firme en que él mismo se arraiga.[5]

Otra de las amarras, otro de los ingredientes necesarios para producir los misteriosos ligamentos que confirman la sutura y que van implícitos en la forma de producción del escritor que nos ocupa, es la forma de narrar de los otros, de aquellos que han decantado a su vez una escritura, esa escritura que el autor del relato consume, colocado en abismo dentro del texto en donde se lee la narración, y que se maneja como "eco" de manera deliberada. ¿No es acaso éste el procedimiento esencial utilizado por Sergio en el "Relato veneciano de Billie Upward", inscrito en el libro de cuentos que analizo como otro relato aislado, y que también constituye uno de los capítulos de su segunda novela *Juegos florales*? Quizá en ningún otro cuento de Pitol veamos con tal claridad este método, en él circulan muchos otros relatos, muchas otras teorías perfectamente verbalizadas, a veces sin mencionar al autor, y otras con una prolija anotación de quién lo ha producido. Algunos de los relatores más evidentes son Henry James, Jorge Luis Borges, Thomas Mann o Lewis Carroll, éste, un poco más secreto, más velado: Alice,

---

[4] Lucien Dälleubach, *Le récit spéculaire. Essai sur la mise en abyme*, París, Seuil, 1977.
[5] Michel Foucault, *op. cit.*, pp. 15-16.

la protagonista del cuento narrado en *off* por Gianni, se refiere a un relato escrito por la ya mencionada Billie Upward —e intitulado significativamente "Cercanía y fuga"—, descrito así...

> descubre que su aparente hermetismo había sido creado con toda conciencia para configurar el clima de ambigüedad necesario a los relatos narrados y así permitirle al lector la posibilidad de elegir la interpretación que le fuera más afín. Hay algo de libro de viajes, de novela, de ensayo literario. De la fusión o choque de esos géneros se desprende el *pathos*, continuamente interrumpido y con reiteración diferido del relato. Hay influencias evidentes de James, de Borges, del *Orlando* de la Woolf. Hay también ya cierta profecía de su propio destino.[6]

Y no puede ser de otra manera, porque en estos textos, en los que por la coquetería de un lector no ha vacilado en colocar un narrador, se esconden los elementos de un conjunto infinito que pueden ponerse en correspondencia y condensarse en este nuevo ejemplo que analizo (el de Billie Upward), gracias a otro relato clave, el de *El retorno de Casanova* de Schnitzler. Este libro que Sergio publicara en su hermosa colección La Línea de Sombra juega el papel del libro dentro del libro de la misma manera que en el *Hamlet* de Shakespeare se juega el papel del teatro dentro del teatro.

> ¡Una historia sobre Casanova! ¡Un retrato abyecto y repulsivo! ¡Un viejo miserable! Tal era el tema del libro recién leído. Se resiste a creer en la verosimilitud del relato, a menos que se trate de un juego de convenciones que intenten alcanzar una verdad poética. Eso sería ya distinto: el autor describía ciertas situaciones para convertirlas en símbolos de algo distinto. ¿De qué?[7]

Los distintos autores intercalados permiten por lo tanto desencadenar una reflexión que interroga dentro de la obra misma el proceso de su escritura; esa intercalación funciona como el homenaje que un lector sabio y refinado les ofrece a quienes constituyen un eco de su propia escritura, pero también como detonadores del propio relato. Schnitzler es en este caso, en el cuento que vengo analizando, el que

---

[6] Sergio Pitol, "Relato veneciano de Billie Upward", en *Vals de Mefisto, op. cit.*, p. 32.
[7] *Ibid.*, 39.

propicia la aventura, al descubrirle a la narradora su propio deseo, lo que a su vez la hace entrar en un ritual y su puesta en escena. Asiste como espectadora —igual que el lector— a la celebración de una ceremonia, organizada dentro del relato como parte de un ritual. ¿Sería este ritual o los múltiples rituales que se insertan en varios de sus relatos los que permitirían descifrar el símbolo? Quizá porque de nuevo, como bien dice el narrador en la cita que acabo de leer, este símbolo no remita a nada, o en todo caso a la formulación de una nueva pregunta y a la estructuración de la escritura.

> Eso sería ya distinto: el autor describía ciertas situaciones para convertirlas en símbolos de algo distinto. ¿De qué? [...] La promesa de la clave, a partir de la formulación que la entrega, esquiva lo que promete, o más bien lo traslada más allá de lo que ella misma puede librar —a una interrogación que alcanza toda la obra de Roussel [Pitol].[8]

Sin embargo, hay que insistir, esa promesa, la que indica que podemos encontrar una clave, está formulada en forma de ritual, y despliega ante nosotros la brillantez de una ceremonia, aunque esa ceremonia vaya casi siempre presidida por un signo negativo, paródico, la ceremonia como caricatura: "Alice intuye que el drama contemplado el día anterior al final del ensayo era falso, un juego inventado por esos tres despojos humanos para fingir que su vida es interesante y aún la sacude la pasión."[9]

Y estos juegos, como los juegos que Carroll le inventa a Alicia, terminan con la muerte, aunque también la muerte sea una caricatura, o mejor, una metáfora: "La fruición del narrador revela esa crueldad que posee en los más insólitos momentos a las tribus del desierto —dice Sergio en 'Nocturno de Bujara'; pero, continúa— como en *Las mil y una noches,* tales relatos carecen de sangre real, son una especie de metáforas de la fatalidad, de las cuitas y fortuna que integran el destino humano."[10]

Y quizá estemos aquí ante la única certeza, la literatura opera como metáfora de la realidad. Quizá también estemos frente a una obra que con su riqueza nos envuelve y nos fascina, al tiempo que

---

[8] Michel Foucault, *op. cit.*, p. 15.
[9] Sergio Pitol, "Relato veneciano de Billie Upward", *op. cit.*, p. 56.
[10] Sergio Pitol, "Nocturno de Bujara", en *Asimetría, op. cit.*, p. 101.

nos obliga a releerla para intentar descifrarla, como esos cuentos de hadas en los que el héroe roba la llave de la puerta secreta para descubrir el tesoro oculto y al hacerlo se encuentra que el secreto está en otra parte. Su búsqueda y su probable encuentro no están lejos de lo prohibido. El acceso opera como prohibición, y esa prohibición conduce a un equívoco, a una clave remota indescifrable, pero deleitosa.

# JOSÉ EMILIO PACHECO:
# LITERATURA DE INCISIÓN

Alguien lee sentado en un parque un anuncio del "Aviso oportuno" y en esa lectura de múltiples asuntos que, desarrollados, permitirían la elaboración de muchos relatos novelescos, se inicia otra lectura: la que impone el narrador omnividente sobre el lector, reproduciendo la polaridad sobre la que se construye el libro: "Con los dedos anular e índice entreabre la persiana metálica: en el parque donde hay un pozo cubierto por una torre de mampostería, el mismo hombre de ayer está sentado en la misma banca leyendo la misma sección, el 'Aviso oportuno', del mismo periódico: *El Universal*." Alguien mira desde arriba, oculto tras una persiana, a otro alguien que abajo lee. La mirada del que observa al lector se unifica con la del narrador anónimo que a veces aparece en la textualidad con la designación expresa de narrador omnividente y la mirada vuelve a revertirse siguiendo las líneas de refracción más puras, reiterando el modelo de construcción del texto: juego, enigma, adivinanza planteados como diálogo entre un lector y un observador.

Juego, enigma, adivinanza que se organiza siempre desde la mirada. Novela de mirada, pues. Como toda novela, en suma, pero con un discurso intertextual que anuncia su modo de producción. Noé Jitrik definía (en una lectura sobre *Morirás lejos*) esta organización como "una producción que inquiere sobre su forma de producción", mirada persecutoria de hipótesis organizadas de manera semejante a la sección clasificada de los periódicos donde se amontonan noticias de todo tipo apenas integradas y distanciadas entre sí por las secciones fijas que las alojan.

La fragmentación del texto es la fragmentación de las hipótesis. Su unidad, la polaridad de las miradas. Su ordenación es la incisión. Las hipótesis siempre sugieren una duda y el intento por descifrar el enigma exige la presencia de un perseguidor, corporificado aquí simultáneamente en el narrador omnividente y en el lector que organiza los enigmas. En este sentido el libro se ordenaría según los cánones del *nouveau roman* en donde entrarían también en México, *Los albañiles* de Leñero, *Farabeuf* de Elizondo y *Sabina* de Julieta Campos; decirlo no significa empero, más que situar estas novelas en una intertextualidad, que nos devuelve por refracción a Borges, máxima intertextualidad de Latinoamérica y paradigma de la literatura occidental.

## El esquema de la persecución

*Morirás lejos* es entonces la historia de una persecución organizada siguiendo lo que a partir de Gide se llama en la jerga literaria la *mise en abyme* o la puesta en abismo, antes identificada como la trama dentro de la trama, trama paralela o teatro dentro del teatro. Este sistema, también llamado de la caja china, podría sintetizarse como la forma de producción textual en donde uno de los elementos de la trama ofrece una relación de similitud con la obra que lo contiene. Esta forma es muy vieja en la literatura y uno de sus ejemplos más definidos sería *Las mil y una noches*; José Emilio la cita diciendo: "pues sabe que desde antes de Sherezada las ficciones son un medio de postergar la sentencia de muerte" o de anularla o de resucitar en la lectura a los cuerpos muertos. La *mise en abyme* aparece, como definición literaria, en los diarios de Gide en 1893:

> Me interesa particularmente que en una obra de arte se encuentre traspuesto, a escala de los personajes, el tema mismo de la obra. Nada establece ni aclara mejor las proporciones del conjunto. Así en algunos cuadros de Memling o de Quentin Metzus, un pequeño espejo convexo y sombrío refleja, a su vez, el interior de la pieza donde sucede la escena pintada, también en el cuadro de *Las meninas* de Velázquez (pero de manera un tanto diferente). En literatura, en *Hamlet,* en la escena de la comedia; y además en muchos otros dramas. En *Wilhelm Meister* las escenas de marionetas o de fiesta en el castillo. En "La caída de la Casa de Usher", la lectura que se hace a Roderick, etcétera. Ninguno de estos ejemplos es totalmente exacto. La representación o la muestra más exacta de estos que propongo en mis *Diarios* estaría en mi *Narciso* y en *La tentativa:* la comparación con el procedimiento de los escudos que consiste en colocar dentro del primero otro blasón "en abismo".[1]

---

[1] Lucien Dällenbach, *Le récit spéculaire. Essai sur la mise en abyme*, Seuil, París, 1977.

La reconstrucción histórica de las masacres organizadas para destruir a los judíos, a lo largo de los siglos, se construye siguiendo distintos tipos de ordenación (alfabética, ordinales en varios idiomas, números romanos, números arábigos, etcétera) y de inscripciones tipográficas y, además, de títulos: *Diáspora, Gross Aktion, Totenbuch, Götterdammerung*. La destrucción del Templo por los romanos, la destrucción del Ghetto de Varsovia, corresponden a los dos primeros títulos y reflejan, justamente, es decir, son perfectamente especulares, pero sin tocarse: los romanos destruyen a los judíos que han organizado una resistencia y se han parapetado para defenderse de sus agresores y queman el Gran Templo de Jerusalem: los judíos del Ghetto de Varsovia se levantan y son aniquilados a sangre y fuego, suerte que también corre la sinagoga. *Totenbuch* es el libro de los muertos en los campos de concentración: Treblinka Maidanek, Bergen Belsen, Auschwitz. *Götterdammerung* es el Ocaso de los Dioses mítico e histórico. Cada una de estas divisiones textuales se enfrenta a la enumeración de las hipótesis en "Salónica", otro cuerpo narrativo del relato: el que lee (en el parque) es considerado por *eme* (el que mira desde la ventana) como perseguidor (aunque *eme*, en todas las hipótesis, haya sido siempre otro perseguidor) y el narrador omnividente va dosificando las probables identidades del personaje que lee o vigila para proyectar luego su reflejo en el que toma la persiana entre sus dedos anular e índice: eme puede ser un oficial alemán que se esconde o puede adoptar cualquiera de las identidades que las posibilidades históricas le otorguen, para destruir a su vez la identidad víctima-verdugo, perseguidor-perseguido y revertirla en cualquiera de las dos direcciones. La *mise en abyme* se subraya, pues semánticamente la palabra abismo convoca las nociones de profundidad, de infinito, de vértigo, de caída y los espejos pueden provocarla. Si se consulta un tratado de heráldica se subraya la especularidad: "El abismo es el corazón del escudo. Se dice que una figura está en abismo cuando aparece con otras figuras en medio del escudo, pero sin tocarlas en absoluto" (citado por Dällenbach). Todas las historias se contienen y se reflejan como en las tramas paralelísticas de los dramas isabelinos (véase *La tragedia española de Kyd*), subrayando con los relatos las semejanzas, las correspondencias, subrayando las identidades históricas, pero dándoles también su carácter individual. La historia de los personajes involucrados en "Salónica", personajes individuales que pudiesen ser los protagonistas de una novela tradicional, se desdibujan y acaban convirtiéndose en símbolos múltiples con lo que se colectivizan.

## La persecución y la incisión

*Morirás lejos* relata la historia de una persecución, un intento por destruir a un pueblo a lo largo de la historia y, por ello sería la historia de un genocidio. La culpabilidad se persigue instituyendo un tribunal que organiza las hipótesis como en un caso criminal, para inquirir sobre ellas. Noé Jitrik insiste en la actividad incisoria del texto de Pacheco, texto dividido en incisos que se comunican entre sí por marcas impresas tipográficamente en el texto y, el personaje del relato hace incisiones en la pared de yeso al tiempo que se plantean las hipótesis. Una mano se imprime en el cemento fresco dejando sus huellas: la mano individual graba en la palma su destino. Una de las características fundamentales es la necesidad de inscribir algo dejando una marca definitiva, la marca que troquela a quienes han pasado por un campo de concentración, o la incisión que remonta a épocas muy lejanas, pues ya Caín va marcado y el señalamiento divino es siempre concreto. Ser señalado por Dios es volverse Jonás o Job, también Jeremías, Ezequiel o el profeta Jesús que aparece en el texto de Pacheco. En un campo de concentración llevar un número es la marca del judaísmo como lo era antes en el Ghetto llevar la Estrella de David en la solapa. La circuncisión es en sí otra forma de incisión y de diferencia, de señal.

El proceso de inquirir es en sí mismo, pleonásticamente, inquisitorial y se refiere tanto a la actividad que define a la proposición de los enigmas y sus soluciones (como en *Otras inquisiciones* de Borges) como al proceso que el santo tribunal de la Inquisición erigiera (o erigía) contra los herejes. En la novela este proceso inquisitorial se organiza en contra de Isaac Bar Simón o Pedro Farías de Villalobos:

> A Villalobos, hombre pródigo, le debían favores todos los habitantes de Toledo, incluso el Tribunal de la Inquisición —recuerda Pacheco—. Y pasados cinco años en la Casa de Penitencia —cinco años que no fueron de torturas (prohibidas por la ley) sino de un solo continuado tormento— sus amistades consiguieron del Santo Oficio que el judaizante no muriese en la hoguera.

171

Las marcas de la tortura dejan incisiones en los cuerpos: "látigo sobre la espalda desnuda", "incisiones en las palmas de las manos y en las plantas de los pies", troquelamientos, etcétera. El inciso correspondiente a Villalobos es también, dentro del proceso narrativo, una de las instancias formales en que la producción inquiere sobre su forma de producción y esboza una teorización sobre el cuerpo de la novela marcando con especialidad su significación: "Algún medio permite el conocimiento innecesario de que este hombre piensa en una obra en un acto, no muy ambiciosa ni original, que podría llamarse por el lugar en que se desarrolla 'Salónica'." Esta hipótesis que organiza una posibilidad más de las adivinanzas es especial en el texto porque elabora no sólo datos sobre la identidad del personaje sino sobre la estructura narrativa cambiándola o sugiriendo un cambio: la dramaturgia, es más, esta dramaturgia ha de organizarse siguiendo el patrón que ya ha marcado Shakespeare en su *Hamlet*. La *mise en abyme* se completa. El blasón se enriquece con otra incisión textual: "No, no es precisamente un dramaturgo: se trata de un escritor aficionado que al salir de la fábrica de vinagre descansa en el parque y lee el 'Aviso oportuno' en busca de un trabajo menos contrario a sus intereses que le permita dedicar algunas horas a sus proyectos." La obra inquiere sobre *su propio* modo de producción.

## Drácula y Pacheco

El libro de Pacheco sólo entraría en lo que ha dado en llamarse la literatura fantástica por la acumulación del horror y por el suspenso de la inquisición, aunque éste se anule en la clasificación. Pero entra también por la relación que mantiene con la figura de Drácula, figura, ésta sí, de la literatura fantástica y mencionada una vez en el cuerpo del relato que nos ocupa: "eme, para recordar a Fritz Lang y a una película que usted, él y yo vimos en la Alemania de 1932: *M, el vampiro de Dusseldorf* retrato de un criminal que muy pronto, con el ascenso de Hitler al poder, de monstruo se convertiría en paradigma".

El monstruo convertido en paradigma tiene la misma inicial del personaje M, sobre el que se inquiere en la novela, pero su diferencia se marca con una mayúscula: *eme* es el personaje anónimo y *M* el

individual, en el que la monstruosidad se singulariza. La monstruosidad de Drácula radica en su capacidad de hacer incisiones con los
dientes, de marcar el cuerpo de las víctimas con un punto rojo como
de alfiler, pero por esa incisión efectuada en la yugular la sangre de
la víctima pasa a la sangre del verdugo. Tanto Pacheco como Borges
y Bram Stocker manejan una literatura obsesivamente inquisitorial,
la lista de hipótesis que el narrador (Pacheco) organiza para desdibujar
a eme prometiendo revelar su identidad aborta como aborta la
investigación policial de *Los albañiles* de Vicente Leñero. "La
muerte y la brújula", revela la identidad del asesino y "El jardín de
senderos que se bifurcan" (ambas obras son de Borges) resulta una
historia de espionaje, pero siempre a nivel de una lectura superficial
del texto, la anecdótica. Las lecturas sucesivas prescinden de ese
nivel y nos devuelven al plano teórico. El *Drácula* de Bram Stocker
es una novela compuesta de fragmentos de diarios íntimos, de in-
formes oficiales, de periódicos, de telegramas, de mensajes, de
memorándums, de cartas comerciales, de notas, es, pues, un discurso fragmentario como *Morirás lejos*, a su vez compuesto de una
historia mínima, de hipótesis sobre ella, de datos históricos sobre
los judíos de la Diáspora, etcétera. Estos libros corroboran su intento por troquelar, mediante inquisiciones y torturas el cuerpo de
las víctimas y el cuerpo del relato y los textos coinciden en ser
indefinidos y abiertos. Drácula termina traspasado en justo castigo por haber traspasado el cuello de sus víctimas y haberlas desan-
grado; sin embargo, se mueve, sobrevive, resucita. Las hipótesis
clasificadas alfabéticamente por Pacheco se cierran sobre el alfabeto, pero se continúan como hipótesis en torno a una obsesión que
nunca se sacia y queda siempre abierta. Los campos de concentración y la destrucción de Jerusalem por los romanos son Historia,
pero esa historia sigue en Vietnam, reiterando la capacidad de olvido, la desmemoria de los hombres y de los pueblos: la personalidad de eme es hipotética, no se define, su capacidad de irradiación
proyecta una interminable catalogación que transita por diversos
alfabetos, pasea por distintas lenguas y deja su marca tipográfica repetitiva y variada.

La insistencia en la señal, en la marca, en la diferencia se enfrenta
a otra insistencia, la de la hipótesis que en lugar de fijar, de definir,
de marcar, desdibuja, desvía, indetermina. En *Drácula* la figura del
conde es definitiva, todos hablan de él, todas las cartas y documen-

tos que se acumulan en el espacio narrativo convergen en su figura y, sin embargo, la obsesión que marca a los personajes se enfrenta a una ausencia. Drácula existe en el texto, pero nunca habla, es más, *nunca* es visible, pues ni los espejos lo reflejan. El personaje eme se pierde en la clasificación alfabética que lo cataloga como un ente inesencial, anónimo, invisible: "No hay nadie tras la ventana, eme, efectivamente, murió hace más de veinte años": eme contrasta en su anonimato con Yo, Josefo Flavio, cuando relata la destrucción del Templo de los Judíos: "I. Yo, Josefo, hebreo de nacimiento, natural de Jerusalem, sacerdote, de los primeros en combatir a los romanos, forzado después de mi rendición y cautiverio a presenciar cuanto sucedía me propuse referir esta historia." Yo, Pacheco, no existe, existen las diversas posibilidades de existencia de eme de quien sólo emerge una mano. La verdadera presencia es siempre la que marca, la que graba la incisión, como la verdadera presencia de Drácula es la que deja su marca en el cuello que se desangra por el colmillo, que penetra en la carne y recoge la sangre.

Los perseguidos por los nazis desaparecen o viven con el troquel que ellos les han impreso en el cuerpo, como el hierro que marca a los ganados. Los que Drácula marca se sangran, o guardan, si lo sobreviven, la incisión de un colmillo que busca la resurrección. Los judíos también aspiran a la resurrección y Salónica y la Diáspora y el Totenbuch relatan la historia de su destrucción, pero también la de su sobrevivencia.

## Muerte y resurrección

La figura de Drácula sólo mencionada en el texto refuerza por su significación el paralelismo de las historias especulares. Otros elementos se marcan como códigos temáticos: el pozo y la torre y, también, las murallas que determinan relaciones alegóricas y simbólicas con la Torre de Babel, imagen a la vez visual y textual o, ambas cosas definidas en la integración que de ellas hace la mirada. "Juan y los suyos —dice Josefo— defendieron el pórtico septentrional del Templo, la Torre Antonia y el sepulcro de Alejandro. Simón ocupó la tumba del sumo sacerdote Juan y la acequia que conducía el agua hasta la torre Hípicos."

En "Salónica" el paralelismo es semejante: "no es la vecindad de apartamientos simétricos ni la quinta de ladrillos blancos edificada setenta años atrás, cuando el terreno en que están el Pozo en forma de torre, el hombre que lee sentado en una banca y quien lo vigila tras la persiana entreabierta, era el barrio de un pueblo que la ciudad asimiló". La defensa se organiza edificando murallas que obviamente serán destruidas por los ofensores, pero la muralla que aísla y que defiende (repetida en el Ghetto de Varsovia) se reconstruye después de derribarse. "Olor a vinagre durante años. Durante años esperar hasta hacerse visible. ¿Y el pozo? El pozo también. También la torre es amarilla... El lugar se diría pacífico y hasta, en su extrema aridez, agradable. Agradable para esconderse, para rehuir durante años el acecho, el castigo." El mismo pozo y la misma torre que antes defendían ahora esconden:

> Muerte. Transfiguración. Leyenda. Dormir todo un invierno que ha durado veinte años mientras el propio cuerpo secreta materias viscosas, fabrica alas, colores, nuevas habilidades. Yacer oruga en un parque con olor a vinagre y salir —cuando los hilos se retiren, cuando la nueva edad del fuego cubra el mundo— convertido en alguna mariposa de las que ornaban allá por 1907 o 1908 en Francfort, Munich o Dusseldorf, el álbum de zoología, los cuentos de la infancia ya tan remota de eme.

La transformación de la crisálida que añora eme, el descanso de veinte años que esconden al verdugo adquiere otra connotación cuando se recuerda el principio del libro y se lee:

> en la semiterraza de losetas rectangulares donde caen las hojas de los pinos y en ciertos meses aquellos gusanos torturables que los niños llaman azotadores y que, eme, nostálgico, primero vivisecciona con una hoja de afeitar y luego aplasta, o bien arroja al boiler. En él los gusanos evocan, coruscantes y a punto de precipitarse por la rejilla, entre la ceniza aún moteada de fuego, la imaginería católica del infierno.

Y el templo fue quemado y el Santo Oficio condenaba a la hoguera y la cámara de gases la recuerda como la recuerdan las torturas por congelación que los nazis experimentaron ya al final de la guerra en una de las posibles identidades de *eme*. La Torre de Babel se superpone como imagen degradada, amarillenta, que reproduce en una revista la pintura de Breugel.

Tal vez sea una forma inconsciente de recordar los campos. En ellos se hablaron todas las lenguas y sus habitantes mayoritarios fueron a su vez esparcidos sobre la tierra. O es quizá una metáfora para significar que el Tercer Reich pretendió erigir en todo el planeta la torre de un imperio milenario, como aquellos sobrevivientes del Diluvio llegados a la vega de Shinar. Pero en vez de ladrillo a cambio de piedra y betún en lugar de mezcla emplearon la sangre y el terror.

En el cuadro, añade un poco después, "prevalece la irrealidad". La torre asociada al olor de vinagre, a la acequia o el pozo adquiere una connotación apocalíptica, la de la destrucción. Esto es obvio, pero también las torres, los pozos y las murallas se asocian muy a menudo con los albañales:

> En las cloacas o subterráneos de Jerusalem hallaron los cadáveres de dos mil que se dieron muerte entre sí o que se suicidaron o como tantos otros que se consumieron por hambre. Aunque el olor del pudridero los rechazaba, los soldados bajaron en busca de tesoros ocultos. Su ambición resultó satisfecha.

Y luego: "Los nazis vaciaron los estanques de Varsovia para anegar las cloacas... pero ignoraban las complejidades del sistema y los judíos fueron capaces de drenarlo por medio de una válvula de emergencia, antes que las aguas negras invadieran los refugios."

Lo excrementicio, la mugre, los piojos, las ratas, la promiscuidad, son una de las facetas de la destrucción y organizada siempre en lugares que encierran, que almacenan, que acosan: el sitio de Jerusalem que dispersó a los judíos sobre la faz de la tierra, el Ghetto que fue su tumba y su fortaleza en Varsovia, los campos de concentración a los que llegaban en convoyes, donde la gente se amontonaba, para desembarcar en lugares, para el exterminio de la cámara de gases. Las celdas de la tortura, las mazmorras inquisitoriales, la ciudad rodeada de montañas. Y de esa literatura que evoca la cloaca surge un olor acre de albañal, parecido al vinagre, que identifica a la ciudad de México por su esmog con esa atmósfera de destrucción que juega a la construcción reiterada para preparar la destrucción:

> El aire está contaminado. Insensiblemente su ponzoña corroe y desgasta todo. Las sustancias tóxicas flotan sobre la ciudad; las mon-

tañas impiden su salida, los bosques fueron talados y ya no hay en la cuenca vegetación que pueda destruir el anhidrido carbónico.

Y ahora la semineblina, la antepenumbra, el humo y los desechos industriales, el polvo salitroso de las lagunas secas han velado las escarpaciones y contrafuertes del Ajusco.

El Ajusco que para Martín Luis Guzmán era el signo de una estética inmersa en una región donde el aire era sobre todo transparente, se convierte en una metáfora escatológica, en una región infestada donde los hombres pierden su humanidad y se apelmazan: "al poco tiempo hay que resolverse a orinar y a cagar en el suelo a la vista de todos; en seguida empezará la disputa por una franja de espacio, por una rendija que permite aspirar el aire libre; la irritación contra los culpables se descarga en otras víctimas".

La incisión, la inquisición perpetua que inmoviliza a *eme* en una lista alfabética de clasificaciones se calcifica para volverse la Torre de Babel, nueva alegoría de la sociedad tecnificada que hace del mundo un espacio concentracionario donde la posibilidad de resurrección ya no es poética como en el conde Drácula que vampiriza por amor y para conservar su cuerpo, sino apocalíptica e irreversible.

Y en este acto malabar de especularidad, en esta *mise en abyme*, los escudos se superponen sin tocarse: Eme y M, vampiro y Vampiro. Eme es M, hombre y Hombre, mundo y Mundo y *Morirás lejos*, cuyo tema nada tiene que ver con México porque la ciudad es sólo su *utopía* (su *no* lugar) se convierte, por obra de la proyección vertiginosa de los escudos, en el cierre de una tradición que ha empezado con Martín Luis Guzmán y se precipita (*pero sin tocarse*) en una realidad geográfica, la misma (pero distinta) que hacía del aire que rodeaba al Ajusco un Paraíso por su transparencia, a principios del proceso revolucionario (quizá ahora sí en la utopía), y, que al "revolucionar" la ciudad con el modelo desarrollista, ha hecho de las montañas del Ajusco que nos rodeaban idílicamente en los paisajes del pintor Velasco, un albañal, una *antepenumbra* del Infierno.

# LAS HIJAS DE LA MALINCHE

> *No, no es la solución / tirarse bajo un tren como
> la Ana de Tolstoi / ni apurar el arsénico de
> Madame Bovary... / Ni concluir las leyes
> geométricas, contando / las vigas de la celda de
> castigo / como lo hizo Sor Juana... No es la
> solución / escribir, mientras llegan las visitas,
> / en la sala de estar de la familia Austen / ...Debe
> haber otro modo que no se llame Safo / ni Me-
> salina ni María Egipciaca / ni Magdalena ni
> Clemencia Isaura / ...Otro modo de ser humano
> y libre / Otro modo de ser.[1]*

## ¿Desmitificar o mitificar?

En el ensayo que lleva justamente ese título, *Antígonas,* Georges
Steiner[2] indaga acerca de la vigencia "eterna" de algunos mitos
griegos, y, en especial, el de la Antígona de Sófocles. Por su parte
(en el epígrafe), Castellanos se rebela y busca cancelar las referencias mitológicas: democratizar a la mujer y permitirle su entrada a
la historia sin estridencias; anular actuaciones semejantes a las que
Josefina Ludmer llamó, refiriéndose a Sor Juana Inés de la Cruz, las
"tretas del débil".[3]

Pareciera sin embargo que aún tenemos que mitificar. No acudiré
a las Antígonas, tampoco a Mesalina, ni a Santa Teresa o la Bovary,
ni siquiera a Virginia Woolf. Revisaré de nuevo a la Malinche,[4] mito

---

[1] Rosario Castellanos, *Meditación en el umbral*, antología poética preparada por Julian
Palley, México, FCE, 1985.

[2] George Steiner, *Antigones*, Oxford, Clarenden Press, 1986. Hay traducción al español:
*Antígonas*, Gedisa.

[3] Josefina Ludmer, "Tretas del débil", en *La sartén por el mango*, Patricia Elena González
y Eliana Ortega, eds., Puerto Rico, Huracán, 1984.

[4] Véase muy especialmente Jean Franco, *Plotting Women. Gender and Representation in
Mexico*, Londres, Verso, 1989; también, Georges Baudot, "Malintzin L'irrégulière", en
*Femmes des Amériques*, Actes du Colloque International Toulouse, Université de Toulouse
Le Mirail, 1986; Rachel Phillips, "Marina-Malinche: Mask and Shadows", en Beth Miller,

surgido durante la Conquista y de nuevo muy frecuentado con asiduidad. Voy a ocuparme de algunos aspectos esenciales de esa tradición:

## La Malinche

En la historia de México ocupa un lugar primordial la figura de Malintzin, mejor conocida como la Malinche. De ella dice Octavio Paz:

> Por contraposición a Guadalupe, que es la Madre virgen, la Chingada es la Madre violada... la pasividad [de la Chingada] es aún más abyecta: no ofrece resistencia a la violencia, es un montón inerte de sangre, huesos y polvo. Su mancha es constitucional y reside, según se ha dicho más arriba, en su sexo. Esta pasividad abierta al exterior la lleva a perder su identidad: es la Chingada. Pierde su nombre, no es nadie ya, se confunde con la nada, es la Nada. Y sin embargo, es la atroz encarnación de la condición femenina.
>
> Si la Chingada es una representación de la madre violada, no me parece forzoso asociarla a la Conquista, que fue también una violación, no solamente en el sentido histórico, sino en la carne misma de las indias. El símbolo de la entrega es doña Malinche, la amante de Cortés. Es verdad que ella se da voluntariamente al Conquistador, pero éste, apenas deja de serle útil, la olvida. Doña Marina se ha convertido en una figura que representa a las indias, fascinadas, violadas o seducidas por los españoles. Y del mismo modo que el niño no perdona a su madre que lo abandone para ir en busca de su padre, el pueblo mexicano no perdona su traición a la Malinche.[5]

Si uno estudia la figura de la Malinche, tal y como aparece en los textos de los cronistas, encuentra semejanzas y discrepancias con Paz. La Malinche no fue, de ningún modo, una mujer pasiva como podríamos deducir de la descripción que acabo de citar. Es cierto

---

ed., *Women in Hispanic Literature, Icons and Fallen Idols*, Berkeley, University of California Press, 1983. Recientemente apareció un libro sobre la Malinche: Sandra Messinger Cypess, *La Malinche in Mexican literature, from History to Myth*, Austin, University of Texas Press, 1991.

[5] Octavio Paz, *El laberinto de la soledad*, México, FCE, 1984, pp. 77-78.

que fue entregada a los conquistadores como parte de un tributo, junto con algunas gallinas, maíz, joyas, oro y otros objetos. Cuando se descubrió que conocía las lenguas maya y náhuatl se convirtió en la principal "lengua" de Hernán Cortés: suplantó paulatinamente a Jerónimo de Aguilar, el español náufrago, prisionero de los indígenas, rescatado en Yucatán en 1519 y conocedor sólo del maya. Los "lenguas" eran los intérpretes: Malinche no fue sólo eso, fue "faraute y [su] secretaria" de Cortés como dice, atinado, López de Gómara y "...gran principio para nuestra Conquista" aclara Bernal, es decir la intérprete, la "lengua", la aliada, la consejera, la amante, en suma una especie de embajadora sin cartera, representada en varios de los códices como cuerpo interpuesto entre Cortés y los indios y, para completar el cuadro, recordemos que a Cortés los indígenas lo llamaban, por extensión, Malinche. Más aún en la desventurada expedición de Cortés a las Hibueras, acompaña a don Hernando, después de cumplida la conquista de Tenochtitlan, como uno de los miembros más importantes de su séquito, aunque en ese viaje precisamente Cortés se desembaraza de ella y la entrega en matrimonio a uno de sus lugartenientes.[6] Podríamos sin embargo afirmar que el término malinchismo, popular en el periodismo de izquierda de la década de los cuarenta, durante la presidencia del licenciado Alemán, hace su aparición después de la Revolución y se aplica a la burguesía desnacionalizada surgida en ese periodo: para la izquierda era entonces el signo del antipatriotismo. Paz no utiliza la palabra malinchismo, analiza a la Malinche como mito, la yuxtapone o más bien la integra a la figura de la Chingada, y la transforma en el concepto genérico —porque lo generaliza y por su género— de la traición en México, encarnado en una mujer histórica y a la vez mítica.

En una reciente compilación de textos intitulada *México en la obra de Octavio Paz*, el poeta selecciona para su primer tomo *El peregrino en su patria* varios capítulos de *El laberinto de la soledad*, los cuales fechados y por tanto dotados de historicidad, como se señala en el prólogo, mantienen sin embargo su vigencia, según palabras textuales del autor:

[6] Los cronistas principales de la Conquista de México hablan de la Malinche. Menciono aquí a Francisco López de Gómara, *Historia de la conquista de México*, introducción y notas de Joaquín Ramírez Cabañas, México, Editorial Pedro Robredo, 1943, 2 vols., y Bernal Díaz del Castillo, *Historia verdadera de la conquista de la Nueva España*, México, Porrúa, 1977.

Todo se comunica en este libro, las reflexiones sobre la familia y la figura del Padre se enlazan con naturalidad a los comentarios en torno a la demografía, la crítica del centralismo contemporáneo nos lleva a Tula y a Teotihuacán, el tradicionalismo guadalupano y el prestigio de la imagen de la Madre en la sensibilidad popular se iluminan cuando se piensa en las diosas precolombinas...[7]

Es significativo entonces que en estas páginas se siga leyendo:

Las mujeres son seres inferiores porque, al entregarse, se abren. Su inferioridad es constitucional y radica en su sexo, en su "rajada", "herida que jamás cicatriza". De esa misma "fatalidad anatómica" que configura una ontología, participa la Malinche, el paradigma de la mujer mexicana, en definitiva, la Chingada.

La mujer es, como el campesino, un ser excéntrico, "al margen de la Historia universal", "alejado del centro de la sociedad", "encarna lo oculto, lo escondido"... "Mejor dicho, es el Enigma".[8] El primer límite de la mujer según este análisis es su marginación, su anonimato, su excentricidad. Sí, pero, ¿respecto a qué? Frente a la Historia Universal: desde la Conquista, América existe sólo en su relación con Europa: se está al margen de la Historia si se está al margen de Europa pues sólo en ese continente y en el llamado Primer Mundo puede hablarse de historicidad.[9] "Estar en el centro" es estar en la conciencia europea. Algunos mexicanos lo están; los campesinos y las mexicanas, no.

La segunda marginación se relaciona con el pronombre de primera persona del plural, usado a menudo por Paz en este mismo capítulo intitulado "Los hijos de la Malinche": "Cifra viviente de la extrañeza del universo y de su radical heterogeneidad, la mujer ¿esconde la muerte o la vida?, ¿piensa acaso?, ¿siente de veras?, ¿es igual a nosotros?"[10]

---

[7] Octavio Paz, *México en la obra de Octavio Paz*, t. l: *El peregrino en su patria*, México, FCE, 1987.

[8] *Ibid.*, pp. 59-60.

[9] Véase J.H. Elliott, *El Viejo Mundo y el Nuevo*, Madrid, Alianza Editorial, 1984; Antonello Gerbi, *La disputa del Nuevo Mundo*, México, FCE, 1982; Marcel Bataillon y André Saint-Lu, *El padre las Casas y la defensa de los indios*, Madrid, Ariel, 1976.

[10] Octavio Paz, *El laberinto... op. cit.*, pp. 59-60. Las citas que siguen provienen de la misma edición. Indicaré solamente la paginación en el cuerpo del texto. Salvo aclaración, las cursivas son mías.

"Ser igual a nosotros" presupone de inmediato el complemento "los hombres", y la fijación del otro límite: la mujer. Ella cae en la misma categoría de irracionalidad que los indios, llamados eufemísticamente por Paz "los campesinos", los llamados naturales a partir del descubrimiento o invención de América, objeto de encomiendas y repartimientos. Ser hijos de la Malinche supone una exclusión muy grave, no seguir el cauce de la Historia, guardar una situación periférica —la esclavitud *de jure* o *de facto*—, carecer de nombre o aceptar el de la Chingada que, concluye Paz, "No quiere decir nada. Es la Nada" (p. 74). Ser mexicano sería, si tomamos al pie de la letra las palabras ya canónicas de Paz, un desclasamiento definitivo, caer de bruces en el No Ser: la existencia se define por una esencia negativa que en el caso del mexicano es un camino hacia la Nada: la nacionalidad mexicana no sólo implica una doble marginalidad, también la desaparición.

### Malinche y sus hijas

Si todos somos los hijos de la Malinche, hasta las mujeres, ¿cómo pueden ellas (podemos nosotras) compartir o discernir su (nuestra) porción de culpa y hasta de cuerpo? Llevar el nombre genérico de la Chingada como mujeres es mil veces peor, es carecer de rostro, o tener uno impuesto: para verse hay que descubrir la verdadera imagen, cruzar el espejo, lavar la "mancha", Rosario Castellanos sintetiza en un fragmento de poema esta idea: "No es posible vivir / con este rostro / que es el mío verdadero / y que aún no conozco."[11] Si el hombre mexicano es un no ser, ¿qué es entonces la mujer mexicana, o simplemente, en este caso, la mujer? ¿Cómo se enfrenta ella a esta esencia negativa?

En la década del cincuenta hacen su aparición en la literatura mexicana varios libros escritos por mujeres: María Lombardo de Caso (*Muñecos*, 1953, *Una luz en la otra orilla*, 1959) Guadalupe Dueñas (*Las ratas y otros cuentos*, 1954 y *Tiene la noche un árbol*); Josefina Vicens (*El libro vacío*, 1958); Amparo Dávila (*Tiempo destrozado*, 1959); Luisa Josefina Hernández (*El lugar donde crece la hierba*, 1959); Emma Dolujanoff (*Cuentos del desierto*, 1959);

---

[11] "Revelación", en *Poesía no eres tú. Poesías reunidas*, México, FCE, 1972, p. 179.

y muchos más, pero de especial interés para el tema de este texto, *Balún Canán* de Rosario Castellanos en 1957.[12] En esta novela convergen los dos personajes sin rostro de la historia mexicana, los desterrados de la Historia universal: los indios y las mujeres[13] y, entre ellos, se inserta la Madre Malinche como un demonio en un lugar privilegiado: el de la infancia.

En la década siguiente empieza a multiplicarse el número de novelas y cuentos escritos por mujeres: Elena Garro, Julieta Campos, Inés Arredondo, Elena Poniatowska para citar a algunas; a partir de la década del setenta, y con un aumento prodigioso en la del ochenta, la producción femenina adquiere carta de ciudadanía en las letras mexicanas. No puedo, obviamente, seguir más que una línea de persecución, la anunciada, la de las escritoras que asumen el papel de hijas de la Malinche.

## Los rostros de las hijas

El personaje mítico, el estereotipo interiorizado, definido y poetizado por Paz, aparece en esta narrativa femenina que analizaré: constituye, ficcionalizado y profundamente transformado, una materia genealógica. El característico sentimiento de traición, inseparable del malinchismo, surge en la infancia, época durante la cual las escritoras analizadas fueron educadas por sus nanas indígenas, transmisoras de una tradición que choca con la de las madres biológicas. Esbozo brevemente esa simbiosis:

---

[12] Recordemos que *El laberinto de la soledad* se publicó por vez primera en 1949 como corolario de una serie de estudios sobre el mexicano entre los que destacan el clásico ensayo "Perfil del Hombre", en *La cultura en México* de Samuel Ramos y, en el campo de la narrativa, *El luto humano* de José Revueltas, cuyas propuestas fueron luego continuadas en el marco de la filosofía del existencialismo por el grupo Hiperión: Leopoldo Zea, Luis Villoro, Emilio Uranga, etcétera. A su vez, en una obra posterior de Carlos Fuentes, *La muerte de Artemio Cruz* —década de los sesenta— se conjuga el verbo chingar, como sostén y argamasa de lo narrativo, actuación y desenlace del personaje de la Malinche-Chingada, analizado por Paz.

[13] En la importante novela de folletín decimonónica, *Los bandidos de Río Frío* de Manuel Payno, los jornaleros indios y las criadas o herbolarias indias se llaman simplemente José y María. Asimismo, hoy en día, las vendedoras ambulantes indias que se han desplazado a la capital por los agudos problemas que alcanzan al campo mexicano se conocen aquí con el nombre genérico de las Marías. Véase Lourdes Arizpe, *Indígenas en la ciudad de México. El caso de las Marías*, México, SepSetentas-Diana, 1980.

## Rosario Castellanos: ¿indigenismo?

En su novela *Balún Canán*,[14] la infancia constituye el revés de la trama: sus hilos se bordan en la primera y la tercera partes del texto, narrado en primera persona por una niña de siete años. Es durante la infancia que se inscribe la marca de la traición:

> Este hecho —confiesa Rosario— trajo dificultades casi insuperables. Una niña de esos años es incapaz de observar muchas cosas y sobre todo es incapaz de expresarlas. Sin embargo el mundo en que se mueve es lo suficientemente fantástico como para que en él funcionen. Ese mundo infantil es muy semejante al mundo de los indígenas, en el cual se sitúa la acción de la novela (las mentalidades de la niña y de los indígenas poseen en común varios rasgos que las aproximan). Así en estas dos partes la niña y los indios se ceden la palabra y las diferencias de tono no son mayúsculas.[15]

Y las diferencias de tono no son mayúsculas porque entre la niña y su nana india existe la complicidad de los que no son tratados con justicia ("La rabia me sofoca. Una vez más ha caído sobre mí el peso de la injusticia", p. 17). Advertirla es a la vez percibir que existe una ruptura social, "una llaga", "que *nosotros* le habremos enconado" (p. 17) y reiterada por Castellanos al dejar en la infancia perpetua a los indios y permitir que los niños criollos salgan de ella, al situarse luego en otra perspectiva para escribir la novela.[16] El *nosotros* de Castellanos es muy diferente al de Paz, en este nosotros va implícito un reconocimiento: la niña se incluye entre los otros, los patrones; advierte que la aparente normalidad de un mundo donde hay servidores y señores propicia una zona borrosa que exige una aclaración. El *nosotros* de la niña denota su perplejidad, la percep-

---

[14] Rosario Castellanos, *Balún Canán*, México, FCE, 1983. La paginación corresponde a esta edición. La señalaré en el cuerpo del texto.

[15] "Rosario Castellanos", en Emmanuel Carballo, *Diecinueve protagonistas de la literatura mexicana del siglo XX*, México, Empresas Editoriales, 1965, p. 419.

[16] Le declara textualmente a Emmanuel Carballo: "Si me atengo a lo que he leído dentro de esa corriente (la novela indigenista...), que por otra parte no me interesa, mis novelas y cuentos no encajan en ella. Uno de sus defectos principales reside en considerar el mundo indígena como un mundo exótico en el que los personajes, por ser las víctimas, son poéticos y buenos. Esa simplicidad me causa risa. Los indios son seres humanos absolutamente iguales a los blancos, sólo que colocados en una circunstancia especial y desfavorable", *op. cit.*, p. 422.

ción de un espacio nebuloso conectado con el lenguaje y con la tradición. "Conversan entre ellas, en su curioso idioma, acezante como ciervo perseguido" (pp. 11-12). Los indios no saben español, se comunican con el patrón en dialecto maya, "...con unas palabras que únicamente comprendieron mi padre y la nana" (pp. 31-32). El indio asesinado por sus compañeros ("Lo mataron porque era de la confianza de tu padre", p. 32), la nana alcanzada por un maleficio que la marca ("Porque he sido crianza de tu casa. Porque quiero a tus padres y a Mario y a ti", p. 16) y el desclasado blanco, el tío David, son sospechosos: no delimitan claramente su posición, son traidores, confunden, intensifican la zona intermedia, limítrofe; conectan jirones, retazos de una memoria secular que produce un espacio de tensión. El sentido queda oscilando; es la indefinición clásica de la infancia, agravada por el sexo de quien narra y por el cambio social: la reforma agraria que empieza a alcanzar a Chiapas a finales de la década de los treinta, durante la presidencia del general Cárdenas. Lo histórico, "la tempestad" (como la definen los hacendados, herederos de los encomenderos) precipita la comprensión. Verifica un hecho, recuperado en tiempos de la escritura del libro: "que la memoria (entre los chamulas) —y yo agrego, siguiendo la línea de Castellanos, y entre los niños— trabaja en forma diferente: es mucho menos constante y mucho más caprichosa. De ese modo pierden el sentido del propósito que persiguen".[17] Probablemente, siglos de enajenación les impiden concentrarse, por ello han olvidado su propósito, o, quizá, su forma de simbolizar es totalmente diferente, incomprensible para los "otros" y, por tanto, es vista como inferior y se desprecia.

Resumo: en *Balún Canán* la niña aprende a hablar y a vivir gracias a su nana india; participa, desde fuera, de una tradición ajena, el saber antiguo maya, sus leyendas. El mundo de los padres es hostil, hierático; divide a los hijos según su sexo y determina que el varón es superior a la mujer siguiendo, como debe de ser, la tradición colonial, firmemente enraizada y sobre todo en Chiapas que ha mantenido su estructura feudal hasta muy avanzado el siglo XX; los indios, por su parte, representan un elemento secreto y despreciable de la sociedad, pero sobre ellos recae el peso de la misma: ni siquiera tienen el derecho de hablar el castellano y cuando

[17] *Ibid.*, p. 419.

se les habla en ese idioma se utiliza una arcaica forma pronominal. La conciencia o, al principio, la intuición de la injusticia (su inferioridad en el seno de la familia por no ser hijo varón), acerca a la niña a los indios. Los indios y los blancos están en sitios separados, remotos, altamente jerarquizados y a la vez en indisoluble ligazón: los niños, a cargo de las nanas indias, esas mujeres entrañables, en verdad maternales, mucho más que las madres verdaderas, las criollas de la clase dominante, están insertas en otra tradición que sólo es aceptada durante la infancia. La niña protagonista de la primera y la tercera partes de la novela pierde a su nana, expulsada por la madre; un día cree reencontrarla por la calle: "Dejo caer los brazos desalentada. Nunca, aunque yo la encuentre, podré reconocer a mi nana. Hace tiempo que nos separaron. Además, todos los indios tienen la misma cara" (p. 268). El fin de la pubertad cristaliza el sentimiento ambivalente y concientiza la idea de traición: el estar siempre en deuda con alguien y sobre todo no pertenecer nunca por entero a ninguna de las partes en contienda racial: no se puede ser indio sólo porque una nana india nos haya criado ("—Quiero tomar café. Como tú. Como todos." "—Te vas a volver india [afirma la nana]. Su amenaza me sobrecoge", p. 10). Y, viceversa, no se es totalmente de la clase dominante justo porque uno fue criado por una nana india, si uno es mujer. Hay una añoranza: regresar al paraíso de la infancia, época en que la diferenciación aún no se produce y la traición no se ha consumado todavía o, mejor, no se ha concientizado, no se ha hecho necesario tomar partido, decidir de qué lado se encuentra uno. Una de las soluciones para Rosario Castellanos fue escribir poesía y también novelas con tema indigenista; integrar la autobiografía a la ficción como un arma para desintegrar el mito de la traición.

## Elena Garro: *La semana de colores*

Corren rumores de que Elena Garro había escrito varios de sus textos fundamentales en la década de los cincuenta.[18] De ser así,

---

[18] "En 1953, estando enferma en Berna y después de un estruendoso tratamiento de cortisona escribí *Los recuerdos del porvenir*, como un homenaje a Iguala, a mi infancia..." Emmanuel Carballo, *op. cit.*, p. 504. Sobre Elena Garro y su relación con la Malinche hay

sería contemporánea exacta (en su quehacer narrativo) de Rosario Castellanos. La realidad es que sus relatos más conocidos *Los recuerdos del porvenir* y *La semana de colores* fueron publicados en la década siguiente, en 1963 y 1964, respectivamente. Ambos textos se tocan, están estrechamente vinculados a una materia esponjosa y volátil de la que estaban hechas las visiones de las monjas de la Colonia y que con un andamiaje adecuado puede producir un efecto parecido al de los relatos fantásticos o "real maravillosos (mágicos)" que tan en boga se mantienen y sorprenden a los europeos por su riqueza imaginativa. Releer la literatura monacal explica y sobrepasa la imaginación de García Márquez y corrobora un dato puntual: el mundo femenino atesora un arsenal infinito de narraciones que a la menor provocación dispara los relatos: La mujer como Sharazade...

En uno de sus textos autobiográficos, se lee:

> Mi gran amigo y compañero era [mi primo] Boni Garro, nos parecíamos mucho, sólo que él tenía los ojos azules. En una de nuestras correrías por el monte un arriero me preguntó: —¿Cuál de los dos ancianitos es tu papá, niña? —¿Ancianitos? —pregunté humillada. —Si, tú también naciste ya ancianita, con el pelo blanco. Sus palabras nos preocuparon. En efecto en todos los corridos y las canciones las mujeres tenían el pelo negro y "brilloso". Boni y nosotros quisimos quejarnos de la triste suerte de ser güeros... pero en la casa nadie escuchó. No nos permitían lamentaciones, era falta de pudor.[19]

Ser "güero" equivale entonces a estar "desteñido". Recuérdese que Moctezuma encerraba en su zoológico a los albinos, considerados como monstruos o fenómenos porque su piel blanca contrastaba

---

numerosos ensayos, véase Gabriela Mora, "A Thematic Exploration of the Works of Elena Garro", en Yvette Miller y Charles M. Tatum, eds., *Latin American Women Writers: Yesterday and Today*, en *Latin American Literary Review*, 1977; Sandra Messinger Cypess, *op. cit.*, y "From Colonial Constructs to Feminist Figures: Re/visions by Mexican Women Dramatists", en *Theatre Journal*, 41.4, 1989; Sandra Messinger Cypess, "The Figure of La Malinche in the Texts of Elena Garro", en Anita K. Stoll, ed., *A Different Reality. Studies on the Work of Elena Garro*, Pennsylvania, 1990. No he podido consultar todos los textos.

[19] Elena Garro, *La semana de colores*, México, Grijalbo, 1987. La paginación es de esta edición. Las cursivas, si las hay, son mías. Fabienne Bradu en su libro *Señas particulares: escritora*, México, FCE, 1987, niega implícitamente que los textos de *La semana de colores* tengan un trasfondo autobiográfico. Creo que basta con leer sus entrevistas para comprobar lo contrario; los libros, obviamente, lo corroboran.

con el colorido de la gente de su pueblo. Los albinos son seres decolorados y lo decolorado es lo que alguna vez fue oscuro y se ha desteñido, en suma, lo que no da color, lo amorfo, lo indefinido. Lo blanco es simplemente lo que permite los contrastes, el no color.

En "La semana de colores" (pp. 81-89), el cuento que da nombre al libro, conviven hermanados los días aunque pasen como pasa el tiempo y aunque las sensaciones cambien la tonalidad; los listones de las trenzas brillosas y renegridas de las lavanderas contrastan con las faldas moradas y naranjas de las cocineras de la casa solariega donde transcurre la infancia de las niñas Eva y Leli, idénticas, indiferenciadas, habitantes perfectas de un paraíso que existe sin fisuras, anterior al que evoca la niña que fuera Elena Garro al narrar el episodio recién citado. El ser designadas por los otros como las "güeritas", las "rubitas", el "par de canarios" no produce al principio desazón; sí una engañosa sensación de "formar parte" de un mundo donde uno es parte del cosmos, donde lo diferenciado y lo indiferenciado se amalgaman y el espacio y el tiempo son míticos: un jardín de *Las mil y una noches*, el espacio de Sherazade: "El jardín era el lugar donde a mí me gustaba vivir. Tal vez porque ése era el juguete que me regalaron mis padres y allí había de todo: ríos, pueblos, selvas, animales feroces y aventuras infinitas. Mis padres estaban muy ocupados con ellos mismos y a nosotros nos pusieron en el jardín y nos dejaron crecer como plantas" (Carballo, *op. cit.*, p. 500).

En ese jardín viven también los niños Moncada, los protagonistas de *Los recuerdos del porvenir*, la novela cuya genealogía pareciera trazarse en el libro de cuentos que analizo. La infancia empieza a ser trágica cuando se adquiere conciencia de la identidad, cuando el cuerpo infantil se separa de un todo ("todos éramos uno") que liquida la fusión y marca los contrastes; define los contornos, lacera. En la infancia todo era posible, hasta los extremos más violentos, las diferencias más flagrantes, las de la historia y la leyenda, las de la imaginación y la realidad, las de los criados y los patrones; el paraíso se cancela cuando sobreviene la adolescencia y se distorsiona lo que en la infancia era íntegro, total, primigenio, para dividirse brutalmente.

Eva y yo nos mirábamos las manos, los pies, los cabellos, tan encerrados en ellos mismos, tan lejos de nosotros. Era increíble que mi mano fuera yo, se movía como si fuera ella misma. Y también queríamos a nuestras manos como a otras personas tan extrañas como nosotras o tan irreales como los árboles, los patios, la cocina. Perdíamos cuerpo y el mundo había perdido cuerpo. Por eso nos amábamos, con el amor desesperado de los fantasmas.

La ruptura coincide en este cuento llamado "Antes de la guerra de Troya", justo después de que las niñas terminan la lectura de la *Ilíada*. Y en *Los recuerdos del porvenir* se empalma con una crisis histórica: el triunfo de una de las facciones en pugna después de la Revolución mexicana y el estallido de la guerra cristera —el enfrentamiento de los campesinos católicos contra el gobierno— al final de la década de los veinte. Esa época es vivida por Elena Garro con gran intensidad, porque en ese periodo capta la disparidad, el dramatismo de su sexualidad, al tiempo que concientiza el esquema de la traición, configurado por el mito de la Malinche, que en ella es de signo contrario, de otro color, de otra forma: su Malinche es de pelo rubio, de cuerpo esbelto, de ojos amarillos, piernas largas, como algunas protagonistas de sus cuentos, extrañamente parecidas a la propia narradora. De la Malinche conserva la función, no la figura. ¿Por qué esa trasmutación? Hija del español y mexicana, su infancia transcurre en la provincia, en estrecho contacto con el mundo indígena: "Yo era muy amiga de las criadas de mi casa. Me gustaban sus trenzas negras, sus vestidos color violeta, sus joyas brillantes y las cosas que sabían." Una cultura diferente que contiene su propia estética, donde lo colorido determina las categorías y una sensualidad: uno es el mundo indígena, intenso, fascinante y colorido, y otro el europeo, un mundo de cuerpos esbeltos pero desvaídos, sin poesía. De su íntima relación nace una conciencia culposa, de extrañeza, la sensación de estar del otro lado, del de los invasores, los españoles, y convertirse así en el revés del personaje mítico.

Pueden percibirse netamente en el libro de cuentos varios ejes biográficos antagónicos:[20] la infancia feliz es, cuando se recuerda, una infancia trágica, pero también el paraíso: o quizá la infancia empiece a ser trágica cuando se adquiere conciencia de la identidad, cuando el cuerpo infantil se separa de un todo ("todos éramos

---

[20] Georges Baudot, *Utopía e historia en México*, Madrid, Espasa-Calpe, 1983.

uno") que liquida el mundo de la infancia, produce la desilusión, marca la herida; distorsiona lo que en la infancia era íntegro, total, primigenio, para dividirlo brutalmente. Por ello, se construye un personaje que subvierte las categorías tradicionales. Para descubrir el mecanismo de esa inversión es útil analizar un cuento de *La semana de colores*, "La culpa es de los tlaxcaltecas" (pp. 11-29). El texto se inicia en la cocina. ¿Y qué mejor sitio para la intimidad que este espacio donde se preparan los alimentos, se condimentan los rumores y se propician las confidencias? "La cocina —dice Garro— estaba separada del mundo por un muro invisible de tristeza, por un compás de espera." Allí entra Laura, la patrona, buscando la complicidad con la cocinera; al hacerlo, se transforma, como por un golpe de magia, de nuevo en una niña protegida por su nana. El otro espacio de la casa es la recámara, allí duerme la señora Laurita con el señor, su marido, y su limpieza corre a cuenta de Josefina, la recamarera. Un tercero es el comedor donde conviven criados y padres e hijos, suegras y nueras. Cocina, comedor y recámara son, pues, los espacios de la casa, los espacios de la mujer, los espacios íntimos, los que carecen de historia. En su *Utopía e historia de México,* Georges Baudot explica que en el campo de sus múltiples maniobras Cortés lleva a cabo una acción que "lo lleva a codearse y a relacionarse íntimamente con un mundo indígena que lo alimenta, le aloja y que por mediación de las mujeres que pone a su servicio le desvela la intimidad de sus costumbres" (p. 20). Cortés lo sabía: es en la intimidad, sobre todo en la intimidad vivida con las mujeres, que se descubre la verdadera naturaleza de una cultura. También lo sabe Elena Garro: es en la mesa y en la cama donde se inician todas las cosas. ¿No fue la Malinche una de las mujeres ofrecidas a Cortés como tributo para que les diesen a los españoles de comer y les sirviesen en todos los menesteres incluyendo los de la reproducción?

En la intimidad de la cocina se confiesa la culpa, se verbaliza la traición. Laura ha abandonado a los suyos como los tlaxcaltecas abandonaron a su raza para aliarse con los españoles: peor aún, Laura ha obrado como la Malinche, es la Malinche, se ha hecho cuerpo con ella, pero una Malinche "que ha comprendido la magnitud de su traición", el tamaño de su culpa, por eso "tuve miedo y quise huir", agrega. Y ese tamaño lo cuantifica el hecho de que, siglos más tarde, sea una mujer de la clase dominante la que se conciba a sí misma como traidora, como Malinche: una Malinche rubia que como la indígena traiciona a los suyos pero reforzando el revés de la misma trama porque al traicionar no aumenta las filas de los conquistadores sino las de los conquistados, las de los vencidos: ha asumido su visión. La conciencia de culpabilidad está naturalmente ligada al sexo, a un sexo entrevisto en la infancia con fascinación y temor, con miedo: un sexo ligado a la muerte, un sexo violento, un sexo culpable, el sexo de los otros, los de pelo oscuro y brillante. En este tramado inextricable que son los cuentos de Elena Garro se deslizan sin ruptura varios niveles de relato: En "La culpa es de los tlaxcaltecas" hay un núcleo muy sencillo: puede leerse como la simple historia de una violación, una historia de nota roja: dos mujeres de la clase alta, blancas, suegra y nuera, van por una carretera, cerca del lago de Cuitzeo. Una avería del coche obliga a la suegra, Margarita, a buscar a un mecánico. Laura se queda sola. Aparece "un siniestro individuo, de aspecto indígena", como se lee en un anuncio de periódico inserto en el texto: la violación se cristaliza en un estereotipo: "¡Estos indios salvajes!... ¡no se puede dejar sola a una señora!" Pero la acusación aunque se insinúa nunca se materializa: el traje roto, las manchas de sangre, las quemaduras, son de inmediato, sin transición, el producto de un abrazo, del abrazo de un hombre que está herido.

La Laura del cuento de los tlaxcaltecas vive un amor maravilloso con su príncipe azteca, personaje que aparece y desaparece como en los cuentos de hadas o en las novelas de caballerías: busca a su amada igual que en las novelas de amor, pero como en un cantar de gesta continúa la lucha en el campo de batalla, contra los tlaxcaltecas y los españoles, aunque sepa de antemano que no hay escapatoria. Perpetúa al reincorporarse (en su sentido literal) al siglo XX ese perfil de infancia presente en la novela más conocida de Garro, *Los recuerdos del porvenir*, donde la joven Julia prisionera en el castillo del ogro es liberada por un príncipe montado en su caballo blanco. La infancia con su fuerza redime la mezquina realidad, la necesidad de ser adulto y el tiempo infantil revivido sanciona la alianza con las mujeres de rostro moreno, trenzas negras y brillantes, y configura una temporalidad absoluta en donde los juegos infantiles constituyen la única realidad.

Las niñas del cuento de "Antes de la guerra de Troya" leen la historia de la guerra de Troya: la situación se repite en "La culpa es de los tlaxcaltecas", la señora Laura lee *La verdadera historia de la conquista de la Nueva España* de Bernal Díaz del Castillo; el mecanismo es el mismo, una lectura dispara la irrealidad, la entrada a la leyenda, al cuento de hadas, pero la leyenda y la historia se transforman en la trama particular, cotidiana, de la protagonista, quien en el curso de la lectura descubre que está casada con dos maridos, el verdadero, el indio de Cuitzeo —¿el violador?, ¿el príncipe azteca vencido?— y con Pablo, el marido que no habla "con palabras sino con letras", el hombre de "la boca gruesa y la boca muerta", el que carece de memoria y "no sabe más que las cosas de cada día", en suma, el que no da color, el albino mental, el desmemoriado, el que carece de densidad y desconoce su propia historia. En el primer cuento mencionado, la lectura precipita la conciencia de la individualidad del adolescente, su ruptura con el estado indiferenciado de la infancia. En el segundo cuento, la traición es la bigamia, pero también enamorarse del violador y para colmo de "un siniestro individuo, de aspecto indígena, ...un indio asqueroso", trasmutado en la textualidad, como por arte de magia, en un príncipe de cuento de hadas y al mismo tiempo en personaje de crónica de la Conquista.

### "La espesura del reproche": Elena Poniatowska

En Elena Poniatowska el camino es recorrido de manera diferente, quizá de atrás para adelante. *Lilus Kikus* es un libro autobiográfico, luego vienen los libros de los otros, esos libros donde se pretende dar la voz a quienes no la tienen, *Hasta no verte Jesús mío* (1969), *La noche de Tlatelolco* (1969), *Querido Diego, te abraza Quiela* (1978), etcétera. En *La flor de lis* (1988)[21] Elena usa su propia voz narrativa para dar cuenta de su autobiografía, ficcionalizándola. Podría decirse que la situación de Poniatowska fue similar a la de Castellanos y a la de Garro: su infancia transcurre en el seno de dos ámbitos divididos. Para empezar, su familia es aristócrata: " 'La señora duquesa está servida'. La señora duquesa es mi abuela, los demás son también duques, o los cuatro hijos: Vladimiro,

---

[21] Elena Poniatowska, *La flor de lis*, México, ERA, 1988. Las páginas se incluyen en el cuerpo del texto.

Estanislao, Miguel, Casimiro, y sus cuatro esposas: la duquesa... etcétera" (p. 13). De origen multinacional —francesa, norteamericana, polaca y, también, mexicana—, en su casa el idioma español es una lengua extranjera: "Mamá avisó que iba a meternos a una escuela inglesa; el español ya lo pescaremos en la calle, es más importante el inglés. El español se aprende solo, ni para qué estudiarlo" (p. 33). Poniatowska lo aprende, como Rosario Castellanos los rudimentos del maya, con su nana. En la novela se narra el intrincado proceso que la hace elegir el español como su propia lengua de escritora, nunca el inglés o el francés, las lenguas de la madre. Y se entiende, el mismo sentimiento de culpa presente en Elena Garro y en Rosario Castellanos la inclina a abrazar "la causa" de los desvalidos, de quienes, como sus criadas, hablan el idioma inferior, el doméstico, y pertenecen a esa vasta capa social que conforma lo que ella llama "la espesura del reproche". Su libro de cuentos *De noche vienes* (1979) incluye varios relatos, algunos, como su novela *La flor de lis*, claramente autobiográficos, por ejemplo "El limbo" y "El inventario" donde se establece esa circularidad en la que los extremos se tocan: aristocracia y "bultos enrebozados". Hay que agregar que la infancia mexicana de Poniatowska coincide con el periodo posrevolucionario en que la Revolución empieza a ser "traicionada" y se acuña lingüísticamente esa peculiaridad —"¿ontológica?"—, el malinchismo.

A diferencia de las otras dos autoras, cuyas infancias transcurren en la provincia, la de Poniatowska es urbana. Hay una gran distancia entre vivir en una capital como México o una ciudad metropolitana como París. Las diversas nanas difieren profundamente entre sí. La primera, francesa, Nounou, campesina, es metódica y permisiva. La segunda es europea, quizá internacional, pertenece a esa raza que engendró a las Brontës. La tercera, ya en México, es Magda, con ella entran a la casa las leyendas, los servicios, la segunda lengua: como Malinche, es la que interpreta la realidad, la transforma, le da sentido, la organiza:

Magda, lava, chiquéame, plancha, hazme piojito, barre, hazme bichitos, sacude, acompáñame un rato, trapea, ¿verdad que yo soy tu consentida?, hace jugos de naranja, palomitas, jícamas con limón, nos despierta para ir a la escuela, nos pone nombres... Cuenta con voz misteriosa y baja para que nadie oiga...: "Las que platican puras distancias es porque el pelo se les ha enredado a los sesos hasta que acaban teniendo adentro así como un zacate" (pp. 54-55).

Las correspondencias, la relación autobiográfica, los diarios fueron considerados —por su carácter extra o paraliterario— algunas de las posibilidades escriturales de las mujeres, especie de subgénero. La biografía funciona durante la Colonia como historia de santidad —hagiografía autobiográfica.[22] No es fortuito que los textos que he venido trabajando revistan la forma de la autobiografía disfrazada y se inserten sin embargo en géneros canónicos, cuento o novela. Para meterse en la piel de la Malinche, a la manera del dios prehispánico (o los guerreros nahuas) revestido con la piel de un desollado, es necesario un viaje mujer adentro y todo viaje interior pasa por la infancia; espacio vital en el que, en México, se engendra una polarización extrema dentro de las familias de las clases media y alta: los niños —sobre todo las niñas— dividen su lealtad entre sus madres biológicas y sus madres de crianza.

Para Poniatowska este dilema es esencial y en su libro la separación, mejor la escisión, es total, al grado que la imagen de la madre de crianza —la nana— es maciza, densa, aunque su propia corporeidad particular sea frágil ("es sabia, hace reír, se fija, nunca ha habido en nuestra casa presencia más benéfica", p. 58). La madre biológica es huidiza, etérea, cinematográfica:

> De pronto la miro y ya no está. Vuelvo a mirarla, la define su ausencia. Ha ido a unirse a algo que le da fuerza y no sé lo que es. No puedo seguirla, no entiendo hasta qué espacio invisible se ha dirigido, qué aire inefable la resguarda y la aísla; desde luego ya no está en el mundo y por más que manoteo no me ve, permanece siempre fuera de mi alcance (p. 42).

Ha adquirido una consistencia de celuloide puro, una bidimensionalidad que la reduce a un peinado, que la estereotipa en un gesto, vemos flotar su pelo dentro de los estrictos cánones estéticos de artificialidad del cine de las vamps. Una imagen de celuloide, inventada por los "otros", los de allá, para atajar el desarraigo de los de acá ("Éramos unas niñas desarraigadas, flotábamos en Mé-

---

[22] Véase el sugerente libro de Jean Franco arriba mencionado; Adriana Valdés, "El espacio literario de la mujer en la Colonia", en prensa.

xico, qué cuerdita tan frágil la nuestra, ¡cuántos vientos para mecate tan fino!" (p. 47)). El recuerdo del soslayo permanente, de la importancia disminuida que juega el niño en la mentalidad del adulto, su mirada perpetua, su calidad de testigo (*voyeur*) en el espacio de la casa se agiganta. El puente se atraviesa mediante la escritura: el rostro reflejado, el de la Malinche, el de la Chingada, el lugar de encuentro de los estereotipos, ser mexicana —ahistórica— y mujer —la traidora.

## La modernidad: ¿Malinche se desvanece?

Uno de los fenómenos más importantes en la literatura mexicana desde 1968 es la aparición de una vasta producción de literatura femenina. Muchos de los textos publicados por mujeres son genealógicos[23] y entre ellos debe incluirse el mencionado de Elena Poniatowska, *La flor de lis*. A los nombres consagrados se añaden muchos nuevos que no menciono para evitar la enumeración, ociosa, si no se hace el intento por aquilatar la nueva producción, un ensayo por aclararla, integrarla en el lugar que le corresponde. Toda genealogía acusa con obviedad la preocupación por conocer el origen, es un intento de filiación individual. Descubrir diversas historias, definir las diferencias individuales contrarresta el efecto de mitificación, absuelve la traición.[24]

---

[23] En este contexto debo agregar un texto de mi autoría, *Las genealogías*, México, SEP (Lecturas Mexicanas), 1981.

[24] No analizo, porque no entran en el contexto de esta trama, los libros *Arráncame la vida* de Ángeles Mastretta (1986) y *La boca de la necesidad* de Lucy Fernández de Alba (1988). Tampoco *La morada en el tiempo* (1981) de Esther Seligson que narra una historia personal, pero trasmutada en el tiempo por una tradición milenaria, cósmica, bíblica, su preocupación esencial. *La familia vino del norte* de Silvia Molina (1987) organiza una historia de amor y una trama policiaca, en un intento por descifrar un secreto familiar en el que se delinea a un abuelo héroe de la Revolución, hecho caduco, ya sin importancia histórica. *Como agua para chocolate* de Laura Esquivel (1989) relata, entre recetas arcaicas de cocina, previas al horno de microondas y a la licuadora, el camino de perfección que emprende una niña tiranizada por su madre y rescatada por su cocinera para acceder al camino heroico de la sexualidad. Resurgen las criadas y la provincia, las viejas nanas, creadoras de espacios domésticos perfectos y leyendas de cuento de hadas, donde la madre biológica es sólo la madrastra: en este libro de enorme éxito comercial intervienen varios modelos: el "realismo mágico" de García Márquez, el gigantismo de Botero, y como síntesis la factura escrituraria de la más cotizada escritora latinoamericana, Isabel Allende, que añadidos al cuento de hadas, ingrediente fundamental de esta cocina literaria y de muchas de sus antecesoras, ofrece una receta de gran popularidad.

Bárbara Jacobs, hija de emigrantes libaneses, escribe *Las hojas muertas* (1987)[25], un libro en donde predomina la figura del padre. El niño es siempre un testigo privilegiado, en este caso oculto tras un simulado narrador colectivo que se desdobla en un "nosotros" de las mujeres y en un "nosotros" de los varones de la casa, característico de la infancia. Como es habitual en esa época se contempla con curiosidad la actuación de los adultos y hasta meros viajes en coche adquieren una dimensión iniciática. Un padre mítico pero a la vez demasiado familiar "nos" acerca a un mundo heroico, el de la guerra de España, destruido por el exilio, la vejez, la separación, el derrumbe. Los vastos jardines y los encantamientos del pueblo mítico de Elena Garro contrastan con el hotel y la casa donde transcurre la infancia de los personajes de Bárbara Jacobs. Entre ellos o sus ellos-ellas narrativos (los nosotros, aquí simplemente los protagonistas niños) no hay ningún intermediario, ninguna criada, ningún idioma idealizado. En su casa se habla el inglés, y el español es el segundo idioma. No hay grandes espacios y la atmósfera es urbana: su urbanidad es distinta a la de Poniatowska, ceñida ésta a reglas estrictas de decoro, a jerarquías aristocráticas.

Menciono, para terminar, dos novelas cortas de Carmen Boullosa: *Mejor desaparece* y *Antes* (1987, 1988).[26] Tal vez Boullosa represente una ruptura, tanto en el lenguaje como en la concepción de la novela. En las dos obras el tema central es la muerte de la madre y, también, como en varios de los textos anteriores, la muerte de la niñez, la llegada de esa decrepitud llamada pubertad. Se exploran las zonas devastadas de la infancia donde cualquier experiencia se produce al margen del idioma lógico y la coexistencia de mundos imposibles de reproducir. En esta experiencia la concatenación lógica de las palabras es inoperante: funcionan mejor las palabras-excrecencia, las palabras circunstanciales. En la casa "eso", quizá la muerte de la madre, se vuelve un objeto viscoso, viciado, esencial. *Antes*, más coherente como texto, persigue visiones extrañas, recorre ámbitos imprecisos, delimita espacios prohibidos y produce actos violentos, inexplicables; por ellos se desliza una ligera sombra, la de Amparo Dávila, quien publicó sus libros de

[25] Bárbara Jacobs, *Las hojas muertas*, México, ERA, 1987.
[26] Carmen Boullosa, *Mejor desaparece*, México, Océano, 1987, y *Antes*, México, Vuelta, 1989.

cuentos a finales de la década de los cincuenta. Pareciera como si en Boullosa, preocupada por encontrar una forma de enunciar esas presencias inexplicables, no verbales, que pugnan por encontrar su expresión, el problema de sus antecesoras desapareciera. La lengua, adquirida a trasmano en Castellanos, Garro, Poniatowska, debe ahora aniquilarse, desaparecer, para codificar un lenguaje otro, apenas balbuceado, pero también entrevisto como una traición. En cierto modo, Malinche desaparece, pero esto es sólo una apariencia; las que empiezan a desaparecer son las criadas, esas intermediarias de la infancia de otra historicidad que se nos antoja mítica, la de Garro, Castellanos y Poniatowska, mucho más arraigada en un México aún rural, distinto del de Jacobs y del de Boullosa, pues no en balde han pasado varias décadas: la proliferación de la literatura femenina responde a una proliferación de nuevas formas, de cambios radicales en el país. Las infancias han cambiado: las narradoras que tratan de recrearla quizá debieran enfrentarse a lo desverbal, a lo ingobernable, a lo que se desdibuja y trata de configurar otro diseño, cuya lectura sería importante descifrar...[27]

[27] Además de los libros mencionados, que forman una bibliografía en sí, añado los siguientes, en la inteligencia que es un tema que empieza a estudiarse: Rosario Castellanos, *Mujer que sabe latín...*, México, SepSetentas-Diana, 1979, y *El mar y sus pescaditos*, México, SepSetentas, 1975; Jacques Lafaye, *Quetzalcóatl y Guadalupe. La formación de la conciencia nacional en Mexico* (prefacio de Octavio Paz), México, FCE, 1977; Aurora Ocampo, *Cuentistas mexicanas. Siglo XX*, México, UNAM, 1976; Octavio Paz, *Las trampas de la fe*, México, FCE, 1989; Martha Robles, *La sombra fugitiva. Escritoras en la cultura nacional*, 2 vols., México, UNAM, 1986; Sara Sefchovich, *México: país de ideas, país de novelas. Una sociología de la literatura mexicana*, México, Grijalbo, 1987.

# NARRATIVA JOVEN DE MÉXICO

Los autores que se incluyen en este libro* son jóvenes escritores que oscilan entre los veinte y los treinta años. Mejor dicho, ninguno ha alcanzado la peligrosa edad del gran viraje; ninguno puede ser calificado todavía por los más jóvenes con el desdeñoso epíteto de treintón, aunque algunos se acercan a esa edad clave, edad en la que las hormonas vitales se transforman y avejentan los estímulos, edad en la que se aposenta la claudicación al tiempo que apunta (¡exageremos!) el vientre abultado y la pata de gallo. "No confíes en los mayores de treinta años", dicen como aplomo los jóvenes vistiéndose como Edipo el traje de paria. Sin embargo algo significa agrupar escritores que se inscriben en un periodo generacional (llamémosle así, por mientras...) de diez años, es decir, escritores que nacieron entre 1938 y 1948.

La lucha de generaciones es un viejo juego histórico y los combates entre el Rey Viejo y el Rey Nuevo son célebres y míticos: hasta los calendarios que nos regalan inocuamente a fin de año celebran el debate. Los padres temen a los hijos y éstos pretenden destronarlos como afirman múltiples textos de antropólogos que describen costumbres de tribus primitivas de todos los continentes. Mitologías van y vienen en este sentido y ni la figura sacra del *pater familiae* impide a los personajes de Plauto y Terencio resquebrajar los muros. Pero cuando la juventud madura todos esperan que la rebelión termine y que el conflicto se entable de nuevo entre los ya no tan jóvenes y los que sí lo son.

Romeo y Julieta no pudieron cambiar porque murieron sabiamente a tiempo.

Los jóvenes han sido siempre rebeldes, muchas veces han optado por el camino de la anarquía, con ferocidad se han opuesto a las generaciones que los preceden. Cronos fue un niño rebelde y mutiló a su padre; Zeus siguió, complacido, el ejemplo: ambos aguardaron

---

* Se refiere al libro del mismo nombre que este texto. Véase la noticia bibliográfica.

despavoridos la toma de conciencia de los hijos. Para su fortuna, Zeus hizo cambiar las cosas y cuando Prometeo —que no era precisamente su hijo— se insubordinó, las rocas del Cáucaso y el águila eterna fueron su castigo. Los héroes se entrenaban para ser heroicos y vencer a sus padres o a sus abuelos. Como ilustración basten los casos de Edipo, de Jasón, de Hércules que cuando jóvenes llevaron a cabo hazañas insignes, pero que de viejos fracasaron de manera diversa: a uno se le cayeron los ojos, a otro le dejaron sin reina, sin reino y sin hijos, y a Hércules le quedó como premio una túnica envenenada de lascivia.

Con todo, este conflicto de Perogrullo parece haber logrado un nuevo desequilibrio y los debates parecen haber cambiado de sentido. No basta con asumir una actitud rebelde para después claudicar a su debido tiempo cuando las vísceras lo indiquen y las arrugas lo exijan. No basta con denunciar a la generación precedente para ser innovador y cambiar las estructuras, porque como en la comedia los papeles se truecan y los jóvenes libertinos se transforman en viejos verdes.

Por ello, ¿es lícito afirmar entonces que la rebelión de la juventud actual no tiene paralelo en la historia, porque el conflicto de generaciones de nuestra década es definitivamente distinto, aunque se adviertan en él modalidades sempiternas? O ¿podremos desecharlo de un manotazo diciendo despectivamente que se trata de una ventolera de anarquismo como la que azotó el mundo durante el siglo pasado y que Dostoievski denunció con espanto? ¿Sería mejor afirmar con Sartre que el joven debe aprender a impugnar (*contester*) todos los valores constituidos y que éste ha de ser un credo vigente a cualquier edad? O para acumular teorías, ¿diremos con Marcuse, ese viejo que ahora se vuelve joven a los setenta, que la sociedad de consumo está enferma y que hay que reconstruirla y como corolario que a los jóvenes toca derruir lo caduco para sustituirlo?

Y en ese juego se debate el mundo. Las rebeliones estudiantiles que se describen esquemáticamente como actos de violencia gratuita y desencadenada constituyen la pauta del momento y plantean la desvitalización de las estructuras tanto de las sociedades de consumo como de las sociedades desarrolladas. El famoso poder estudiantil parece suplantar al poder obrero y muchos afirman que es el pivote sobre el que girará la humanización de lo humano.

Los hippies, antes los beats, ponen en crisis a los hombres "decentes" de la comunidad norteamericana. La libertad sexual, la negación de la idea de propiedad, la familia primitiva, el antimilitarismo, la adicción a las drogas y hasta los misticismos adocenados que definen a los hippies son la contrapartida de la sociedad de Colgate, Palmolive y Mum (dientes frescos, cutis de colegiala y sexo inodoro), pero son también el signo de un retroceso y no de una verdadera reestructuración, aunque su actitud desbroce el camino. Los jóvenes rojos de París con su anarquismo o la conciencia de un Rudi Dutschke plantean las vías del rechazo a la sociedad de consumo.

La impugnación y el rechazo se catalizan también en el arte, aunque, como afirma Marcuse, "en la sociedad de la abundancia, el arte es un fenómeno interesante: por una parte rechaza y acusa a la sociedad establecida y, por otra, es ofrecido y vendido por el mercado". Es como las flores, los ropajes o las barbas de los hippies: son su marca de rechazo pero también son la marca de fábrica que vende productos manufacturados en masa. Los *graffiti* de los muros de París tuvieron su antecedente en los botones de protesta (gran negocio) y en los pósters. La crítica al *establishment* y al statu quo se vocifera en los discos de conjuntos que se autotitulan El Statu Quo y que el *establishment* vende en los supermercados.

Así, el conflicto de generaciones se esboza como una vieja discordia que se interna en las ramificaciones de la sangre y en los embrollos vegetativos o como una mitificación de estructuras sociales de la tribu. Es también algo nuevo; es claramente la ruptura, el cambio, el asiento de nuevas tradiciones, la creación de otras estructuras. Todo conflicto entraña una repetición mecánica y una esquematización automática por parte de quienes lo temen. El mito poetiza la repetición, el esquema, el cartabón salva los escollos y le devuelve a lo nuevo el viejo y tranquilizador esqueleto de lo manido.

El conflicto se replantea, la arqueología lo hace remontar a edades imprecisas, la necesidad actual lo hace escasamente niño. Y lo que ocurre en lo social alcanza a lo literario. Creo, como Octavio Paz lo afirma en su prólogo a *Poesía en movimiento*, que "el criterio de nacionalidad es insuficiente" para definir a un autor cualquiera o hasta a una generación.

Sin embargo, una generación no se define por el escaso número de días que lleva sobre la tierra, sino por el pasado o tradición que inaugura o que rechaza. Para Paz "la tradición moderna es la tradición de la ruptura" y esta tradición establece "un proceso circular: la búsqueda de un futuro termina siempre con la reconquista de un pasado". Los escritores que se incluyen plantean antes que nada un rechazo, una ruptura. Una ruptura concebida en términos de parricidio, un rechazo anclado en la destrucción del lenguaje, un deseo instalado en la desintegración de todos los moldes morales y temáticos. Se enfrentan con ambigüedad al término generación y aceptan laciamente que son miembros de una: "Esta generación está haciendo realmente una literatura sólida." "Lo que pueda considerarse mi generación está integrado por jóvenes muy talentosos; no en todos los casos, sí en la mayoría. Son escritores cultos, enterados, con perfecto dominio de su oficio", y hasta se oye decir "me encanta mi generación". Nada de lo entrecomillado define verdaderamente. Es más fácil señalar y puntualizar las rupturas a través de las respuestas que cada autor ofrece al cuestionario elaborado por Del Campo. La forma como se presenta cada autor, su actitud autobiográfica y la toma de posición literaria marcan las distancias y afinan las semejanzas. Pero lo más significativo es el texto mismo y a él nos atendremos.

Borges afirma: "Los hombres de las diversas Américas permanecemos tan incomunicados que apenas nos conocemos por referencia, contados por Europa"; Paz contradice: "No hay una poesía argentina, mexicana o venezolana: hay una poesía hispanoamericana o, más exactamente, una tradición y un estilo hispanoamericanos." Ambos hablan de poesía (aquí se trata de narrativa); se contradicen, pero los dos tienen razón.

Existe una historia, un destino común y distinto de los pueblos de las Américas "cercanas". Este destino pulveriza las fronteras artificiales a las que alude Paz y convierte en patrimonio hispanoamericano autores como Borges —el quejoso— y Cortázar, Vargas Llosa o Carpentier; acerca los indios de Arguedas a los de Icaza, Rosario Castellanos y hasta a los de Ricardo Pozas. Cada país tiene obviamente su propio lenguaje y así lo expresa, la pauta es con todo americana: Guimarães Rosa empieza a traducirse y el cine brasileño —no se diga el bossa nova— se difunde más que antes. Así, aunque Manuel Farill afirme enfáticamente que "el idioma español está a la zaga de los demás idiomas", es muy revelador el considerable número de autores hispanoamericanos —aun españoles— mencionados por los escritores de esta compilación, autores que conviven con los siempre clásicos escritores en otras lenguas. Cortázar es, como lugar común, la figura literaria de esta generación. García Márquez va de la mano con Arreola, Borges y Rulfo. Lezama Lima y Guimarães, pese a su dificultad idiomática, se vuelven símbolos literarios. Los autores mexicanos corren la misma suerte: Elizondo, Pacheco, Tovar, Agustín, Sáinz forman parte de una visión de América y de sus letras.

Demostración definitiva ésta: las fronteras políticas se aniquilan y la comunicación se establece. Lo dicho vale como dato estadístico; su significado más profundo está en el hecho, ya esbozado, de que la literatura en lengua española adquiere definitivamente su carta de ciudadanía y que el aislamiento continental empieza a derrumbarse. Las problemáticas hispanoamericanas se reúnen, se aprecian los matices nacionales y la comunicación instituye nuevos lenguajes y puntos de partida.

Tradición hispanoamericana que se enraiza; signos de cosas recién nombradas, en breve moneda corriente de nuestras letras. Los clásicos españoles en cambio casi no se mencionan y la tradición se clava en un suelo delgado que aún no recupera sus raíces más profundas. Pareciera como si estos autores jóvenes se nutriesen de una tradición que nace apenas, cercenándose conscientemente de la matriz primera. Los clásicos se asimilan a través de Borges, Lezama o Arreola, no a través de lecturas directas.

A esta negación consciente se añade otra; dicho con mayor precisión, la nueva narrativa se apuntala en los autores mencionados, camina por las rutas que trazan los Rulfos, los Arreolas, los Fuentes, mas la intención es de rechazo. La generación anterior se mira con recelo, la lucha generacional se entabla; se intenta ejercer el derecho de crear una nueva tradición arrancada por la fuerza a los antecesores inmediatos y se pretende por lo mismo cancelarlos sin recobrar el pasado, abriendo un ancho sendero empantanado.

El tono general, con excepciones que analizaremos más abajo, es el de la antisolemnidad obtenida mediante formas coloquiales de lenguaje, una burla reiterada a costa de sí mismos, el acercamiento a los temas sexuales con una gran naturalidad pero dentro de una actitud puramente epidérmica (podríamos decir que es la "onda" que se define por el "ligue") y la intención de crear una atmósfera lograda por el lenguaje y no por las situaciones. Como consecuencia, la anécdota se disuelve, la psicología de los personajes es de dos dimensiones como la relación sexual —fotografía fija, a veces proyectada como en esas películas que agigantan la impresión dejándola inmóvil—, el lenguaje tradicional se derriba siguiendo un juego iconoclasta muy bien aprendido. La irrupción de otros medios extraliterarios es evidente: el ritmo y la modalidad de la música de los cantantes roqueros —Beatles, Rolling Stones, Doors, Mothers of Invention— se hallan presentes y el signo mismo de la popularidad parece concentrarse en estos artistas. Se quiere ser leído como se oye a los Beatles, se pretende ser tan revolucionario como los Rolling Stones, tan antiburgués como los Jefferson Airplane, entrar por el mundo de la percepción por el camino que abren las Puertas y barrer las sensiblerías románticas como los Animals. El lenguaje literario sigue jadeante el ritmo musical intentando dar el salto para convertirse en vehículo de comunicación universal (ruptura de los confines del idioma cotidiano), para oír gritar hasta a las mariposas (Doors) y penetrar en el meollo del relajo, de la onda, del kick, del desmoñe (Agustín). De esta suerte se integra la protesta, pero la protesta que aprovecha la canción folklórica (a la Joan Baez) quitándole lo romántico y transformando el grito de la prostituta —buena en el fondo— en la gruñona y sardónica letanía de un joven que llora por la desaparición de sus pantalones vaqueros (Bob Dylan). Todo se inventa, se rehace, pero construyéndose en el aire.

La puntuación tradicional y el uso de mayúsculas, la división de los párrafos, la utilización de diagonales y paréntesis o de ciertos signos tipográficos forman parte también de este lenguaje. No quiero decir aquí que estos recursos no se hayan utilizado antes en la literatura contemporánea, es evidente que existen y que hasta manidos son, pero la forma de incorporarlos es muy adecuada porque responde a las necesidades del *argot* citadino que estos autores han elaborado o catalizado (sobre todo Sáinz y Agustín).

Con todo y a pesar de lo que pueda creerse por la actitud "importamadrista" que se desgaja en estos textos, y justamente gracias al mimetismo que parece acoplarlos a las lindezas inocuas de la sociedad de consumo, los jóvenes de esta generación manifiestan su adhesión a los movimientos que descuadren el *establishment* y el *statu quo*. Juan Ortuño afirma: "Cuando brotan jóvenes que tratan de romper su lastre, me reanimo... Ahí es donde tiene su ubicación la metafísica de la esperanza. Pero —continúa— mientras escribo esto, yo también escucho a João Gilberto cantar saudade fez um samba o coise mais linda."

No todos los autores incluidos en este ensayo pueden responder a las generalizaciones esquemáticas que propongo. Otra tendencia aparente es la poética, la del relato que sigue las vertientes que han definido en nuestra literatura Borges y Arreola. Otros intentan cultivar los aspectos menos tratados de la novela clásica, pero la tónica imperante es la recién descrita.

Juan Tovar es conocido en nuestros medios literarios. Ha publicado varios libros de cuentos y una novela. La estructura de sus obras es realista dentro de la línea que él mismo describe, la de Chejov, la de Katherine Mansfield.

Tovar escoge situaciones y anécdotas delineadas que en el fondo carecen de importancia para destacar con mayor cuidado ciertos elementos psicológicos de sus personajes y una realidad social más definitiva y tajante que la anécdota. Su análisis de la provincia mexicana lo enmarca en esa corriente que empieza legítimamente con Yáñez, corriente que se esfuerza por desentrañar las raíces de una cierta mexicanidad y, por tanto, algunas de las raíces de nuestra verdadera tradición. Al hacer esto no sigue en el camino explorado por los novelistas como Agustín o Sáinz, sino que a riesgo de caer en lo aparentemente trillado, en esa escuela realista tan desprestigiada, considerada tan esterilizante, busca con finura los matices y delinea los problemas que aún enajenan a nuestra provincia y por ende a la capital.

Sus cuentos forman una unidad semejante a los de esos cuentistas de habla inglesa, celadores de un mundo total y preciso, un mundo que no tiene más límites que el del propio relato, un mundo en donde los personajes no se alargan ni se dibujan demasiado, antes al contrario, se detienen ya definidos en el momento temporal por el que el autor del cuento los hace deambular. Las situaciones aparentemente anodinas son bosquejos de algo mayor, de algo más complejo, su ágil dibujo y su ternura crean una dimensión válida en sí misma que no define por la innovación sino por la intensidad, aunque le falta el humor agudo de un Chejov o la gracia sutil y amarga de la Mansfield.

No me parece que esto se aplique demasiado a su novela. *El mar bajo la tierra* se vuelve opaca a fuerza de descripciones y de insistencias. Planteando en el fondo una de las temáticas del Pedro Páramo de Rulfo, el padre-cacique, dueño de sexos y haciendas, lo diluye concentrándolo en un señor de provincia desdibujado al que le nacen hijos y le brotan esposas y barraganas.

Gerardo de la Torre no ha publicado demasiado. El libro de cuentos intitulado *El otro diluvio* incluye cuentos de muy diversos estilos. "Un talento malogrado" me parece coincidir con su título en que de verdad es un cuento malogrado. Le da por seguir la senda de la Onda y del "ligue", la del lenguaje coloquial; no logra fundir ni integrar la estructura y el lenguaje a la situación; en cambio, en "El otro diluvio" alcanza precisión y la cuadratura de un cuento de Arreola o de Borges conservando características personales, ahondando en lo poético y a la vez en lo fantástico. En el primer cuento, "La primera vez", el lenguaje se calza a la situación. No sucede como en los cuentos de Tovar, en los que el narrador se mantiene impasible fuera del cuento dejando que sus personajes actúen libremente, sino que el autor se compenetra con sus personajes y entra en ellos, mimetizando su lenguaje y su estructura, propiciando, con todo, cierto desdoblamiento que le permite juzgarlos sutilmente. En "El último jueves" utiliza un tono intimista que abarca tanto los incidentes como la contextura de su personaje, aunque en un momento dado percibamos de nuevo la presencia intacta del autor que testimonia al tiempo que se nos ofrece subjetivamente.

Eugenio Chávez es muy desigual. Trabaja largamente sus obras y carece de ese sentido filoso del humor a costa de sí mismo que distingue a sus compañeros. Aunque participa de los gustos comunes a su generación, permanece alejado de su temática esencial y de su grandilocuencia. Sus narraciones son más bien psicológicas dentro de un personaje que se desdibuja físicamente para agrandarse en sentimientos y emociones. Las anécdotas son ligeras y escurridizas, podríamos decir que casi no existen sino en función de un personaje que monologa y ve al mundo desde su interioridad para rechazar su cercanía. Puede ser el mundo de un paranoico, de un esquizofrénico que dialoga invocando a un personaje vacío y mudo, tal vez el lector o el mismo autor. Chávez escribe con cuidado, con vocación, con profesionalidad; le falta romper con ese universo intimista que lo ancla a sí mismo y que le impide trascender ciertos estados emotivos, ajenos a la literatura. "El error" es, de sus cuentos, presentados aquí, el más acabado. Su estructura permite entrecruzar sin transición diversos tonos del relato, diversos tiempos y espacios confundiéndolos dentro del narrador.

Xorge del Campo presenta varios cuentos también. Rehíce la selección y entrego a la luz pública —¿existe otra?— "Los verdugos" I, II y III, "El cielo y el hombre", "El espejo".

A las interrogantes por él mismo planteadas Del Campo contesta con solemnidad, y su respuesta literaria es dispar.

Tiene talento para reconstruir mitos como en el caso de "El verdugo III" o en "El cielo y el hombre". Lo cósmico lo atrae quizá porque plantea una confusión de fronteras entre lo real y lo irreal, entre lo subjetivo y lo que no lo es. La indiferenciación de sus personajes se perpetúa en un espejo, protagonista esencial de un cuento de lesbianas que se atrofian en la imagen. Lector de los mismos libros, confesando las mismas predilecciones y de los más jóvenes de la generación que aquí se emplaza, Del Campo representa la corriente poético-fantástica, a la que también se acerca De la Torre. Ambos incursionan con menor éxito por los vericuetos de la "nueva escritura", y los dos aciertan cuando atinan a crear una atmósfera poética, en relatos condensados.

Elsa Cross oscila, según su propia confesión, entre el cuento y la poesía. Sus cuentos son más bien relatos; relacionan vivencias breves a descripciones de actos banales sin mayor trascendencia que las que les confiere el momento que se describe, ya sea el acto de dar una limosna, escuchar una clase o la participación más o menos accidental de un niño en un encuentro clásico entre federales y revolucionarios. Los actos se inscriben en un tramado fino, en un escarceo ligero que deja un trazo leve. Los relatos carecerían de todo interés si no se perfilara sutilmente esa finura niña, ese toque ligero, casi etéreo.

Los cuentos de Eduardo Naval transitan en un ámbito cerrado. El personaje principal concierta una relación corpórea con los objetos; el mundo permanece aparte, descrito apenas o formando un paisaje de fondo en hábil contraste desvanecido. La transmutación que se realiza en muchos cuentos de Kafka ejerce aquí su acción devastadora. Trasterrado, elemento ajeno a un ambiente, Naval carga el mundo a cuestas ensayando una vinculación por medio del lenguaje, aquí muy cercano al de España, quizá hasta a los clásicos. Las situaciones son sencillas, casi límpidas, para cobrar de repente una fuerza angustiosa; suéteres araña, ríos femeninos que fecundan a un muchacho y lo llenan de ramas y heridas florecidas. Una maraña de sexo, complicación de las fobias trascendiendo el cuerpo que las ha creado, en un desdoblamiento necesario para que se produzca la cópula que de otra forma se realizaría en monólogo. El suéter negro y peludo —semejante a tarántula— de una muchacha evoca su sexo y llena de lascivia y de terror a un joven viajero. El río que simboliza la belleza y el amor trasmuta al amado, lo hiere y le ofrece una sexualidad doble en la que se fusionan lo masculino y lo femenino. El joven procrea sólo por la acción del agua que le ha abierto una herida: El mundo se contiene dentro del propio cuerpo, la sexualidad, a flor de piel —Naval ha logrado darle expresión literaria a esta frase manida— diseca, escinde y se confina en el deseo que vuelve a guardarse, apresurado, dentro del cuento, como un ovillo, pronto a desmadejarse en el territorio entrevisto del próximo relato.

De Roberto Páramo sólo he podido obtener dos cuentos, quizá por negligencia mía o porque, como él mismo asegura, publica poco. "La playa", aparecida en *Mester*, revista creada por Juan José Arreola y que Páramo, a su vez, dirigió, condensa en su universo arenoso y soleado el transcurrir inútil e indecoroso de las cosas de este mundo. Es una especie de náusea tostada por el sol y aderezada con camarones, es una cópula apresurada en la que se tocan mucosas y se restriegan pieles, en un repetido acontecer que mimetiza la constante cercanía del mar y la arena. La Onda que no conduce a nada, la prostitución casi como ejercicio metafísico.

En Naval la negación y el miedo al sexo le confieren su dignidad primera; en "La playa" —y en todos los cuentos donde el escamoteo textual termina siempre en coitos que se prodigan como la arena infinita o como las enumeraciones de los antepasados ilustres que copulan reiterativamente en páginas de la Biblia— la sexualidad es apenas símbolo de una cerrazón vital, de una *noia* incontenible, de una esterilización a nivel de genitales.

En "Los Diádocos" la Onda no se inscribe en la playa, sino en el hampa y en el submundo mezquino de lo gangsteril sin que lo redima el mito (James Bond y anexas). La sensación final de aniquilación, inutilidad y amontonamiento vuelve a repetirse y quizá en esto estribe la importancia de este tipo de literatura, específicamente porque esta sensación se gesta no en la moraleja —que además no existe— ni en los postulados filosóficos —que tampoco existen— sino en la dinámica misma del cuento.

Manuel Farrill ha seguido con mayor o menor fortuna la misma senda. Sus cuentos —y hasta su novela recientemente publicada— nos elevan sin aliento a husmear por los salones a ritmo de bitles y monkis y a pasear por las calles en auto sport. Abundan los cornudos, los ligues y las relaciones peligrosas —que bastaban antes para darle consistencia e interés a cualquier anécdota de novela del siglo XIX; la tranquilidad con que se resuelven los adulterios (aunque sea a carabinazo limpio) es una muestra más de la disolución de ciertos elementos tradicionales que revelaban un aspecto trágico de la vida. Ahora lo trágico es a lo sumo la carencia de una estructura familiar que le dé consistencia y dimensión a los conflictos.

Juan Ortuño sigue en apariencia los mismos lineamientos, pero enfrenta con mayor madurez y rigor el desafío que le plantea esa nada, ese desvanecimiento. En "Búsqueda", que ganó el primer premio de cuento del concurso de *Punto de Partida* (jurado compuesto por Julieta Campos, Carlos Monsiváis y Emmanuel Carballo) se replantea la incomunicación amorosa, la rapidez del encuentro, su impermanencia. En "Aniversario", la búsqueda parece haberse terminado y la pareja se constituye, pero la primera náusea del embarazo es también el primer síntoma de la descomposición de la pareja. Ortuño diluye el relato en un estricto juego de minúsculas y de párrafos sin puntos finales ni principios definitivos. Las imágenes pedantes, a primera vista, revelan las asociaciones: el pescado y su definición enciclopédica termina en una fuerte alusión —casi sensorial— de los actos sexuales, tan exaltantes y sin embargo ya descompuestos. Los tiempos se pasean y se pierden a distintos niveles del relato; las relaciones ambientales se confunden con los jadeos y los muebles. Se hace el amor por primera vez, pero a la vez el orgasmo se simula (con modales sacados del manual de Carreño); la desnudez es sorprendente porque se toma contacto con ella en maravillosa cercanía, aunque la cercanía revele después que estaba mutilada. Los cuentos y la autobiografía juegan con esa anti-solemnidad a la moda que revela en la superficie un deseo profundo de tomarse las cosas en serio.

René Avilés juega a ser el biógrafo de una generación de zona rosa y de fáciles meneos. Usando del pastiche ostenta un feroz parricidio literario y político. Sus obsesiones son Carlos Fuentes, José Luis Cuevas y lo que para él es su camarilla de aduladores, su corte de los milagros. Sus fiestas se ordenan siguiendo un rito inacabable de bebidas y de ligue, con un trasfondo anémico de *strip-tease* por el que transitan las ropas íntimas de la misma muchacha renovada, las palabras soeces, los juicios literarios achabacanados, las políticas dentro de la constitución, los devaneos hermafroditas y el periodismo circunstancial. Al ritmo desaforado de la música de moda y con un pedaleo acelerado por las calles, sus personajes se desplazan de fiesta en fiesta, de casa en casa. Se "faja" en los baños y detrás de las cortinas; se bebe la misma copa y se reitera la misma metáfora.

La pretensión iconoclasta de toda generación es abierta en Avilés. Crítica feroz contra el mundo intelectual de México, submundo de *dolce vita* mezquina y adulación mediocre; crítica a la improvisación, a la actuación artística estacionada en el nivel superficial en el que también se instalan los afectos y las posiciones "comprometidas". Escarnecer la vana multiplicación de fiestas y de elogios es válido si el autor permite que exista una distancia entre lo que se critica y su propia subjetividad. Avilés muestra descaradamente su odio feroz; esta disposición definitiva le impide matizar lo literario y en el juego de condena suele quedar atrapado, presa de su propia trampa. Falta la distancia salvadora, la autocrítica. Mediante la reproducción caricaturesca y efectiva de la "zona", se pone de manifiesto su color desteñido y al lograr mimetizar el lenguaje y el ritmo descubre sus falacias: Avilés intentó señalar que la inoperancia, la vaciedad y la farsa son las derivaciones necesarias de la sociedad que describe. Con todo, el esfuerzo realizado hubiese debido centrarse en el contexto mismo de los *Juegos*, título del libro. Ese esfuerzo por definir puede resultar vano porque se asienta en la periferia, se permanece en el nivel de la reproducción eficaz pero estática; se pospone la conversión de esos símbolos y se escamotea su carácter de ceremonia vacía aunque el título de la obra la sugiera. Se escamotea, sí, porque en rigor la obra pretende seguir reglas de juego definidas y sólo cumple con las que la obra misma determina. El cuento que se incluye parece a primera vista una calca de los *Juegos*, el terreno presenta las asperezas habituales y el lenguaje logra siempre recrear el desatino de la Onda. De improviso se sale de lo conocido y los juegos erótico-infantiles desembocan sorpresivamente en una relación homosexual sorpresiva no porque sea novedosa en sí o escasa en estas obras, sino porque se plantea internamente una situación humana y su conflictiva de manera más profunda.

Con José Agustín termina este ensayo. Corolario lógico, punto de conversión de esta corriente, definición y sentido de la Onda. Hemos escogido un cuento incluido en *Inventando que sueño*, libro recientemente publicado por la editorial Mortiz. Desde su título "Cuál es la onda" entramos de lleno en ella. La desaparición de personajes heroicos o de conflictos sustanciales es absoluta, los personajes pertenecen a esa elástica banda de los jóvenes "jaladores". Oliveira es baterista y Requelle es una muchacha guapa. La narración marca los golpes y las percusiones de la batería, los altibajos y los sobresaltos de un ambiente cargado, confuso y delirante. Se asocia, se narra, se transita: estamos en la pista de baile, en las calles que se recorren, en los hoteles de mala muerte que visitan, en las reflexiones del narrador o en las de los protagonistas.

La disociación se inicia, Oliveira es parodia evidente del ya clásico Oliveira de *Rayuela*, pero, como toda parodia, nulifica la intención metafísica, la búsqueda de sentido o de contenido vitales: Se trata de un "ligue" en su estrecha dimensión. Literalmente cuenta las desventuras de unos jovencitos que intentan amarse en el interior de "un caló expresivo y ahora literario" según frase textual de Agustín. Buscan amarse en hoteles de prostitutas, sobre sábanas pegajosas y mugrientas, sobre espesos juegos de asociaciones, pero sobre todo buscan lo diferente, lo excitante, como ese personaje de *La dolce vita* que no entiende el placer sino en la promiscuidad de una cama (aún caliente) de prostituta barata.

Con ingenio y agilidad Agustín emigra de una frase a otra y de una palabra a otra en juegos equilibristas que desintegran el lenguaje entre "pocherías", anglicismos, argot barato, albures, jerga de colonia semiproletaria:

> Yo no pelo *nada*
> ¿Cómo te haces llamar?
> Requelle.
> ¿Requejo?
> No: Requelle, viejo.
> Viejos los cerros.

Y todavía dan matas, suspiró Requelle.
Ay me matates, bromeó Oliqué sin ganas.
Cuáles petates, dijo Req ingeniosa.

El diálogo es descriptivo y a la vez revela las asociaciones internas de los personajes y los juegos del idioma. Se expresa el afán incesante del cuento por llegar a definir textual e impersonalmente el simulacro amoroso, por resolver sin escándalo la escandalosa ausencia de conflicto, de sentimiento trágico de la vida, por recalcar el callejón sin salida y por abrir la interrogante, al tiempo que se cierra a sí mismo el camino. Se lo cierra porque de allí en adelante hay que buscar nuevos derroteros, nuevos lenguajes, nuevos planteamientos. Se ha logrado descascarar algo que todos presentíamos y que ahora vemos en su piel interna y sin embargo superficial.

Agustín busca por todos los medios; *Inventando que sueño* es la prueba. Ahora intenta otra novela. La desaparición del héroe, el desvanecimiento de personajes que se oponen romántica y osadamente a su sociedad, la transformación del melodrama y hasta del folletín, la irrupción de la tira cómica y de los procesos fútiles plantean una nueva misión de la sociedad y de la literatura que este libro abre, pero también cancela.

Hasta aquí la lucha de generaciones. Ojalá que el cambio sea real y no se aloje sólo en la víscera vencida, como reflejo lateral y perdido de episodios caducos, máscara de una inútil cosmogonía, pero lo cierto y definitivo es que esta literatura presupone una denuncia y una impugnación de lo establecido, aunque permanezca hasta ahora en el registro eventual de una realidad, como diría Borges.

Noviembre de 1968

# ONDA Y ESCRITURA: JÓVENES DE 20 A 33

Desde la aparición de *El luto humano* (1943), de José Revueltas, y más fundamentalmente de *Al filo del agua* (1947), de Agustín Yáñez, que anuncia la época contemporánea de nuestra narrativa, y *El laberinto de la soledad* (1950), de Octavio Paz, que establece un nuevo concepto del ensayo y del mexicano, se puede empezar a hacer el recuento de los autores que pueblan la nueva literatura mexicana y al llegar a la década que va del año de 1960 a 1970 parecerá que hemos caído en la sección del Génesis donde los creadores de la Biblia se dedican a enumerar monótonamente las generaciones de Adán sobre la tierra: los descendientes empiezan a multiplicarse como la arena infinita.

En efecto, en la década que va de 1950 a 1960 aparecen *Pedro Páramo* (1955), de Juan Rulfo, *Confabulario* (1952), de Juan José Arreola, y *La región más transparente* (1958), de Carlos Fuentes, y muchas otras obras de autores como Rosario Castellanos, Edmundo Valadés, Sergio Galindo, Guadalupe Dueñas, Emilio Carballido, Luisa Josefina Hernández, Elena Garro, Sergio Fernández, Amparo Dávila, Jorge Ibargüengoitia, Luis Spota, Sergio Pitol, Augusto Monterroso, Carlos Solórzano, Ricardo Garibay, para no citar más que a los más destacados. En la década que terminamos es decir, en la que va de 1960 a 1970, los hijos y los padres ya viven sin reconocerse, la multiplicación se ejerce y nuestra literatura edifica la última terraza de la Torre de Babel. En esta década se entreveran, se complican y se confunden varios autores. En la primera parte de la década están Vicente Leñero que con *Los albañiles* obtiene el premio Seix Barral en 1963, Tomás Mojarro con *Bramadero* (1963), Juan García Ponce con *Figura de paja* (1963), José Emilio Pacheco con *El viento distante* (1963), Juan Vicente Melo, Eraclio Zepeda, José de la Colina, Elena Poniatowska, Julieta Campos, Miguel Barbachano Ponce, Fernando del Paso, Alberto Dallal, Carlos Valdés, etcétera. En la segunda, que no tan arbitrariamente va de 1965 a últimas fechas, aparecen dos libros clave para esta recopilación: *Farabeuf*, de Salvador Elizondo, y *Gazapo*, de Gustavo Sáinz.

Lo anterior no valdría más que como dato estadístico si sólo se tomara en cuenta la simple operación aritmética mencionada; su valor reside en verdad en el hecho de que la narrativa mexicana se enriquece cada año con mayor número de autores que van depurando, ensayando y agotando muchos tipos de narrativas, creando estilos, estableciendo una competencia, produciendo lo que Carpentier llama una novelística:"Puede producirse una gran novela en una época, en un país. Esto no significa que en esa época, en ese país, exista realmente *la novela*. Para hablarse de la novela es menester que haya una novelística."[1] Este fenómeno, la gestación de una corriente literaria que se va contagiando de influencias cosmopolitas a la vez que se inspira en la tradición anterior, aunque pretende ser en el fondo una narrativa de ruptura, crea a fin de cuentas un terreno nuevo en el que deberá surgir de verdad la gran novela mexicana. Este juego de competencia, de repeticiones, de desafíos se vuelve meridiano, si observamos de nuevo estadísticamente los libros de autores jóvenes que han ido apareciendo en diversas editoriales mexicanas en las últimas fechas. Basta simplemente, como punto de comparación, advertir el número de libros publicados por algunos de los autores que formaron parte de *Narrativa joven de México*: René Avilés Fabila publicó además de *Los juegos*, *Hacia el fin del mundo* y *La lluvia no mata a las flores*; de Gerardo de la Torre, que había publicado cuentos sueltos y *El otro diluvio*, sale *Ensayo general*; Juan Tovar, muy prolífico, acaba de publicar, además de varios libros que ya tenía, *La muchacha en el balcón*; Roberto Páramo, de quien habían aparecido sólo relatos sueltos, está a punto de publicar un libro de cuentos en la editorial Joaquín Mortiz, *La condición de los héroes*, y prepara una novela; otros autores que hoy aparecen en esta compilación habían publicado en 1968, publicaron en 1969, 1970 y continúan preparando nuevas colecciones de cuentos o nuevas novelas: Héctor Manjarrez añade a *Acto propiciatorio*, volumen de cuentos aparecidos en la editorial Joaquín Mortiz en 1970, una novela que aparecerá allí también en breve, *Lapsus*, y prepara otra: *Introitus*; Jorge Aguilar

---

[1] Alejo Carpentier, *Tientos y diferencias*, Montevideo, Arca, 1967, p. 5.

Mora, que hasta ahora sólo ha publicado fragmentos de su obra en revistas como *Siempre!* o *Revista de la Universidad*, editará también una novela con Joaquín Mortiz, *Un cadáver lleno de mundo*; de Parménides García Saldaña, autor de *Pasto verde*, salió en la editorial Diógenes, a finales de 1970, un libro de cuentos, *El rey criollo*; Orlando Ortiz, que empezó a publicar en *Punto de Partida* y que entregó a la editorial Diógenes su novela *En caso de duda* en 1968, editó, en Bogavante, 1970, una recopilación de relatos, *Sin mirar a los lados*; Juan Manuel Torres, que inició su labor como escritor al principiar la década de 1960, acaba de publicar dos libros, uno de cuentos, *El viaje*, y una novela, *Didascalias*; de Ulises Carrión, conocido también desde mediados de los sesenta, Joaquín Mortiz ha editado un libro de cuentos llamado *De Alemania*, 1970. La lista podría ampliarse, pero se corre el riesgo de reiterar la imagen bíblica ya tantas veces repetida.

Insisto, esta abundancia no es en sí misma significativa; la publicación de libros inútiles es una de tantas contaminaciones que nos corroen al igual que la del aire, pero la persistencia que muestran ciertos escritores, su intención de autocrítica evidente, su necesidad de dedicarse a las letras como vocación, revelan la existencia de una narrativa mexicana verdaderamente nueva, nueva porque ofrece otra visión de México, porque esboza o define otros conceptos de escritura, porque recibe influencias distintas de las que hasta ahora habían prevalecido y porque es una apertura —o desgarradura, como diría Paz— hasta cierto punto inédita en nuestras letras, aunque a final de cuentas todo esto se revele como la simple pedantería de toda generación.

## El imperialismo del yo

"El adolescente —dice Paz en *El laberinto de la soledad*— vacilante entre la infancia y la juventud, queda suspenso un instante ante la infinita riqueza del mundo."[2] Esa contemplación absorta e interrogante, esa conciencia a medias del propio ser es la que se manifiesta en dos novelas publicadas entre 1965 y 1966, *Gazapo*, de Gustavo Sáinz, y *De perfil*, de José Agustín. El joven rebelde a

---

[2] Octavio Paz, *El laberinto de la soledad*, México, FCE, 1967, p. 9.

su circunstancia, opuesto a su sociedad, crítico de las generaciones que lo preceden, es repetitivo en la historia; viejos mitos surgen para comprobarlo; movimientos reiniciados secularmente dejan testimonio constante de su acaecer. Vestir ropajes extraños como símbolos de ruptura, desconocer las ataduras mediante un comportamiento externo desafiante y grotesco, inventar lenguajes de "iniciados", despreciar "a los que se alinean", es enfrentarse a una nueva identidad que se pierde en cuanto algo intenta fijarla, porque la edad, la sociedad, vuelven a colocar al adolescente en el camino trillado que desprecia y que le repugna. "...el adolescente —continúa Paz— no puede olvidarse de sí mismo, pues apenas lo consigue deja de serlo".[3] Esta trágica paradoja hace que el joven sea en esa etapa de su vida un Narciso detenido en el acto de contemplarse, un Narciso incapaz de reconocer su rostro, porque el espejo que lo refleja se fragmenta antes de que su imagen se clarifique, antes de que logre perfilar sus facciones. La rebeldía es el espejo roto antes de que se cumpla la develación. *Gazapo* y *De perfil* no son las únicas novelas que nos hablan de adolescentes, no es México el primer país donde los adolescentes, o los que empiezan a dejar de serlo, escriben este tipo de literatura planteada con una especie de código de iniciados para iniciados, literatura que el adolescente escribe para que el adolescente lea. Esa actitud cercena esa literatura de la literatura propiamente dicha. En *La ciudad y los perros* de Vargas Llosa se advierte la presencia de un adolescente que se sitúa en la perspectiva crítica necesaria para trascender al clan, para ingresar como adulto en el mundo; los protagonistas de *Gazapo* de Gustavo Sáinz parecen intentarlo, a veces, pero no lo logran sino en *Obsesivos días circulares*.

En la narrativa de los adolescentes, la situación vital del personaje no es narrada desde afuera, desde el terreno seguro donde se sitúa un observador, su testigo, o desde el interior del examen que realiza el que investiga, diseca o define su sentido. Tampoco se trata de un monólogo interior, ni una reflexión de un narrador, ni tampoco un fluir caótico de sentimientos y lenguaje que determina un modo o una ausencia de ser como en Faulkner. La relación con el mundo y su descripción, la anécdota —ex profesamente no definida—, se sitúan en el nivel del lenguaje típico que el adolescente crea, de ese

[3] *Ibid.*, p. 10.

lenguaje que mimetiza y reproduce a la vez una interioridad y una exterioridad significativas, emparentándose con un ritmo vital que sólo se puede captar en sus lineamientos específicos, en el ritmo del idioma que le sirva solamente de piel. El dinamismo de la acción y el lenguaje creado por el propio adolescente para apartarse de los demás, de los adultos y del mundo que él cree establecido, nos llevan a su mundo en el momento en que se encuentra sumergido en esa visión que lo desdibuja al tiempo que pretende estampar su efigie.

La barrera así establecida no es totalmente invulnerable, desde la adolescencia se enfrentan con fingida indiferencia al adulto, desde el rabillo del ojo lo contemplan con pretensiones de ignorarlo; el deterioro de la familia, los desgastes de la edad, la necesidad de entrar en el sistema se perfilan como la amenaza que destruirá su intención de permanecer en la Onda, de ser auténticos, de preservar su adolescencia morbosamente y a veces hasta prorrogándola fuera de tiempo para ubicarse en una ridícula actitud de *play boy* del subdesarrollo. En resumen todo ello no es nada más que un clisé que subraya lo epidérmico, comprobado cuando se ha logrado superar como en el caso de Sáinz en *Obsesivos días circulares*.

Esta amenaza se sitúa en el límite de la acción desenfrenada que el adolescente juega, con esa dinámica de grupo que tiene necesidad de desplazarse, de recorrer las ciudades, de viajar por los barrios, por los cafés, por las muchachas. La acción se frena de repente cuando la autocontemplación lo obliga a iniciar una autocrítica, una delimitación, a fijarse un contorno. Acción detenida y delimitación desdibujada serían la ruptura de la Onda, la inserción pausada en el *establishment*. Su rebeldía sería escasamente un instante pasajero dentro de un devenir prefijado de antemano y encuadrado en los estrechos límites de la sociedad que lo conforma. A veces la imagen que de la sociedad tiene es producto de sus divagaciones.

La juventud se ha marginado sin embargo. El rock, la aparición de los Beatles, Bob Dylan, los Rolling Stones, la difusión de la droga, el "quemarse" con ella y en ella, el estereotipo del hippismo, las luchas estudiantiles, parecen exigir otras respuestas. Ahora los jóvenes son como esos grupos que Paz, en su intento por definir lo mexicano, describe al hablar de los pachucos y otros extremos. "Incapaces de asimilar una civilización que, por lo demás, los rechaza, los pachucos no han encontrado más respuesta a la hostilidad ambiente que esta exasperada afirmación de su personalidad."[4] Si sustituimos la palabra "pachuco" por la palabra "hippie" o hasta por la palabra "joven", estamos contemplando el mismo fenómeno. Más aún cuando Paz continúa diciendo: "A través de un dandismo grotesco y de una conducta anárquica, señalan no tanto la injusticia o la incapacidad de una sociedad que no ha logrado asimilarlos, como su voluntad personal de seguir siendo distintos",[5] si seguimos sustituyendo —aquí eliminamos "dandismo" y ponemos "desaliño"— vuelve a describir al hippie y al joven que rechaza el sistema por principio, enfundado en una actitud de protesta, pero desorganizada, amorfa, autodestructiva. El hippie está en contra del *establishment*, pero vive en él, es como los poetas malditos y blasfemos, tienen necesidad de rechazar su mundo, pero no de destruirlo, porque en el momento que lo destruya su actitud dejará de tener sentido, será lo blanco dentro de lo blanco y lo negro dentro de lo negro, dará lo mismo. Paz lo reitera:

> Esta rebeldía no pasa de ser un gesto vano, pues es una exageración de los modelos contra los que pretende rebelarse... Generalmente los excéntricos subrayan con sus vestiduras la decisión de separarse de la sociedad, ya para constituir nuevos y más cerrados grupos, ya para firmar su singularidad. En el caso de los pachucos se advierte una ambigüedad: por una parte, su ropa los aísla y distingue; por la otra, esa misma ropa constituye un homenaje a esa misma sociedad que pretende negar.[6]

Esta dicotomía se observa, agigantada, en la juventud de nuestro tiempo. Las luchas políticas, la transformación social, el descuadre de un mundo establecido, pareció otorgarle un perfil definitivo por 1968. Pero el compromiso político, la protesta, la manifestación contra la guerra de Vietnam, la descreencia en la autoridad, llámese familia o Estado, la odorización contra los desodorantes, la suciedad contra la limpieza, el amor como contraeslogan de la violencia, han venido a ser las actitudes más definitorias de este movimiento que puede transformar la sociedad, pero casi a pesar suyo.

El *establishment* reacciona contra estos grupos que amenazan con corroer su sistema.

[4] *Ibid.*, p. 13.
[5] *Ibid.*, p. 14.
[6] *Ibid.*, p. 15.

La irritación del norteamericano —sigue diciendo Paz con proféticas palabras— procede, a mi juicio, de que ven en el pachuco un ser mítico y por lo tanto virtualmente peligroso. Su peligrosidad brota de su singularidad. Todos coinciden en ver en él algo híbrido, perturbador y fascinante. En torno suyo se crea una constelación de nociones ambivalentes: su singularidad parece nutrirse de poderes altamente nefastos o benéficos. Unos le atribuyen virtudes eróticas poco comunes; otros, una perversión que no excluye la agresividad. Figura portadora del amor y la libertad, el desorden, lo prohibido. Algo, en suma, que debe ser suprimido; alguien, con quien sólo es posible tener un contacto secreto, a oscuras.[7]

Esta cita es contundente. Seguimos reconociendo a los jóvenes de nuestro tiempo, seguimos sin poder mejorar la definición. Lo grave, lo notable es que ahora ya no se trata de un grupo cercenado de la colectividad, de una minoría que se defiende enarbolando su singularidad; ahora se trata de una gran porción de la humanidad, de los jóvenes que constituyen más de la mitad de la raza humana que habita sobre el mundo. No son los grupos aislados que Dostoievski veía aterrorizado en la ciudad de sus demonios concretizando la parábola evangélica, no son los patafísicos que como Jarry iban en bicicleta al entierro de sus amigos, ni los surrealistas emancipados que conmovieron al mundo de la primera posguerra, o los románticos enajenados por la noche; ésos eran apenas, como ya lo he dicho, grupos aislados. Ahora se trata de los jóvenes, nueva clase social, nueva raza humana que se liquida en oleadas progresivas cada vez que una de sus generaciones alcanza la terrible edad de los treinta años, cada vez que alguien sobrepasa "la inferioridad y la belleza", símbolos de la juventud, que dice Gombrowicz. Esta división, este mundo cercenado ya no únicamente en clases sociales, sino en edades, configura un nuevo paisaje humano, un nuevo paisaje social. El *establishment* intenta corroerlos minándolos desde adentro, copiando sus vestimentas, liberando aparentemente la convención de la moda, destruyendo el marco de lo "decent" en el ropaje, en las costumbres, abriendo la pornografía al mercado, vendiendo en los *department stores* los disfraces desteñidos que los *hippies* ostentaban como símbolos de su singularidad, elevando a millones las cifras de los discos en que rugen los Animales o se

[7] *Ibid.*, p. 15.

masturban los Doors, reproduciendo con toda la potencia de la electrónica los alaridos de los Mothers of Invention, difundiendo las declaraciones de John Lennon que niega el poder de unificar a los jóvenes que en un momento dado pudieron haber tenido los Beatles, industrializando la destrucción por la droga, aunque también lo haga con el napalm.

Los jóvenes mexicanos, obviamente no todos —¿cómo hacer ingresar en esta onda a los pocos adolescentes lacandones que aún quedan, o al mayor número de los jóvenes campesinos o hasta los de Ciudad Sahagún?—, son miembros de esa raza humana, aunque se localicen sólo en Narvarte, barrio casi mítico de donde provienen los protagonistas de las novelas de Sáinz y Agustín.

Y en esto, además de otras cosas que luego analizaré, radica su importancia. Con Sáinz y Agustín el joven de la ciudad y de clase media cobra carta de ciudadanía en la literatura mexicana, al trasladar el lenguaje desenfadado de otros jóvenes del mundo a la jerga citadina, alburera, del adolescente; al imprimirle un ritmo de música *pop* al idioma; al darle un nuevo sentido al humor —que puede provenir del *Mad* o del cine y la literatura norteamericanos—; al dinamizar su travesía por ese mundo antes instalado en lo que Rosario Castellanos define así:

> La novela mexicana, desde el momento mismo de su aparición (que se ha hecho coincidir con la de *El periquillo sarniento* de José Joaquín Fernández de Lizardi), ha sido, no un pasatiempo de ocioso ni un alarde de imaginativos ni un ejercicio de retóricos, sino algo más: un instrumento útil para captar nuestra realidad y para expresarla, para conferirle sentido y perdurabilidad.[8]

La ficción que se ilustra aquí prefigura, como lo había dicho, una nueva actitud ante la literatura, y aunque sigue tratando de "captar esa realidad" de la que habla la cita anterior, lo hace siguiendo muy diversas maneras cayendo en los ocios de la retórica, en los laberintos de la literatura fantástica, o hasta en la exaltación de la literatura que singulariza y aparta al joven del resto de su sociedad.

[8] Rosario Castellanos, *La novela mexicana contemporánea y su valor testimonial*, México, Instituto Nacional de la Juventud Mexicana, s.f.

## La mitología de la belleza y la inferioridad

¿Una nueva clase social? Hasta cierto punto. El joven se ha agrupado en movimientos estudiantiles masivos, ha rechazado las definiciones y las formas de vida de la sociedad anterior, ha adquirido conciencia política, ha cambiado su vestimenta, ha elegido nuevos lenguajes de comunicación, ha intentado crear una nueva moral sexual y hasta evadirse del mundo "viajando" con la droga e instalándose en el sonido. Indignado ante el escándalo que este hecho ha suscitado, Gombrowicz exclama:

> esta rebelión de los jóvenes es realmente obra de los adultos. Vea usted: unos centenares de jóvenes arman trifulca por un motivo cualquiera en Nanterre, o en otro lugar, y desahogan así su rencor contra la sociedad. Nada hay en ello importante. Es más bien estúpido. Pero entonces, la prensa, la radio, se apoderan de un asunto escandaloso, bueno para comentarlo, sabroso, y los periodistas, los sociólogos, los filósofos, los políticos ennegrecen toneladas de papel... Y a esa edad es difícil no creerse un instrumento de la Historia cuando se ve uno en la primera página de todas las revistas. Los jóvenes se lo han creído. Se han engreído. Y los adultos, medrosos, se han "desinflado". El monstruo de la juventud, tal como se ha manifestado ahora, es de nuestra propia (y adulta) fabricación.[9]

Esta constatación ratifica el hecho antes que negarlo. La barrera divisoria se establece en el mundo occidental y los jóvenes se enfrentan con desafío y violencia a los adultos —a la "momiza". La actitud de los adultos contra los jóvenes, su desconfianza, su preocupación reitera el fenómeno. El mismo Gombrowicz, que niega la validez de la rebelión de los jóvenes sólo en su sentido político, la define en su sentido más hondo como una "corriente dirigida hacia abajo, que va de arriba abajo, de la madurez a la inmadurez",[10] y antes, para fundamentar esa frase, se ha expresado así:

> Todos esos desplazamientos en profundidad, en la esfera de nuestra mitología íntima, toda esa subversión de los gustos y las inclinacio-

---

[9] Gombrowicz, *Lo humano en busca de lo humano*, trad. de Aurelio Garzón del Camino, México, Siglo XXI, 1970, p. 140.
[10] *Ibid.*, p. 145.

nes que caracteriza los tiempos actuales, y gracias a los que la juventud se ha impuesto últimamente y el hijo ha arrebatado la primicia al padre, los he experimentado desde el primer balbuceo, desde la primera guerra mundial, creo, cuando eran apenas perceptibles. Sí, ya en aquella época me sentí cogido en las tenazas de esta metamorfosis.[11]

Y es que ese movimiento a la inversa, esa lucha por dejar la madurez y alcanzar la inmadurez, ese intento por ser joven, por no anquilosarse ni física ni vitalmente, crea de inmediato una nueva mitología y replantea una nueva paradoja. Los manifiestos de la vanguardia, portavoces de una revolución en el arte y en la forma de enfrentarse al mundo, parecen coincidir en su espíritu con algunos de los manifiestos de la juventud contemporánea, pero en realidad, aunque muchas de sus actitudes, muchas de sus gesticulaciones y de sus ademanes parezcan emparentarse —Marinetti cancela la vejez al declarar: "los más viejos de nosotros tienen treinta años", que comparado con el anatema que han proferido nuestros jóvenes: "nadie es de fiar después de los treinta años", suena idéntico— vemos que en el fondo, aunque coincidan en mucho, su visión del mundo es totalmente diversa. En los años de la primera posguerra se iniciaba violentamente la revolución tecnológica y se realizaba la revolución socialista, ambas miradas con gran optimismo por los grupos de vanguardia que declaraban con entusiasmo que "es más bello un automóvil en carrera que la Victoria de Samotracia", al tiempo que algunos ingresaban al Partido Comunista. Ahora asistimos a otras revoluciones que trastornan nuestros modos de vida porque no hemos encontrado aún la manera de adaptar nuestra visión del mundo a los cambios que se operan en él y porque el joven rechaza la tecnología, ya no siente la misma confianza en las grandes revoluciones y los acontecimientos mundiales han demostrado que el optimismo no paga. No en vano se han presentado sucesivamente los campos de concentración, las bombas de Nagasaki e Hiroshima, los veinteavos congresos de la URSS, la guerra de Vietnam, la sociedad de consumo, las invasiones a Hungría y Checoslovaquia, los viajes a la luna, el desenmascaramiento de la palabra libertad y de la convención moral, el juego de la pornogra-

[11] *Ibid.*, p. 140.

fía, el infierno de la droga y el paraíso del sonido. A nuevas formas de realidad social, nuevas mitologías; el adolescente ha creado un nuevo estereotipo de épica y un nuevo tipo de héroe, épica y héroe que se reflejan en su novelística.

Los jóvenes comulgan consciente o inconscientemente con la tesis de Gombrowicz: "Juventud es belleza, pero la belleza es inferioridad", y la dialéctica de estos dos postulados se resume en la frase: "El hombre se halla suspendido entre Dios y la juventud", "lo cual significa —concluye el escritor polaco—: el hombre tiene dos ideales, la divinidad y la juventud... aspira a la perfección, pero le teme, porque sabe que es la muerte. Rechaza la imperfección, pero ésta lo atrae, porque es la vida y la belleza".[12]

Así el adolescente se traza su línea divisoria, su tierra de nadie ambivalente. Ya no aspira como el joven iniciado de la tribu a morir como joven y resurgir como adulto. El golpe de la edad, la llegada al muro lo enfrentan por igual a la muerte prematura de los treinta años, al estigma de la adultez, al ingreso en la vida establecida. Permanecer en la tierra de nadie es marginarse para siempre, es evadirse, es destruirse, es, en suma, suicidarse, como se suicidan los hippies o los jóvenes "viajeros". Suicidio aquí significa muerte o conformismo.

Pero mientras llega el momento de resolver el conflicto de traspasar el límite, de entrar en "el saque de onda" y confundirse con los "fresas", de volverse serio y vivir dentro de lo establecido y lo normado, se utiliza un modo de comunicación que segrega un lenguaje que identifica al joven como joven y lo hunde breve e intensamente en su "inferioridad", aureolándolo con esa belleza exterior que el traje, la cabellera, la actitud, el baile, la droga y, sobre todo, su propio cuerpo le confieren.

## El lenguaje

> De la Onda —dice Carlos Monsiváis— emerge un slang, una germanía, el lenguaje de una subcultura que pretende la comunicación categórica... No es casual que el lenguaje de la Onda deba tanto al habla de la frontera y al habla de los delincuentes de los cuarenta.

[12] *Ibid.*, p. 141-145.

En la frontera y en la cárcel, en la corrupción de un idioma y en el idioma de la corrupción se elabora con penuria y terquedad la renovación. Un lenguaje no se detiene: usa indistintamente de los resultados de la Revolution Avenue de Tijuana y de las claves para esconder secretos en los que, literalmente, nos va la vida... El caifán ha sido bautizado. Después ofrecerá, al insistir en su conducta y en su vestuario, la definición del término. El hispanglish brota en cantinas, prostíbulos, garitos, cervecerías... Y de ese vicio declarado, de ese melting pot de México que es Tijuana, de esa cocina del diablo que es la Candelaria de los Patos, surge de modo, entre simbólico y realista, una parte considerable de la diversificación del español hablado en México. La Onda es el primer grupo que capta y divulga en forma masiva estos numerosos hallazgos. Un slang es una complicidad, el habla de una subcultura es una complicidad divertida.[13]

El "pachuco", ahora el "caifán", situados en los extremos, marginados, proporcionan una base ideal para que el lenguaje particular del adolescente se vaya gestando. A partir de ese lenguaje híbrido, casi postizo, que corresponde a un tipo de hombre emparentado con el pícaro —de allí el término germanía que utiliza Monsiváis—, se gesta una piel especial que, como la indumentaria, diferencia al joven "in", al que no es "fresa", o hasta al que lo es, pero no lo siente, del mundo "otro", del mundo de los adultos, del mundo enajenado. Una nueva estampa y una forma especial de comunicarse lo aíslan y lo sitúan del otro lado, de la inferioridad, la inmadurez y la belleza. Una terminología específica subraya y determina su sentido de "ser iniciado", de pertenecer a algo distinto, de insertarse definitivamente en la Onda; pero a diferencia de los "pachucos" que forman comunidades totales minoritarias o de los malvivientes o criminales o hasta de los "caifanes" que pululan por la Candelaria de los Patos, barrio particular de la ciudad de México, los jóvenes de la Onda no son ya marginados, o empiezan a dejar de serlo: los caifanes y los pachucos son como los pícaros que la literatura española nos presenta en múltiples descendencias, entre las que se cuenta nuestro *Periquillo sarniento*, cuya degeneración se ve entre los "pelados" característicos del siglo XIX mexicano. Los jóvenes iniciados en la

---

[13] Carlos Monsiváis, *Días de guardar*, México, ERA, 1970, p. 103.

Onda utilizan el albur que el lumpen les proporciona y lo aliñan con la cadencia del rock para formar parte de esa nueva clase humana, citadina y pequeñoburguesa que manufactura al *narvartensis* típico, de las páginas de Agustín, Sáinz o García Saldaña.

De la utilización de un lenguaje iniciático —en este caso el albur— como recurso literario para integrar un mosaico de expresiones diferentes dentro de novelas como *La región más transparente* o *Cambio de piel* de Carlos Fuentes, que permitan definir una cultura, crear un mito, reinventarlo o explicarlo, se pasa a integrar el mundo desde el centro mismo de ese albur vuelto lenguaje narrativo; y no hay planos distintos de narración en donde las expresiones particulares de cada clase o las del escritor intervengan para situarnos, porque la Onda se determina por la dinámica y gritona y sin respiro que origina y envuelve el lenguaje de los jóvenes, desarrollando un nuevo tipo de realismo que apela a los sentidos antes que a la razón.

> Voy, no será más triling el beis...
> Los primeros pases frustrados del diestro provocaron la tormenta de cien mil chiflidos; el Fifo se daba gusto, y Gabriel gritaba:
> —¡Si no venimos a tomar tecito!
> —Ordéñalas, ¡güey!
> ...—¡Si quieres cogidas, quédate en tu casa!
> —¡Ay, mamacita, aquí está tu mero Miura![14]

En esta escena de *La región más transparente* de Carlos Fuentes se describe una actitud y se define una clase social. La narración se sitúa en dos planos, en el de lo descrito por el narrador-cronista y en el lenguaje específico de los que intervienen en la escena. Ambos planos son esenciales para el propósito del novelista. Veamos un ejemplo en *Cambio de piel*, del mismo autor.

> ¡Noooooo! La suerte de la fea. ¿A qué santo te encomiendas? La bonita la desea. Ay, San Antonio bendito. Miren nomás qué alburazo. Nos transaron, mana. Chaparra y flaca, qué desperdicio. Margarita para los marranos. Ésa no sabe por dónde. Ésa no tiene por dónde. Suelta las toallas, enana. Llegó tu hora. Bracitos más entumidos. Tetitas más guangas. Necesitas una friega con alcohol. A ver si lo agarró cansadito. ¿Noooo? Abusada, mana: ya le mojó el

[14] Carlos Fuentes, *La región más transparente*, México, FCE, 1968, p. 189.

barbón a la soldadera ésa. Te digo. Mugres manos de toallera, acostumbradas a limpiar sangre y papuchas y monos como King Kong el rey de la selva, trapos calientes, toallitas más suaves, siempre listas y dispuestas. Es tuyo, chaparra. Deja las toallas.[15]

Esta escena a la vez narrada, comentada y entregada tal cual es, contrasta con el párrafo siguiente en que Fuentes reflexiona sobre el sentido de la frase que le da nombre a su libro, a la vez que relaciona el mito de la Serpiente y el Paraíso con un ritual degradado que se celebra en un prostíbulo, y cuyos participantes, mexicanos y extranjeros, acaban desencontrándose totalmente, tanto en la acción como en el lenguaje.

Estoy sofocado, junto, bajo, entre, sobre los cuerpos y me aterra la ausencia de risas, la cadavérica solemnidad de nuestra pirámide de tactos, la máscara salvavidas del idioma inglés en boca de las cariñosas honeybunch, cherryblossom: cuando el Rosa-Correosa apagó la luz, todas las manos huyeron de las pieles ajenas, la oscuridad les arrebató el placer profesional y las manos se refugiaron en la propia piel protectora y la lingua franca del joven, imberbe Rosa impone el abandono a quienes entendemos su inglés germánico, los destructores de ídolos son ahora los adoradores de ídolos: el Rosa ha recostado, como una sardinilla, al filo de la cama crujiente y callada, a la muchacha de las toallas, la rebelión triunfante se vuelve también institución y la ley de una nueva opresión: impone el respeto a las huilas que deben imaginar una locura intocable y un daño reciente que han venido a contagiarlas: la lengua extraña las inmoviliza, coarta la burla, destierra el albur.[16]

La obscenidad se refleja en el albur, jerga viciosa de seres degradados, prostituidos. El ambiente fronterizo de Tijuana que menciona Monsiváis integra el albur caifanesco al seudoidioma de los marginados y lo entrega a la Onda, que también empieza su trayectoria en juegos soeces del lenguaje, para contagiarse muy pronto del slang característico de las canciones del rock y del de los adolescentes. Situación y sonido se funden y esta mezcla cataliza y reinvierte la expresión. Fuentes recurre al albur para explicar una experiencia, en tanto que la ilustra; la Onda no aparta la experiencia para indagar

[15] Carlos Fuentes, *Cambio de piel*, México, Joaquín Mortiz, 1967, p. 349.
[16] *Ibid.*, p. 395.

en su contexto, intenta confundirse en ella y entregárnosla en el nivel de la sensación inmediata. La estridencia de la vestimenta, la disolución de la conducta restringidas por la mirada se violentan en la magnificación del sonido. Visión y oído se sustentan, pero en el oído se concentra la expresión más definida: La Onda entra en el lenguaje para fundamentar la narración y ésta se estructura mediante recursos auditivos: los personajes de *Gazapo* se orbitan dentro del estrecho límite de una cinta magnetofónica que reproduce sus andanzas picarescas. Esta reproducción de la conducta por medio de lo auditivo se reduplica a su vez por la persistencia de un ritmo lingüístico definido a partir de esa nueva connotación mental que los trazos de la Onda imprimen. En "Cuál es la onda", de José Agustín, la sustancia misma de lo narrado se supedita al ritmo rockanrolero que sedimenta la anécdota, casi inexistente, porque su sentido se sumerge en la deformación acústica y en el movimiento. El ritmo total del cuento irradia del tambor y sus percusiones, palabra y acción se pliegan al sonido.

En *Gazapo*, la grabadora y el teléfono desempeñan siempre el mismo papel. Las conversaciones escuchadas sustituyen a las escenas entrevistas y colocan lo sucedido en muy diversos niveles, sin que se pueda decidir cuál es la acción en su sentido más lineal. No importa lo que se hace. Lo verdaderamente sucedido no interesa, lo que cuenta es lo que se dice y lo que se oye de tal suerte que las situaciones se insertan dentro del ámbito de una realidad en donde lo imaginado y lo vivido vienen a significar lo mismo.

En un artículo, Gustavo Sáinz resume así su concepto de la novela de la Onda:

> la preocupación por el anecdotario juvenil se desborda ante la avasalladora presencia del lenguaje, una inmersión en los desperdicios del habla cotidiana, la superficialidad, los juegos de palabras y el vocabulario secreto de diferentes colectividades. Son estas novelas especialmente dialogadas. Los personajes hablan para dejar blancos en una página a imitar la vida, donde el relato se diluye en aras de innumerables conversaciones. Y esto, que es tanto su virtud como su pecado, es lo que más impresionó a un grupo de nuevos escritores que coincidieron más en las desventajas que en las ventajas, al publicar sus primeras y al parecer únicas novelas.[17]

[17] Gustavo Sáinz, "Literatura", en *Claudia*, octubre de 1970, p. 80.

Y en este caso se encuentran, por ejemplo, la novela de Carlos Páramo, *Los huecos* y la de José Antonio Nava Table, *Los hombres dulces*. Esta conversación infinita, este diálogo ininterrumpido que encubre la acción es uno de los elementos distintivos del adolescente. Es tan importante hacer como decir que se hizo algo, y las conversaciones en torno a la mesa del café se vuelven interminables mientras el adolescente acumula anécdotas referidas a hechos en parte reales, en parte deseados y vividos como reales. En *Gazapo* los jóvenes se reúnen en Sanborns y se hablan por teléfono con el único propósito de referir sus andanzas y sus múltiples "ligues". En *En caso de duda,* de Orlando Ortiz, los jóvenes intentan una especie de novela pastoril —experimento que también ensaya Jorge Arturo Ojeda en *Como una ciega mariposa*— enredada en personajes con nombres míticos y conversaciones en donde lo soez —el albur— y los juegos de palabras alternan con reflexiones sobre la condición humana y la fugacidad del amor. *Abolición de la propiedad* de José Agustín es una novela dialogada a dos niveles, en el del diálogo mismo de los protagonistas y en el del diálogo en el que las voces de los mismos protagonitas se reproducen en una grabadora.

Así, este lenguaje, inédito en parte en nuestras letras, no representa una invención en absoluto. Es más bien el advenimiento de un nuevo tipo de realismo en el que el lenguaje popular de la ciudad de México, ese lenguaje soez del albur tantas veces mencionado, al que los jóvenes tienen acceso en las escuelas, a través de los *sketches* cómicos de carpas, y hasta de la televisión, ingresa en la literatura directamente. El humor que del diálogo se desgaja suele encubrir en muchas ocasiones —Orlando Ortiz, Sáinz, Agustín, Avilés, Páramo, García Saldaña, Manjarrez— el miedo siempre presente de enfrentarse a la muerte, al envejecimiento prematuro, a la adultez, a la descomposición del amor.

## Los viajes

El héroe mítico tenía que realizar un viaje para recobrar su identidad o crearse una. Ulises y Jasón, Gilgamesh y Hércules van en busca de hazañas y atraviesan los mares y los desiertos para llegar a ser. Orestes regresa para encontrarse y Telémaco se busca en la figura de su padre. El joven adolescente se desplaza, se mueve, cambia de ambiente, "viaja", pero su identidad sigue confundida porque su personalidad es colectiva y mecánica, se inserta en la Onda de lo auditivo —en el rock— o en el de la sensación —rock ácido—; en última instancia se vive a sí mismo como representación de eso que José Agustín llama "inventando que sueño", mientras se piensa con terror disfrazado que ya "se está haciendo tarde", título de la próxima novela de Agustín.

No es héroe porque es totalmente anónimo aunque se llame Menelao —protagonista de *Gazapo* de Gustavo Sáinz—, y sus andanzas lo perpetúan en un movimiento cómico, casi chaplinesco, que lo estereotipa en un desplazamiento, semejante al de esos personajes de los cortometrajes de cine de principios del siglo que realizaban movimientos en cámara rápida, grotescos, caricaturas de esas siluetas que se mueven entrecortadamente cuando los jóvenes bailan al compás de rock y entre las luces intermitentes de un espectáculo psicodélico. La experiencia del "viaje" se transfiere y se realiza a medias en el terreno ambiguo de una danza epiléptica que enloquece, que droga y que se denomina "rock ácido". Cuando no se viaja con el "ácido", se baila al son del rock y se obtienen efectos semejantes para producir la sensación al contacto de lo auditivo y lo luminoso distorsionados por la electrónica.

La distancia entre la carpa y el albur, mediatizada por la injerencia del idioma "gabacho" de los jóvenes "onderos", se mide desde la frase de Monsiváis: "Sin jactancia pontifico que mi generación, por vivir en el mundo anterior del rock'n'roll, fue la última educada en las extrañas normas del México viejo. O dicho de otro modo, ¿se puede ser contemporáneo bailando danzón en el Smyrna?",[18] hasta la declaración que firma García Saldaña en el "autorretrato" de la solapa de la edición de su novela *Pasto verde*: "Antes que nada debo confesarme hermano de la espuma, de la garza y del sol y de la vibrante inmovilidad de las ondas... mis héroes son agustín lara, el charro avitia y maría victoria, mi máxima ilusión es hacer un striptease con el ballet-folk de amalia hernández..." La antisolemnidad esgrimida por Monsiváis en su *Autobiografía* se subraya en las frases de García Saldaña que expresa la parodia burlesca a la otra generación, esa que no empieza sus cuentos con epígrafes de canciones en "gabacho" —expresión que ahora acuña el influjo

---

[18] Carlos Monsiváis, *Autobiografía*, México, Empresas Editoriales, 1966, p. 28.

de lo "pocho" en el idioma—, ni utiliza largas frases en inglés para condimentar la narración. Algo más significativo es la forma de hacer sociología de una época estampándola, deslindándola según los ritmos que se bailen o se oigan: es como oír un mundo al tiempo que a través de lo auditivo se pasa a visualizarlo.

Ese tránsito, este viraje en la mentalidad, este ninguneo de los bailes populares del Salón México o del Smyrna, esa cursilería estribada en el bolero o en el danzón y en el charnés de las "gatas" o la vaselina de los "pachucos-caifanes", se superponen a la onda roquera y demuestran la gran invasión de la literatura, el cine, la danza y el hippismo —preludiado por el movimiento beatnik— que cruza el río Bravo. Éste es un viaje que marca la línea divisoria entre lo que está "in" y lo que no lo está. La ciudad se ha transformado visualmente, ha dejado de ser la que los jóvenes de la Onda conocieron cuando niños y que Monsiváis entrevé diciendo:"¿Cuál ciudad? Si acaso entonces, una suma de pequeños pueblos y tribus burocráticas unidas por un corazón comercial..."[19] para transformarse en la ciudad de los *departments stores*, los Dennys, los Lancers, las pizzas de *drive-ins* amalgamada a la Merced, la Lagunilla y la Calendaria de los Patos. Esa influencia permea la audición y divide la visión; los escritores la captan, como lo he repetido tantas veces, en su aspecto más concreto y literal, el inmediato, el del realismo enclavado en la sensación.

Así esa mítica híbrida, esa heroicidad desvanecida preparan el camino y definen los vehículos que han de presidir el tránsito. Tránsito variado que puede significar mil cosas: viaje en el sentido normal del término o viaje por el mundo de las influencias, viaje de droga, o simplemente tránsito de una edad a otra.

Dentro de las categorías viajeras es más definitiva la experiencia infantil, "esa emigración terrible, de la Merced a la colonia Portales",[20] que marca la diáspora del niño Monsiváis. Internarse a pie por los meandros empantanados de una ciudad mitad autóctona y mitad "gabacha" suele ser más catastrófico que embarcar en un avión para cumplir, a medias y a la vez rechazándolos en antihéroe, con las hazañas de James Bond, a la manera de los personajes de la novela *Lapsus* de Manjarrez. Viajar a Alemania o a Polonia como Carrión

---

[19] *Ibid.*, p. 12.
[20] *Ibid.*, p. 11.

o Torres es instalarse escasamente en la constatación de la adultez. Idéntica persuasión nos provoca la frecuentación que Aguilar Mora o Pacheco demuestran por los viajes literarios al medievo o a la época contemporánea. En suma, cuando se viaja la traslación mecánica no conduce a nada, se ha utilizado apenas un automóvil, una canoa, un avión, un camión de colegio. Cuán lejos estamos de los gritos emocionados de Proust cuando entona odas a las "demoiselles" del "téléphone" que glorifican el viaje del sonido o se extasía ante las bellezas del paisaje vertiginoso de Bretaña transformado por las velocidades catastróficas de los veinte kilómetros por hora. Esta insistencia porfiada de los viajes se revela también en la sexualidad. Se viaja de una muchacha a otra, los "ligues" siguen siendo condición primera de un estar en la adolescencia —*Gazapo* de Sáinz, *De perfil* de Agustín, *Pasto verde* de García Saldaña, *En caso de duda* de Ortiz, *Acto propiciatorio* de Manjarrez, etcétera— o de la nostalgia que ésta provoca en los que empiezan a remontar la edad —*Obsesivos días circulares* de Sáinz, *Las manos sobre el fuego* de Echeverría, *El viaje* de Torres, *Los juegos* y *La lluvia no mata las flores* de Avilés, etcétera. Pero como se advierte en "La playa" —cuento de *La condición de los héroes*, de Roberto Páramo, publicado en *Narrativa joven de México*— esa forma de amar condensa en su universo arenoso y soleado el transcurrir inútil e indecoroso de las cosas de este mundo. Es una especie de náusea tostada por el sol y aderezada con camarones. Es una cópula apresurada en la que se tocan mucosas y se restriegan pieles, en un repetido acontecer que mimetiza la constante cercanía del mar y la arena. La Onda que no conduce a nada, la prostitución casi como ejercicio metafísico.[21]

La pretendida liberación del amor, las nuevas relaciones de los sexos, son externas. Las fiestas de Zona Rosa cuya genealogía se inicia en *La noche* de Juan García Ponce para convertirse en el patrimonio de Avilés Fabila, *Los juegos, La lluvia,*

se ordenan siguiendo un rito inacabable de bebidas y ligue, con un trasfondo anémico de strip-tease por el que transitan las ropas íntimas de la misma muchacha renovada, las palabras soeces, los juicios literarios achabacanados, las políticas dentro de la constitu-

---

[21] Véase "Narrativa joven de México", en este mismo volumen.

ción, los devaneos hermafroditas y el periodismo circunstancial. Al ritmo desaforado de la música de moda y con un pedaleo acelerado por las calles, sus personajes se desplazan de fiesta en fiesta, de casa en casa. Se "faja" en los baños y detrás de las cortinas; se beben la misma copa y se reitera la misma metáfora.[22]

A esta definición se pliegan en mayor o menor medida algunos cuentos y narraciones de Orlando Ortiz, Parménides García Saldaña, Roberto Páramo, Manuel Farill. En algunos —Ortiz, Páramo, Echeverría, Sáinz— se advierte una nostalgia, un desencanto, en otros —el mismo Sáinz, Avilés, sobre todo— se filtra la crítica feroz, el desprecio que el autor siente por ese submundo artificial y postizo que se incrusta en el subdesarrollo.

La búsqueda de lo profundo que Michaux practica empezando desde el abismo, ese paraíso artificial de los simbolistas que individualiza, parece ausente en esta generación de mariguana. La droga al volverse patrimonio del adolescente lo identifica colectivamente a su propia clase, no lo aísla, no lo heroifica, no lo deja elevarse a la categoría de héroe romántico, ambicioso y cercenado como Julien Sorel. (Véase, *Pasto verde,* de García Saldaña y *Larga sinfonía en D*, de Margarita Dalton.) El título mismo del libro, tan citado ya, de Páramo es significativo, *La condición de los héroes*; en él se ven versiones descoloridas, radiografías pálidas de acciones inútiles, de seres parodiados. El ejemplo mejor, sin embargo, está en *Las manos sobre el fuego* y en *Obsesivos días circulares*; en estas obras, el protagonista se encuentra en la barrera, en esa edad limítrofe, en el trayecto definitivo, apunta a los treinta años. Su versión del mundo ya no es auditiva, ya no vive sólo en el dominio de la sensación; ahora dialoga consigo mismo mientras mira, mientras observa y critica el mundo que lo rodea. En Sáinz, el Menelao de *Gazapo* se ha transformado en Terencio y la parodia evidente lo convierte en moralista apócrifo que se autocontempla con disgusto, personaje cómico al que suceden todas las desgracias, pero desgracias minimizadas a la manera de los *gags* del cine, donde los actores caen siempre en la trampa de los pasteles arrojados a la cara o en la de los baldes de agua fría. El viaje aquí va de la tira

[22] *Idem.*

cómica, pasando por la novela policial, al cine. Es el Dashiell Hammet del *Halcón maltés*, pero en imágenes, esas imágenes que hacen decir a Monsiváis en su también ya varias veces archicitada *Autobiografía*:

El segundo encuentro se llamó *Casablanca*; la película por antonomasia, el instante que me descubrió el poder formativo de Hollywood. Allí estaban mis tres figuras míticas: Humphrey Bogart, el héroe más que hemingwayano y los personajes inolvidables: Sidney Greenstreet y Peter Lorre. Allí se escuchaba la canción absoluta: "As time goes by... Cuando Bogey le dice a Dooley Wilson: "Play it again, Sam", se ha pronunciado —y esto podrá ser retórica pero no es mentira— una frase tan importante como "desde lo alto de estas pirámides cuarenta siglos os contemplan."[23]

Admiración que comparte Elizondo y que le hace crear a Sáinz un personaje como el gordo Sarro, sátira caricaturesca de Peter Greenstreet, un pistolero de la Federal de Seguridad, uno de los asesinos del líder campesino Jaramillo. A la constatación de la inutilidad del devaneo, el protagonista advierte la existencia de un mundo social, de un subdesarrollo, de clases antagónicas, pero no lo hace como Gerardo de la Torre en *Ensayo general*, directamente en la presentación del mundo de los sindicatos y los obreros, de los líderes venales, sino que lo presenta deformado por el ojo oblicuo de un espejo, de esa mirada, soezmente dirigida, con que los señores burgueses miran desde un tragaluz a las muchachitas que habitan en el colegio en el que Terencio y su mujer trabajan como porteros, o la mirada con la que el mismo Terencio curiosea en la *Odisea* de Ulises o en las andanzas del gángster Sarro. Es un juicio de través, casi incógnito, pero por ello mismo más certero. El protagonista de Echeverría baja de un avión para festejar el fin de la soltería y los esponsales de un amigo de Onda y de "colonia". Hijo de un industrial-representante-de-la-alta-burguesía-altos-hornos-de-México y amigo de niños "fresas" que acaban por ingresar en las filas tranquilizantes del joven decente que se asienta, el protagonista del libro acaba buscándose en una modelo muerta que irrumpe de pronto en su vida a punto de "ordenarse". La mirada se

---

[23] Monsiváis, *op. cit.*, pp. 52-53.

detiene ahora en una fotografía y termina desorbitándose cuando al advertir la madurez encuentra la muerte. Esa misma muerte que ya se adelanta frente a los personajes de *Gazapo* cuando se marca el contraste entre la piel suave y la ágil silueta de Gisela y la piel de guajolote y el aliento hediondo de la abuela de Menelao y que Terencio reitera en *Obsesivos días circulares*; la gordura fofa y repugnante de Sarro contrastada con la esbeltez de Yi, la adolescencia impasible de Trusita o la lejanía impávida de Donají. Esa misma mirada traza esa división tajante que separa el "ligue" del recelo y el resquemor con que se mantiene siempre —aunque se pretende lo contrario, véase *En caso de duda* de Ortiz o "Belinda" de García Saldaña— la relación entre los dos sexos. Terencio se enajena en comicidad ridícula entre las cuatro mujeres que descalabran su mundo, y el protagonista de Echeverría observa siempre de lejos, cuando se acerca, ya ha muerto la muchacha y muy pronto morirá también él.

El viaje se ha realizado. El sonido desaparece para dejar libre a la mirada: el arribo determinante e inevitable de la adultez.


## La escritura

Hablar de *escritura* puede significar muchas cosas o quizá sea sólo una escapatoria bizantina. Con todo, dentro de este término incluiré muchas tendencias surgidas dentro de la narrativa mexicana en los últimos diez años. Valerse de este término de referencia temporal no indica que antes no se haya intentado la escritura en nuestras letras, indica solamente que ahora se trata de una actitud explícita, tendencias cuyo punto de convergencia sería la preocupación esencial por el lenguaje y por la estructura.

En este sentido coinciden Onda y "escritura". No sería posible tampoco trazar la línea divisoria: ¿es lícito afirmar que *Obsesivos días circulares* de Sáinz participa tanto de la Onda como de la "escritura", en tanto que un texto de José Emilio Pacheco o de Carlos Montemayor, o uno de Juan Manuel Torres o de Ulises Carrión son sólo "escritura"? Es el lector quien fijará las fronteras.

"Las novelas son ahora 'problemas'", dice Sáinz.[24]

---

[24] Sáinz, art. cit.

Los escritores —continúa— han comenzado a distinguirse por su lenguaje, algo que ya no se acepta con inocente consentimiento. La preocupación de "escribir bien" tan propia de Martín Luis Guzmán o Salvador Novo tiene ahora una oposición: la de aquellos que no creen más en los ceremoniales literarios. Si escribir es entrar en un *templum* que nos impone (independientemente del lenguaje que es nuestro por nacimiento y por fatalidad) una religión implícita, un rumor que cambia de antemano todo lo que podemos decir, escribir es, también, querer destruir el templo incluso antes de edificarlo; es por lo menos, antes de franquear el umbral, interrogarse sobre las servidumbres de semejante lugar, sobre el pecado original que constituirá la decisión de encerrarse en él.

Este gesto interrogante, esta iconoclastia, cuestiona el sentido mismo del género novelístico o en general de la narrativa. La crítica implícita en la actitud del que escribe se transfiere al lenguaje escrito y transforma su sentido. Pero decir esto no significa tampoco mucho; constantemente nos encontramos con afirmaciones semejantes, véase por ejemplo varias de distintas procedencias:

Esta lucha por quebrar las pautas tradicionales de la novela es —dice Julio Ortega—, por eso, una necesidad fundamental de la nueva novela latinoamericana; su impulso a totalizarse la obliga a cuestionar las técnicas y las formas, la escritura misma, a instaurar en el centro de la creación novelesca la crítica a esa misma creación.[25]

Y Juan Manuel Torres en la contraportada de su novela *Didascalias* afirma: "Es necesario escarbar y escarbar, ir acomodando todas las piezas de las maneras más diversas hasta que formen el rompecabezas, hasta que con la suma de sus signos puedan lograr transmitirnos algún significado."

Por su parte R.M. Albérès[26] explica los cambios ocurridos en la novelística contemporánea:

Al fenómeno un poco artificial denominado *nouveau roman* en Francia, desde 1954, hasta la fecha, le debemos si no obras maestras por lo menos la impresión y la convicción de que una nueva

---

[25] Julio Ortega, *La contemplación y la fiesta*, Caracas, Monte Ávila Editores, 1969, p. 11.
[26] R.M. Albérès, *Métamorphoses du roman*, París, Albin Michel, 1967, p. 10.

tendencia novelística se ha manifestado: esta tendencia se preocupa menos del contenido de la novela que de su forma, de su escritura, de su óptica. Hacia 1950 pensábamos que la novela era la expresión de una metafísica y de una moral. En 1966 debemos considerarla como la formulación de una manera de sentir y de escribir, como una estética y una fenomenología, y ya no como una moral o un debate moralista.

Esta constatación derivada de un análisis que principia con Proust y que se reitera desde muy distintos enfoques novelísticos, nos pone en una pista que nos lleva a principios de siglo, en la que los ensayos narrativos pretenden destruir templos y revisar críticamente todas las estructuras y escrituras posibles.

El género narrativo busca como buscaron los románticos alemanes, Nerval, Baudelaire, Rimbaud y Mallarmé, con respecto a la poesía, el significado mismo de su sentido. Gaétan Picon asevera con respecto a Mallarmé: "Ninguna obra poética ha puesto la poesía en cuestión con mayor tenacidad y profundidad... La obra de Mallarmé es la primera que parece romper toda liga con la experiencia humana para convertirse en experimentación sobre la literatura."[27] Antes ha afirmado que Baudelaire "puso fin al reino de la anécdota, al de la historia; él fue quien desacreditó la decoración, el didactismo, el lirismo epidérmico, la expresión psicológica, el moralismo". Baudelaire, dijo Valéry —continúa Picon—, fue el primero que trató de producir una poesía en su estado puro construida sobre el lenguaje y sobre un lenguaje específico.[28] Esta incursión en el lenguaje y en la experimentación para delimitar el universo propio de la poesía parece realizarse en un campo totalmente ajeno a ella, en el de la narrativa, desde finales del siglo XIX. Y decir narrativa implica la necesidad de narrar algo, de contar, de utilizar el lenguaje como vehículo para inaugurar un relato y descubrir un mundo; trasciende esa función sin embargo y, en su propio ámbito, la narrativa cuestiona el lenguaje; lo descubre, transforma su sentido, lo crea, lo disuelve a la vez en edificio y andamio.

La discusión corre el riesgo de volverse interminable pero puede servirnos de punto de partida. La novela como experimentación del

---

[27] Gaétan Picon, en *Histoire des littératures*, Encyclopédie de la Pléiade, vol. III, París, Librairie Gallimard, 1958, pp. 977-978.
[28] *Ibid.*, p. 938.

lenguaje se efectúa en un territorio distinto al de la poesía y plantea una estética novelística que se erige en el cuerpo mismo de lo narrado, o en la materia narrativa misma, en la "escritura". Por otra parte, la novela se vuelve averiguación no psicológica —tomamos esta palabra en su aspecto policial—, averiguación sobre su íntimo significado y sobre lo narrado para despojarse, en muchos casos, de lo que considere ajeno para indagar o cuestionar sobre lo que le es propio.

Así "escritura" negaría Onda. La negaría en la medida en que el lenguaje de la Onda es el instrumento para observar un mundo y no la materia misma de su narrativa. Onda significaría en última instancia otro realismo, un testimonio, no una impugnación, aunque algunas novelas o narraciones de la Onda empiecen a cuestionar su testimonio.[29] Paz asevera que "la literatura joven [de México] empieza a ser crítica y lo es de dos maneras: como crítica social y como creación verbal".

Y ejemplificando estas dos posibilidades continúa:

> La novela mexicana nace con un escritor subversivo, Mariano Azuela. Aunque no fue un gran escritor, en el momento en que triunfó la Revolución, la desnudó y mostró sus partes secretas, sombrías. Otro escritor contemporáneo de Azuela es Martín Luis Guzmán. En sus novelas, los personajes centrales son antiguos revolucionarios que nada tienen de héroes. Guzmán no nos presenta un mundo de buenos y malos, en blanco y negro. No es maniqueo, revela la ambigüedad esencial del hombre y de la sociedad. Otro ejemplo: uno de los grandes poemas hispanoamericanos de la generación anterior a la mía, *Muerte sin fin* de José Gorostiza, termina así: "Anda putilla del rubor helado, anda vámonos al diablo." Este poema es una crítica del lenguaje, de la poesía y de la vida humana. No es una literatura dulce la buena literatura mexicana. Pienso sobre todo en los jóvenes. Lea usted a Rulfo o a García Ponce. Lea a los nuevos poetas: Sabines, Segovia, Bonifaz Nuño, Montes de Oca. En todos ellos, el problema del lenguaje es central: no el lenguaje como una dimensión del hombre, sino el hombre como un ser verbal, como una dimensión del lenguaje. Otra preocupación: el erotismo, aunque en un sentido distinto y aun opuesto al de la

---

[29] María Embeita, "Octavio Paz: poesía y metafísica", en *Ínsula*, julio-agosto de 1968, pp. 12-14.

tradición española... el erotismo de Carlos Fuentes en un lenguaje de signos corporales y el otro joven mexicano, Salvador Elizondo, es intelectual, metafísico. Los cuerpos son signos. Y esos signos nos interrogan.

La doble vertiente que Paz destaca se muestra de manera obsesiva en los jóvenes escritores mexicanos. La creación verbal o mejor dicho el intento por crear una escritura se muestra siguiendo varios cauces: Como planteamiento de una estructura y de una averiguación podríamos decir que en México se publican durante esta década varias novelas: *Los albañiles* de Vicente Leñero, *Farabeuf* de Salvador Elizondo, *Cambio de piel* de Carlos Fuentes, *Morirás lejos* de José Emilio Pacheco, entre otras.

De Vicente Leñero dice Iris Josefina Ludmer:

> Todas las novelas de Leñero se estructuran en base a una relación asimétrica. Por un lado, un interlocutor, una persona que gana información a costa de otra, sin que la otra la gane a costa de ella: es el receptor que escucha, organiza, piensa, lee. Por otro lado el actor, el hablante que actúa, vive, siente, comunica, se expresa sobre sí mismo y constituye la ficción. La función del receptor es ordenar, dar forma, interpretar el material dado y recrear imaginariamente los hechos; la función de locutor es simplemente emitir una narración tratando de dejar de lado toda conciencia y toda racionalización.[30]

Los personajes se entrecruzan y las versiones que emiten también. El autor tiene algo de cerebro electrónico que registra y devuelve varias realidades que se ordenan de manera incompleta en la mente de los personajes. Es el lector el que deberá reorganizar, ayudado por el autor. Así vista, esta novela nos remite como *Farabeuf* y *Morirás lejos* a los ensayos que realizaron en el *nouveau roman* sobre todo Robbe Grillet y Butor; pero adjudicarle esa influencia sería postular que estas novelas son sólo la imitación autóctona de una importación. Otra forma de entroncarlas en una tradición reciente sería colocarlas al lado de *Rayuela*, en especial en la imposición de un lector macho y de un lector hembra que cataloga

---

[30] Iris Josefina Ludmer, "Vicente Leñero, *Los albañiles*. Lector y actor", en *Nueva novela latinoamericana I*, Buenos Aires, Paidós, 1969, p. 197.

por anticipado al lector. El juego lector-actor, binomio que intentará recrear la novela, se perfila también como elemento indispensable de esa perspectiva y se repite en *Cambio de piel*. *Farabeuf* juega con varias posibilidades y, de una estructura vagamente policial, pasa a definir un alfabeto en el que los cuerpos se vuelven letras para recalcar la cita de Paz. Estos signos se desdibujan en Pacheco, quien revive una historia a la vez demasiado concreta en su exterminio y demasiado vaga en su imposibilidad de recreación. A este juego de hipótesis policiacas, de registros automáticos, de ausencias de personajes y presencias impostadas de un autor que exige la complicidad de un lector, se añade la estructura en espiral que enreda tanto a la creación como a la ficción, es decir, dentro de la novela se inscribe la composición de la novela, sirva de ejemplo en este caso *Los frutos de oro* de Nathalie Sarraute. El autor se confunde y se despersonaliza a la vez que se reinventa en un lenguaje que nosotros-lectores alteramos. En *Cambio de piel* el lenguaje se utiliza en varios niveles. Primero en su más inmediato, el de la comunicación lógica, expresiva de una realidad, cuantificable y criticable, luego en el de las diversas mentalidades de los personajes que viven o desviven la ficción y por fin en el del protagonista-autor, que crea su novela envuelto en la metáfora de la caja de Pandora.

Estas novelas se asientan como pivote en torno del cual giran algunos de los más jóvenes narradores de México. No quiero decir que se las imite directamente, sino que esa preocupación por escribir "escritura", por destruir la forma tradicional de la narrativa, por pisotear el templo acaba volviéndose primordial y cada autor la contempla desde su ángulo, cumpliendo con mayor o menor fortuna ese imperativo categórico que les viene desde Europa, desde América Latina, desde el propio México. La técnica suele exagerarse y se llega al extremo de utilizar el lenguaje con afanes filológicos, como sucede en parte con *José Trigo* de Fernando del Paso; en parte porque cuando olvida esa preocupación su novela raya en lo poético.

En *Luz que se duerme*, Navarrete difumina personajes, situaciones, luces y hasta estructura en su intento por recrear esa integración temporal-espacial característica de *Pedro Páramo* —libro clave de nuestra narrativa— y acaba por esfumar su novela en tanto que el estilo se mantiene. En *Didascalias* de Juan Manuel Torres la misión de "escarbador" que el autor se ha impuesto lo obliga a desnudar a tal punto su intención que en ocasiones el libro se vuelve recuento y alegato, a la vez que confesión, de técnicas y teorías:

> También se podrían crear personajes no definitivos, personajes que en un momento dado pudiesen responder "si" o "no" o "quien sabe". Se podría por ejemplo escribir las tres respuestas y pedirle al lector que tachase dos de ellas, o las que quisiera... También sería una solución escribir una obra que comprendiese todas las posibilidades para que este mismo lector (de acuerdo con su propio gusto o al azar) arrancase páginas enteras, dejando únicamente los fragmentos que más le interesasen para a su vez componer una obra más modesta, es cierto, pero más de acuerdo con sus sueños y esperanzas.
>
> A la manera de este lector enfrento yo las cosas que escribo. Separo del mundo solamente unas cuantas miradas.[31]

Torres separa varios elementos de su libro *El viaje* y los recompone sin fin con base en tres posibilidades que elige porque le son consanguíneas, para arribar a esa reflexión inicial, a "la coincidencia o confusión —como dice Borges— del plano estético y del plano común de la realidad y del arte".[32] Esta ordenación o selección de ordenaciones nos remiten al punto original donde se inicia el viaje, el de la memoria, el del recuerdo, el del sueño, también confundidos en las vagas reminiscencias que nos descubren de inmediato y sin embargo a Proust. Ulises Carrión no formula rompecabezas, viaja simplemente, para ponerle espacio a "un amor inútil", para relatar desplazamientos más temporales que espaciales, síntesis de ese leve "viaje hombre adentro" del que habla Arreola. Esther Seligson de cuyo libro *Tras la ventana un árbol* dice Juan Vicente Melo:

> Ese deseo reiterado, siempre dicho en voz baja, en ocasiones apenas insinuado, constituye el oculto y terrible mecanismo que pone en juego una situación que, invariablemente, trae como consecuencia la separación de los amantes y la terrible necesidad de recuerdo y olvido. Prisioneros de ese deseo, los personajes de *Tras la ventana*

---

[31] Juan Manuel Torres, *Didascalias*, México, ÉRA, 1970, p. 17.
[32] Jorge Luis Borges, "Nathaniel Hawthorne", en *Otras inquisiciones*, Buenos Aires, Emecé, 1960, p. 77.

239

*un árbol* (casi siempre sin nombre que los particularice y los distinga) transitan por un universo cerrado, asfixiante, rutinario.[33]

Recuerdo, olvido, separación de los amantes, reconocimiento en el otro, historia reiniciada muchas veces, mismo tránsito, mismo desenlace que emparientan estos cuentos a los de los anteriores cuentistas citados: Torres, Carrión, con Sergio Pitol, Juan Vicente Melo, Juan García Ponce en su trayectoria musiliana de búsqueda interna. El desvanecimiento del personaje y la constatación diluida de nostalgia de una vida amorosa siempre intentada, jamás retenida, los identifica entre ellos y los transfiere también a ese mundo novelístico que ensaya narrar sin personajes, que indaga en historias posibles y probables que intenta lenguajes, porque como el Chesterton que Borges resume "infiere [n]... que puede haber diversos lenguajes que de algún modo correspondan a la inasible realidad..."

Quiero complementar esta exposición incursionando junto con quienes al utilizar el texto breve, conciso, poético, postulan otra teoría de la "escritura", aunque suelan confundirla con el mero ejercicio retórico de estampa barroca apócrifa. Es quizás Torri quien haya cultivado con mayor esmero y delicada paciencia este tipo de prosa; lo sigue indudablemente Arreola. En apariencia muy cercanos, Torri y Arreola son profundamente distintos. También lo son Marcel Schwob y Borges, con quienes comparten una predilección literaria; Kafka y Chesterton son también de esta progenie. Limitémonos a los dos mexicanos: nadie en México ha utilizado con tanto rigor el estilo como Julio Torri y Arreola, pero sin permanecer en él, sin regodearse en su acaecer, la brevedad se consigue anclada en la desesperación por retener una realidad trágica que se revela a fin de cuentas inmodificable y contra la cual sólo queda el humor, la ironía, la precisión perfecta de una frase de filigrana y la aparición de un recuerdo culterano. Torri es escéptico y sus textos lo reflejan. Tanta es su descreencia y tan fuerte su nihilismo que acabó renunciando a la literatura. Arreola es también un escéptico, pero su escepticismo se redime en la delectación y especulación idiomáticas, en la ironía, en la abstracción fantástica,

---

[33] Juan Vicente Melo, "La separación de los amantes", en *La Cultura en México*, 24 de diciembre de 1969.

en el desbocamiento de la rabia que lo envenena y lo salva, en la distorsión de la ética, en la reconquista de un pasado burilado en frases poéticas. En definitiva, Torri pertenece al posmodernismo y guarda una reserva aristocrática que le impide la confesión; a lo sumo dirá: "Mi destino es cruel. Como iba resuelto a perderme, las sirenas no cantaron para mí." Y esa condena que él mismo se impuso pasa a su literatura cancelándole la salida vital como escritor. Arreola, en cambio, alivia su tensión y la descarga en rencor y en alucinación.

> El que abriéndose las venas en la tina del baño dio por fin rienda suelta a sus rencores; el que cambió de opinión la mañana llena de estupor y en vez de afeitarse hundió la navaja al pie de la jabonadura (afuera, en el comedor, lo esperaba el desayuno envenenado por la rutina de todos los días); los que de un modo u otro se mataron de amor y de rabia, y los que se fueron por el ábrete sésamo de la locura; me están mirando y me dicen con su sonrisa extraviada: Mira tu paloma.

En ese caso el ábrete sésamo que lo preserva del aniquilamiento es la literatura, es su estilo que le sirve de telar para entretejer historias y plasmar en equilibro malabar eso que Borges llama con genialidad "lo levemente horrible".

Su vitalidad se resumió en la cátedra magistral: tanto Torri como Arreola se dedicaron a ella, pero Torri terminó cerrándose en la erudición tímida, en tanto que Arreola fundó un taller literario de múltiple descendencia, Mester, que publicaba una revista del mismo nombre. De este taller proceden muchos escritores de la actual generación literaria.

Quizás único en descendencia directa de esta literatura, aunque nunca haya pertenecido al taller de Arreola, sea Carlos Montemayor. Su estilo despojado y preciso en el que el lenguaje ocupa un puesto esencial —desde sus elementos sintácticos más inmediatos hasta el refinamiento del estilo— sedimenta una vitalidad diluida, religiosa, eminentemente poética. Visión y lenguaje se calzan con estrechez, firmemente unidos. Carece, sin embargo, del humor calcinante de sus dos antecesores y sus preocupaciones y hasta su estilo lo vinculan mejor con Juan Rulfo. Por otra parte, su prosa burilada, breve, su elección temática, la erudición, lo relacionan —insistiendo— tanto con Arreola como con Torri.

Pero si mucha y muy notoria ha sido la influencia de Arreola en esta generación también ha tenido graves consecuencias. El estilo de Arreola sostiene un mundo interior, sus análisis estilísticos desembocan en una brevedad necesaria, sus historias revelan su modo de concebir la realidad. No sucede así con todos los jóvenes escritores que se han congregado en torno suyo. Muchos se han iniciado siguiendo su estilo, pero después se ven dando vueltas inútiles en torno a un bizantinismo de expresión redundante y vacía, o salen por la puerta grande de la literatura tradicional de corte realista. Esta paradoja nos reitera en la convicción que Borges denuncia: "...una superstición del estilo, una distraída lectura de atenciones parciales. Los que adolecen de esa superstición entienden por estilo no la eficacia o ineficacia de una página, sino las habilidades aparentes del escritor: sus comparaciones, su acústica, los episodios de su puntuación y de su sintaxis".[34]

No quisiera que esto que ya parece una disertación se siguiese alargando para insistir en fallas o carencias. Antes bien, preferiría destacar que en las dos corrientes denominadas "onda" y "escritura" pudiera verse lo que Paz reclama como crítica social o como creación verbal.[35]

En un artículo, Jorge Aguilar Mora manifiesta refiriéndose a su novela *Cadáver lleno de mundo*:

> La novela está construida sobre tres impresiones fundamentales: la proximidad total e ineludible de la guerra de Vietnam, la lejanía temporal y simbólica de un mundo literario (la mitología morisca que construyeron a fines del siglo XVI Lope de Vega, Góngora, Liñán de Riaza) y la simpatía universal (el "todo está en todo") de Séneca, la solidaridad entre las palabras, los actos y los objetos que pertenecen a los personajes, conducto por el cual los asesinatos de líderes campesinos en México pertenecen al mismo rostro de las matanzas en Indonesia... La realidad, cimentada sobre una barbarie cotidiana, sobre un vacío inmenso de las palabras, con el germen apenas visible de su revalorización total, es un sitio del cual se puede escapar con facilidad. Cada jugada los va envolviendo en una lógica ficticia (y así pueden adoptar las personalidades que les viene en

[34] Jorge Luis Borges, "La supersticiosa ética del lector", en *Discusión*, Buenos Aires, Emecé, 1964, p. 45.
[35] Véase nota 30.

gana y transformar un hecho cotidiano en una aventura caballeresca: son moros, magos, alquimistas), dentro de la cual lo único verdadero serán las violentas intromisiones del genocidio.[36]

Ésta es la encrucijada. En este tipo de problemática se reencuentran los dos postulados. Onda como crítica social y "escritura" como creación verbal. En este amasijo de mundos que se contaminan entre sí, en esa convivencia entre realidad e imaginación, entre conciencia crítica y escapatoria, se inscribe Guztavo Sáinz con *Obsesivos días circulares.* El juego adolescente se coagula en una irrealidad imaginada y en un lenguaje mimético que devela a fin de cuentas la realidad circundante. La relación con los mundos literarios se superpone a la relación con las cosas concretas y por encima de todo, a la violencia interior magnificada en rebeldía superficial que empieza a cancelarse en cuanto la constatación de una violencia externa define y condiciona al joven, por más que éste se ponga trampas y finja ignorarlas. La literatura puede servir como ensayo para aprender a "desleer" un mundo o como ensayo verbal para ordenarlo.

En este momento nuestra narrativa busca su lenguaje, ya no único, sino múltiple, como el del último piso de Babel, lugar de ladrillos cocidos al fuego de la confusión que Jehová sembró entre los hombres antes de castigarlos y esparcirlos por la faz de la tierra.

Coyoacán, enero de 1971

---

[36] Jorge Aguilar Mora, "Ganzul se llama Ganzul", en *La Cultura en México,* 24 de enero de 1968.

## LA ONDA DIEZ AÑOS DESPUÉS:
## ¿EPITAFIO O REVALORIZACIÓN?

¿Qué es la Onda y por qué se proclama como palabra clave? ¿Estar en onda significa estar *in* y saber la onda es pertencer al grupo, o lo establecido-fuera-de-lo-establecido? ¿Agarrar la onda es entrar en territorio seguro, captar lo único digno de ser captado, entrar-en-el-tiempo? Entonces, ¿escribir dentro de la onda sería ingresar dentro de un discurso narrativo que nos colocaría de inmediato, y sólo por estarlo escribiendo, en un esquema de rechazo a valores anquilosados y descubrir una nueva forma de entender la realidad? ¿O estar en onda sería captar auditivamente un nuevo lenguaje que entra directamente por el oído —perogrullada— y que asume una relación más carnal con el mundo exterior? Y la irrupción limítrofe de la edad, la de los treinta años, la del adulto, la que nos sumerge de nuevo en lo establecido, en lo burgués, ¿le exigiría a la onda ser sólo expresión de la chaviza?; y, de ser así, ¿esta literatura de jóvenes —los chavos— no acabaría, al entrar en la nueva edad, ingresando dentro del *establishment* que ha tratado de destruir?

Y siguen las preguntas: ¿esta educación auditiva que se auto-alimenta de palabras pronunciadas que se captan en vivo y que siguen un ritmo ascendente determinado por una música especial y por la electrónica, así como por la grabadora que también capta en vivo y opera como una fotografía de lo oído, reproduciendo como ella —la fotografía—, el instante, establece un contacto con el pensamiento en "estado caliente" a la manera de Gertrude Stein? ¿Esta especulación con la *verbalización* y no con lo verbal, nos remite a una escritura? ¿O nos enfrentamos a un documento sociológico, quizás al de los jóvenes como nueva clase social en el mundo? ¿Es por tanto un nuevo realismo, ahora sí el verdadero?

## ¿Cuál es la onda?

Si se analiza un cuento de José Agustín, incluido en *Inventando que sueño* e intitulado justamente "¿Cuál es la onda?", se advierte primero la utilización de una tipografía especial que repercute sobre la mirada para destacar después juegos auditivos que nos trasladan a un ritmo musical, sobre el que se construirá el relato. Y éste, a su vez, nos remite de entrada a *Tres tristes tigres*, de Cabrera Infante, y a los Doors. Este epígrafe será una reiteración del que abre el libro, la canción de los Rolling Stones "(I can't get no) Satisfaction", reproducida en su totalidad. El lenguaje hablado repercutiría sobre el signo escrito siguiendo el juego de la batería que toca el protagonista de la narración, Oliveira. Y la mirada del que lee sigue una partitura inserta en la tipografía para manejar asociaciones auditivas que se organizan semánticamente. El lenguaje es, pues, una mimetización del lenguaje oído tanto cuando (y como) se habla, como cuando se oye la música y ésta se incorpora al signo que la narra. De acuerdo con esto, el texto se construirá con base en variaciones musicales pero dentro de la improvisación clásica de los conjuntos de jazz y rock. Las variaciones se marcan mediante juegos de lenguaje, transformaciones paródicas de los nombres propios, alusiones a autores contemporáneos de los que se han tomado algunos procedimientos narrativos —el propio Cabrera Infante, Cortázar, los Doors—, intercalaciones en francés y en inglés, diálogo que marcan la situaciones directamente, etcétera.

Agustín construye su texto entonces a la manera de Cabrera Infante, pero al remitirnos mediante el epígrafe a su obra establece de entrada que la maneja como una variación. Entonces nos encontramos frente a una variación —variaciones— de otra variación. Pero de ser así, ¿cuál es el tema principal de donde surge esta composición hecha a base de variaciones sobre un tema principal? En un ensayo sobre Cabrera Infante publicado en 1970, el crítico argentino Nicolás Rosa escribe:

> La liberación del movimiento sonoro prevalente en el relato de Cabrera Infante está rigurosamente emparentada con las posibilidades que ofrece la música. Cuando uno de los personajes dice "la improvisación, solamente así se hace un círculo de música feliz en la cuadratura rígida del ritmo cubano" no solamente se valora el

hecho específicamente musical, sino que se rescata la técnica de improvisación como imprescindible para dotar el relato de un movimiento y plasticidad que el encadenamiento lógico pareciera negarle. Esta proyección musical está centrada en una exaltación de los elementos sonoros del lenguaje ya no en el sentido que le acordaba la poética simbolista sino, más precisamente, en una severa orquestación de los elementos ritmo y melodía como ejes dinámicos sobre los que se opera la transformación de la palabra, la sintaxis y la estructura de la novela. Lo que el narrador dice de Alex Bayer: "era un Narciso que dejaba caer sus palabras en el estanque de la conversación y se oía complacido en las ondas sonoras que creaba" puede aplicarse a la obra misma: estas ondas de expansión están rigurosamente estructuradas como núcleos temáticos y núcleos narrativos no coincidentes para dotar a la novela de ese aire de improvisión que ya de por sí le otorga la recreación del lenguaje hablado y que recompone, finalmente, una estructura tan móvil y libre como sólo pudiera haberla conseguido al azar.

Esta larga cita nos pone en evidencia ciertos elementos clave: la onda se maneja como un elemento sonoro y la utilización del término que se aplica a un tipo de literatura hecha por jóvenes que están en una *onda* musical específica, la del rock, nos lleva a una construcción en la que lo improvisado está dentro del orden de la variación temática que surge como improvisación clásica dentro del jazz o el rock. En Cuba la musicalidad parece formar parte del ambiente social y del ritmo surge la atmósfera local. En México el contexto no es musical y la música que rige el universo de la onda —en sí mismo musical— es una música impostada, así como el idioma que la determina. La variación se establece de acuerdo con un modelo de narración construida sobre un lenguaje conversacional alterado por las implicaciones de un lenguaje extranjero imbricado en el propio. Los dos epígrafes, la cita de Cabrera Infante y la de los Doors que es también una variación de un tema de Kurt Weil sobre la letra de la *Opera de tres centavos*, de Brecht, revelan la intención de jugar sobre temas yuxtapuestos, el cubano que maneja su propio ritmo aunque también intervengan en él las inflexiones del inglés, y el del rock que es variación de otra variación. Los dos ejes se unen para modelar un encuentro disfrazado, mal sincronizado: "Brincamo, gritó alguien desde la orquestavaril y el ritmo lamentablemente mal sincronizado, se disfrazó de afrocubano." El ritmo afrocubano es el que priva en México antes de la llegada del rock y el que lleva la onda hasta los sesenta. En su autobiografía Carlos Monsiváis dice:

> ¿cómo le hago para superar la vieja sensibilidad que me tocó de herencia?... entendí que me había tocado militar en una generación "a la antigua", educada en las más estrictas normas liberales, convencida de la necesidad de reformar la administración pública desde adentro, preocupadísima en definir lo mexicano, aferrada a la teoría erótica del abrazo político, iniciada venéreamente en el órgano un día que los cuates andaban bien jariosos, llevada al movimiento por Pérez Prado y a la sensualidad por María Victoria. Sin jactancia pontifico que mi generación, por vivir en el mundo anterior al rock'n'roll, fue la última educada en las extrañas normas del México viejo, o dicho de otro modo, ¿se puede ser contemporáneo bailando danzón en el Smyrna?

Los dos ritmos mimetizan dos ondas o dos modos de ¿ver? la realidad. El Prado Floresta sustituye aquí al Smyrna; el Prado Floresta contempla la colonia elegida por cierta chaviza para colocar a la onda: Narvarte. Los jóvenes que hacen la onda deambulan por México, pero se detienen en Narvarte, barrio de clase media-media y semiburocrática. "En la móder, soy un pinche clasemedia en el fondo." Así la onda del Floresta es la de un rock mal tocado y mal pronunciado; onda por la que pasan ondas de otros tiempos, los ritmos afrocubanos ya disfrazados y ya fuera de onda.

La variación sobre el tema mayor, aquí Cabrera Infante, se dan en el nivel de la estructura novelística y el tema menor, el de los Doors, se incorpora como ritmo en el lenguaje, pero también como ambiente que determina una procedencia y matiza una gestualización, la del joven *in*, "clase media en el fondo".

Ser de Narvarte, bailar el rock y pertenecer a la clase media son lugares tan comunes en la onda que Parménides García Saldaña los utiliza —invariablemente como muletilla— tanto en sus cuentos, como en *Mediodía*, libro de canciones en la onda del rock. En la portada de *Pasto verde* hace su autocrítica y se despide del lector "desde la Narvarte"; en *El rey criollo*, libro de cuentos, las canciones de los Rolling Stones que sirven de epígrafe a cada una de las narraciones llevan el título en inglés, pero la canción está traducida al español, en lenguaje ondero, y en *Mediodía* cada una de las letras de las canciones que integran el libro es una variación de las canciones del célebre conjunto inglés.

> Ella aunque es tipo mexicano / habla perfectamente inglés, / y para corresponder a nuestras atenciones / la nena narvarteña ajusta sus pantalones / para que sus piernas turgentes, turgentes, / aceleren más nuestros corazones; / a la chava más sabrosa de la Narvarte-s / le gusta mucho vacilar con los chavos de coche-s, / hablar libremente sobre el candente tema del sexo / y darse con los elegidos, uno que otro toque-s.

La implicación que hace Carlos Monsiváis cuando habla del danzón como baile que representa a otra generación, a la que está *out*, está parodiada por García Saldaña en su breve autobiografía, colocada también en la contraportada de *Pasto verde*: "Antes que nada debo confesarme hermano de la espuma de la garza del sol y de la vibrante inmovilidad de las ondas." Pero de *Pasto verde* (1968) a *Mediodía* (1975) se advierte un cambio, no en la utilización del lenguaje ondero, surgido en parte como variación de las letras de ciertos cantantes totalmente *in* durante los sesenta ni en la antisolemnidad que siempre ha estado presente en estos autores, sino en la parodia de la parodia; en la comprobación desencantada de un universo que se vive críticamente, pero sin demasiada distancia: se le critica, se le parodia, se es consciente de su banalidad, pero se sigue inmerso en él.

Estar adentro y criticar es con todo empezar a estar un poco fuera. Jugar con la improvisación y manejar el tema y las variaciones dentro de un contexto que se quiere musical, pero que es lenguaje, significa trasladar una estructura a otra o traducirla. Para traducir el lenguaje oído a representación verbal se requieren ciertos instrumentos que se vuelven esenciales en la onda.

## Los instrumentos de la onda

Las ondas son sonoras y se transmiten siguiendo varios conductos. En *Gazapo*, primera obra de Gustavo Sáinz, los medios de transmisión elegidos son el teléfono y la grabadora. Ficciones conversacionales donde la voz surge incansable y detenida en su constante deambular en el presente, estas obras utilizan todo tipo de recurso que permita insertar en la verbalización el lenguaje inmediato, próximo a la piel "todavía caliente". *Gazapo* se renarra varias veces y el protagonista, Menelao, oye conversaciones telefónicas donde se le cuenta una anécdota reproducida en una grabadora en la que se graban versiones diferentes de la historia. En su autobiografía, Sáinz explica:

> El narrador de la novela es Menelao, el protagonista principal. Utiliza todas las personas gramaticales para llevar a cabo su cometido. La presencia de una grabadora y de varias cintas grabadas permite desarrollar la historia en varios planos y, también, que los personajes puedan *leer*, o mejor dicho *oír*, sus propias aventuras. Y detener, fijar, paralizar, fotografiar estas aventuras de manera que uno pueda moverlas en el tiempo y cambiarlas de sitio en el orden de la historia, aunque esta vicisitud se presente nada más como posibilidad. En *Gazapo* nada parece suceder directamente, y todos los testimonios son oblicuos. Es decir, el lector conoce los hechos después de tres o cuatro rebotes. A veces los hechos dan la impresión de estar sucediendo y no es verdad: se trata de cintas magnetofónicas que suplantan la acción.

Leer y oír se yuxtaponen y la grabadora que graba la conversación telefónica detiene en un instante un ciclo que puede repetirse a voluntad. Pero la lectura remplaza a la grabación aunque ésta intente volverse una reproducción escrita de lo grabado y por tanto funcione como fotografía de lo oído. Haciendo una fácil asociación por el contexto podría decirse que *Farabeuf* de Elizondo y *Gazapo* de Sáinz —ambas impresas en noviembre de 1965 por Joaquín Mortiz— son símbolos de dos formas de interpretar la realidad mexicana, aunque la primera prescinda de ella y la segunda se instale en el ámbito de la adolescencia. Una es la crónica de un instante y se estructura en torno de una fotografía, la otra es la grabación de un instante que se repite de formas diversas a través del oído. El instante grabado o fotografiado detiene el tiempo y determina un simulacro de eternidad. En Elizondo el instante de la fotografía inaugura un ritual, y mediante juegos adivinatorios se llega a una alegoría del erotismo o a la recreación mítica. Sáinz guarda en el oído el transcurso de una iniciación y por tanto determina también un ritual. Es ritual porque se procede a una serie de acciones —escarceos sexuales, bailes, peleas entre jóvenes, reuniones de amigos, voyeurismos— que deslindan, como el propio Sáinz lo dice, dos historias:

> En la primera, un adolescente que rompe con su primer ambiente (la familia) trata de adaptarse a un segundo (los amigos, la vida en soledad, las aventuras de soltero). Fracasa en el intento. Entre él y sus amigos media un vacío abismal. Se deja entrever que en el amor encontraría cierta felicidad, pero para él amor es conquista. La segunda historia, atada por completo a la primera, es la crónica desenfadada de una seducción.

Estas dos historias, la iniciación de la vida adulta y la iniciación sexual, se convierten en una sola, el paso del adolescente a la adultez. El deseo de abandonar el mundo protegido, pero a la vez la temible realidad del otro mundo.

"El domingo oí por tercera vez la cinta donde narro el último encuentro con mi padre... La cinta *dice* que yo *leía*. Y en el *diario* se *lee*:" transcribe Sáinz en *Gazapo*. La lectura de la escritura se detiene en la audición de la cinta; lo que se oye es una versión de lo que se hace y corresponde a lo que se consigna en el diario. Diario y cinta convergen aquí; ambos responden a un intento de reproducir la realidad desde varios ángulos. La realidad vivida, la realidad imaginada, la realidad reconstruida por las versiones de los otros que se le dan al protagonista desde el oído, es decir desde el auricular del teléfono, la doble oreja. Diario y cinta son el espacio propicio para una transcripción, del lenguaje conversacional a la escritura. A la vez diario y grabadora representan dos formas de transcribir la realidad y detenerla; aún más, tanto en el diario como en la grabadora el que escribe —o el que dicta— puede transformar la realidad como le plazca. Así la materia transcrita o el material grabado revelan un momento interior, un instante que se graba y que al oírse o leerse se revive. La anécdota es secundaria: se fragmenta en las distintas versiones y está supeditada a la forma como se transcribe y al tiempo interior del que oye y lee la transcripción. En un momento dado acción "real" y acción grabada coinciden en el instante: "Rápidamente arreglamos todo y cuando la cinta comienza a correr y se oyen las voces, pregunto: —¿Quién es? —refiriéndome a uno que pregunta... Vulbo intenta distraer al padre de Gisela con historias, como yo hago con ella..."

En *Abolición de la propiedad*, de José Agustín, y en *Tríptico erótico*, de Livingstone Denegre-Vaught, la grabadora es el personaje principal; a través de ella se narra el discurso. El narrador habitual, en cualquier persona narrativa, se desplaza y sólo leemos una transcripción de lo que una cinta magnetofónica ha grabado. Los comentarios a lo grabado se destacan con otros tipos de imprenta, pero en realidad sólo se comenta el ruido de fondo que acompaña a la cinta: *"Ruido de motores. Autos pasando a toda velocidad. Diesel pesados y terriblemente roncos.* Clang cling-track-trac *de tranvías.* Claxons. *Cornetas de bicicletas. Y todo frente a una ventana del* motel *de Tlalpan. Sí, motocicletas. Sí, voces de transeúntes y silbatos de agentes de tránsito. Todo lo ha grabado desgraciadamente muy fielmente el aparato"* (Livingstone).

La cercanía que un tipo de narrativa como ésta debiera establecer la reproducción de un momento del lenguaje "en estado inmediato", cerca de la piel, se cancela por la intervención de un aparato que mecánicamente se desencarna reproduciendo sólo la voz. En *La princesa del Palacio de Hierro* asistimos a una verbalización desesperada donde un personaje monologa ininterrumpidamente frente a un interlocutor invisible que puede ser una grabadora o estar del otro lado del teléfono. De nuevo, la cercanía que pudiera establecerse con un personaje que se desviste verbalmente ante nosotros se cancela por el automatismo de un objeto intercalado entre narrador y lector. Este automatismo revela una ausencia total de comunicación.

Esta ausencia se reitera con la música y con los aparatos que la producen o la reproducen. El más directo —el más "caliente"— sería el equipo electrónico en un salón de baile donde los jóvenes oyen y "entran en onda". "Terminamos de tocar con bastante mal humor. La acústica de la Pista de Hielo era terrible y la música sonó como un ruido homogéneo, apelmazado, indescifrable", se lee en *Las jiras*, de Federico Arana, libro en donde la onda está al lado de los que tocan los instrumentos musicales que la inspiran. El sonido se apelmaza y no llega y los que escuchan "con indiferencia" parecen distanciados. Los conjuntos de rock se llaman "The Happy Boys Blues Band Revelation", "Los Rockin Sputnik", "Los hijos del ácido", "La tropa maldita", "King's Pot". Desde el tocadiscos y los casets los conjuntos parecen ser más coherentes, claros, rítmicos: porque están cantados en inglés y por The Doors, The

251

Byrds, The Rolling Stones, The Beatles, Bob Dylan, Wilson Pickett's Greates Hits, Pink Floyd, Donovan, y sigue media página de nombres (*Se está haciendo tarde.* Agustín). En *Pasto verde* el narrador tiene un conjunto Maese Epic Aris y los Floreros Despostillados. *El rey viejo* consagra a los Rolling Stones y *Mediodía* define ritmos: bright rock, beat de rock-bolero, baladas, staccatos, rock lento, etcétera. Música que sale de aparatos electrónicos, ya sea en el salón de baile, en la discoteca o en la casa (discos o casets) y que reitera ese *striptease* mental que nos lleva hasta el sexo desnudo y epidérmico, donde el joven se oye vivir, pero desde lejos, como otros escritores se miran escribir en un automatismo manejado como en *El grafógrafo,* de Salvador Elizondo:

> Escribo. Escribo que escribo. Mentalmente me veo escribir que escribo y también puedo verme ver que escribo. Me recuerdo escribiendo ya y también viéndome que escribía. Y me veo recordando que me veo escribir y recuerdo viéndome recordar que escribía y escribo viéndome escribir que recuerdo haberme visto escribir que me veía escribir que escribía que escribo que escribía...

El espejo del espejo que es el escritor reflexionado sobre su propia obra, sobre la literatura de la literatura se refleja en el reproductor de sonido donde el joven se ve oyéndose como si fuera un disco rayado, terminado como en *Obsesivos días circulares*, de Sáinz repitiendo y agigantando gráficamente un sonido que se lee: "De generación en generación las generaciones se degeneran con mayor degeneración."

## La onda de los viajes

Si el joven intenta mantenerse joven oyéndose incansablemente desde dentro —en sus grabaciones-diario— o desde afuera —en la música rock—, la onda se mantiene lógicamente en onda mediante el movimiento. Los onderos son "rodantes"; los amigos de Menelao en *Gazapo* roban coches para desplazarse. "Las llantas del coche patinaron / Ev'rybody need somebody / con los Rolling Stones en el radio" (*El rey viejo*). "Caminamos por Donato Guerra. Ella gritaba: / De haberlo sabido... Hoy me invitaron a salir veinte cuates con coche" (*Gazapo*). "Íbamos por Matías Romero en Narvarte, y nos detuvimos una cuadra después de Tenayuca, en el asterisco que forman al cruzarse las avenidas Cuauhtémoc, Universidad y División del Norte" (*Gazapo*). "Ya estamos otra vez con el dolor de riñones y las rectas interminables. Sólo que un poco peor. Ahora no funciona el aire acondicionado y hace un calor terrible" (*Las jiras*) "El día 4 de marzo de 196., Huberto Haltter y Humberto Heggo abordaron simultáneamente un aeroplano tetramotor de la empresa Air France, que los acarreó, junto con otros pasajeros que hallaremos en páginas posteriores de este libro, al aeródromo de Nueva York, ciudad que ninguno de los dos había visitado anteriormente" (Héctor Manjarrez, *Lapsus*). "Al inicio del viaje, Galaor quiso conservar en la memoria un mapa del jardín de las trescientas jornadas" (Hugo Iriart, *Galaor*). En coche, en avión, a pie, a caballo, la onda se desplaza. Hay una gran diferencia entre este deambular obsesionado, errático y los viajes de los románticos alemanes. La onda inicia el viaje dentro de lo concreto y su movimiento es real, es decir, el protagonista de la onda se mueve al unísono con su cuerpo. Se mueve cuando viaja en el sentido más literal del término; se mueve al son de la música que lo obsesiona, se mueve cuando anda en busca de las *chavas*, y se mueve por incapacidad de quietud. Pero el viaje concreto —simplemente un desplazamiento en el espacio con velocidades reguladas por el vehículo en que la onda se transporta— se vuelve un viaje interior, una especie de descenso dentro de sí mismo, a instancias de la droga. El viaje psicodélico, el de mariguana, el del sexo, el que entrecruza sexo y baile y droga y bebida, se vuelve el viaje hacia adentro: así el viaje concreto se vuelve de pronto viaje inducido.

El viaje que desplaza al joven dentro de su ciudad por la que vaga incesantemente o la necesidad de subir a un coche con su chava y oyendo música indican una experiencia inmediata, epidérmica, de la realidad, pero en cierto sentido lo acercan al viejo rito iniciático en el que el joven héroe parte en busca del objeto que habrá de consagrarlo. El viaje de la onda va siempre vinculado al sexo y las ceremonias de iniciación entrañan la aventura cuya recompensa final es siempre una doncella. El joven príncipe va en busca del ogro que aprisiona a la princesa, lo mata y acaba casándose con ella para vivir feliz hasta el final de sus días. El héroe mítico —Jasón, Perseo, Heracles, Teseo— emprende el viaje para librar a su patria de monstruos y a su regreso va acompañado de Medea, Andrómeda,

Deyanira o Ariadna. El joven de la onda es un héroe, el que inicia un *Acto propiciatorio* (primera obra de Manjarrez) pero dentro de una sociedad devaluada, donde la iniciación se propicia sin sentido y donde entrar a formar parte del mundo adulto es denigrante. Entrar al *establishment*, cumplir treinta años, es la recompensa de la iniciación.

En el transcurso de la inciación —*La tumba, Gazapo, De perfil, Pasto verde, En caso de duda*— la doncella se ha devaluado tanto como el héroe. La joven, la chava, la que aparentemente se ha liberado con la píldora, la que puede entrarle a la onda en los mismos términos que el chavo, es considerada desde afuera como personaje objeto, nunca como narrador (con excepción de *Sinfonía en D* de Margarita Dalton) y el que narra la observa, se "mete en ondón con ella", la persigue, la critica, la desprecia, manteniendo siempre hacia ella la misma distancia que frente a sí mismo. El joven viaja con el sexo pero la joven es sólo vehículo, medio de transporte:

> ¿Tú también quieres cultivarte? la mujer de hoy ¿no? era una mujer moderna, pero por please de vez en cuando ve qué pasa en la cocina digo nada más para que te acuerdes porque habías estado toda la vida allí digo es por eso que ahora eres tan idiota ay sí eres muy culta ¿no? Come on Baby (*Pasto verde*).

El viaje del sexo, el ligue, las chavas, determinan un tipo de heroicidad que aleja la adultez y permite el único triunfo de la sociedad devaluada: ser "el jefazo del rock". Triunfar dentro del *establishment*, ligarse chavas desde el Mustang con sonido estereofónico y donde el héroe va montado sobre la carrocería que ostenta un caballo de pacotilla: "No estés enojada, mi vida. ¿Qué marca de coche quieres?" "Y seré una estrella del rock / tendré dinero y dinero, y seré muy famoso, muy popular; los chavos y las tortas / mi autógrafo pedirán" (*Mediodía*).

La iniciación heroica tras la consagración heroica; se entra al mundo adulto *como señor*; los valores de ese mundo son importados como las canciones que consagran el premio, es aparecer en los periódicos como los ídolos del basquetbol o del futbol o mejor, como los cantantes de rock. Ser un seudobeatle, salir en los periódicos, comprarse coche de carreras, y seguir viajando, es el happy ending de estos cuentos.

Inmerso en ese mundo y ahogado por su sonido y el lenguaje que

254

lo representa, el joven inicia el otro viaje, el de la percepción, el del ya democratizado paraíso artificial: "Alucinógenos, velocidad, / Subiendo, bajando / girando, girando, / ¿quién aguanta más? / hay que estar en onda" (*Mediodía*). "Estar en onda con el pasón", ir a Huautla a comer hongos para "cotorrear con dios", iniciarse en lo esotérico. "Y así vagaba, sin apoyo, por los abismos de la metafísica", relata Karl Philipp Moritz, el romántico alemán, uno de esos viajeros del XVIII. Los abismos de la metafísica que abren la puerta del Gran Umbral iniciático al héroe clásico se buscan ahora desde la piel. En *Se está haciendo tarde*, José Agustín emprende el viaje. Los personajes de su libro transitan sin descanso del vodka al tequila, de la mariguana a la silobicina, de la homosexualidad a la heterosexualidad, de México al extranjero, del I Ching al tarot, de la vejez a la juventud, conducidos por un Virgilio cruzado de droga y de colonia proletaria subido a los Acapulcos. Como Caronte es lanchero y su final será la laguna (¿Estigia?). En la contraportada de su libro leemos sus palabras:

> *Se está haciendo tarde*, ¿no se dan cuenta? Caray, mejor nos regresamos. Uno cree estar muy mal y quizá no está tan mal: es hora de trabajar en lo que se ha echado a perder, como presidente el gurito Rafael, quien guiado por otro Virgilio nos lleva a través de algunas ondas fuertes de Acapulco, donde casi todos huyen de su propia naturaleza. Recorreremos ese infierno, ese sufrimiento sin sentido, tentados por las grueserías que se alimentan de herir a los demás, pero alivianándonos con viejas esoterías que podrían fundirse con las ondas psicodélicas de ahora. En esa forma este libro (primero de mi más reciente ciclo evolutivo) lleno de esperanza trata de rescatar viejas tradiciones, descubrir nuevos recursos y obtener una visión artística neta y efectiva, en la cual los personajes resulten imágenes arquetípicas (numinosas) sin dejar de ser personajes (vivos) y se revelen como partes determinantes de una totalidad que avanza a tomar conciencia de sí misma (final en laguna).

El primer viaje (*De perfil, Inventando que sueño*) se emprende para enderezar los entuertos de la familia que se desintegra, de la pandilla que se "aliviana", de las chavas que se "azotan" y no se dejan "ligar". Ahora entramos a un nuevo viaje en el que las chavas son dos "rucas" canadienses y un homosexual belga llamado Paulhan. Los "onderos" son trilingües y junto con la droga y la bebida se maneja el albur (también trilingüe). El viaje se inicia en la mañana y termina al atardecer como toda jornada al interior, como cualquier descenso a los infiernos. Y el descenso se intenta como una posibilidad de realización cósmica, como una inmersión dentro del universo. La simbología clásica que puede expresarse así desde el mismo siglo XVIII de los viajeros alemanes aclara la relación viaje-sexo: "Ya en el curso de los astros está prefigurado el acto supremo de la vida animal, la cópula... Desde el origen está previsto el sexo, vínculo sagrado que mantiene a la naturaleza entera. Los que niegan el sexo no comprenden el enigma del universo." La mistificación que resulta de este misticismo pop y que representa una de las modas más populares y avasalladoras de nuestro tiempo, contrasta con esas figuras reposadas y perfectas, al estilo de De Quincey, narrando con paciencia infinita los laberintos que su imaginación drogada tejía con el opio.

## El lenguaje de la onda

La erotización del lenguaje de la onda es concomitante a esa noción de viaje en todos sus transcursos desde lo iniciático que se lanza a conquistar la adultez, hasta la esotería que viaja para encontrar el universo. Es más, el lenguaje de la onda es, como diría Steiner de Nabokov en *Extraterritorial*, el producto de un incesto. En efecto, nacida del cruce a veces vergonzoso del albur caifanesco de barrio marginado —de frontera— y del inglés, el lenguaje de la onda surge como producto híbrido, semejante a esos mestizos producidos e infamados durante la Colonia donde alternaban el negro, el chino, el mulato, el saltapatrás, el criollo, el indio... Ahora esos mestizos forman la nación. Antes el albur era patrimonio de lo marginado y su promiscuidad lo hacía vergonzoso. Ahora ha ingresado al lenguaje de la onda y se ha convertido en un nuevo lenguaje, quizá el de una nueva clase social.

En *Nuevos ritos, nuevos mitos*, Gillo Dorfles advierte:

> Es bien sabido y, según creo, universalmente aceptado, que los usos y costumbres lingüísticos son capaces de influir, incluso de orientar, nuestras percepciones y pensamientos, o sea, que nuestro modo de ser —en el mundo— y nuestro modo de *Erleben* (vivencia) ese

mundo están directamente subordinados a la lengua que hablamos, al uso que hacemos de esa lengua, hasta el punto de permitir o impedir determinados conocimientos y experiencias sólo debido a nuestra posición de un instrumento más o menos idóneo.

El albur ha representado una forma de lenguaje vinculado a barrios proletarios y de lumpen. Es un lenguaje que equivale a una germanía y como tal es producto de un tipo de hombre que en México se ha llamado el lépero, luego el pelado, más tarde el caifán. Su primera ascendencia sería lógicamente el pícaro español. Es más, el albur representa una marginación dentro de la marginación porque muchas de las implicaciones son obscenas y suelen insertarse en la homosexualidad: marginación de clase y marginación ética, por lo tanto. Parménides García Saldaña declara *En la ruta de la onda*: "el lenguaje de los barrios bajos es escudo y puñal; afrenta, reto, desafío a las buenas costumbres y defensa, parapeto de costumbres prohibidas. Diferencia de un mundo que vive en la aventura, de otro que niega toda posibilidad de vivirla." Lo definitivo es que este metalenguaje (y este término podría usarse como albur) es específico de ciertos barrios, de ciertos individuos y es, sobre todo, un lenguaje masculino. La utilización del lenguaje ondero se ha extendido tanto a chavos como a chavas, pero hasta hace pocos años eran los adolescentes los que lo conocían y las muchachas "decentes" (hoy serían "fresas") deberían ignorarlo.

El lenguaje de la blasfemia —sacrílego— y el lenguaje de la obscenidad irrumpen en el lenguaje cotidiano; más aún, un sublenguaje de lo obsceno se amarida con él. Ese lenguaje contaminado, desdeñado, se une a un lenguaje de frontera, caifanesco; lenguaje que se cruza de gabacho. Lo gabacho, antes lo francés, se vuelve lo americano y los pochos y pachucos —ahora chicanos— aparecen contribuyendo con su español agabachado. El rock interviene y el mestizaje cultural se afirma creando una lengua que casi podemos visualizar y mimetizar a los subproductos raciales que trajo la Conquista. Los "onderos" son doblemente "pochos", pues todas sus expresiones están trufadas de gabachismos. El hombre acapulqueño, especialmente el lanchero (Virgilio en *Se está haciendo tarde*) interviene para colorear el mosaico. Lo internacional en su aspecto más degradado, lo apátrida (uso este término sin connotaciones de himno nacional), lo promiscuo, lo corrompido.

La blasfemia y la obscenidad se han convertido en lenguaje cotidiano en todo el mundo; en la literatura la obscenidad ingresa con desparpajo desde la vanguardia, pero es quizá con Céline y luego con los beatniks que se universaliza. Esta universalización incluye naturalmente a México, y el lenguaje ondero que hoy utilizan la mayoría de los jóvenes es uno de sus resultados.

La existencia del lenguaje ondero, es evidente, no se debe sólo a esta universalización. Los lenguajes marginados, de alguna manera siempre iniciáticos, se marcan en el de los pachucos, mencionados por Paz en *El laberinto de la soledad*. El pachuco actuaba como minoría *avant la lettre* y como actuarán más tarde los hippies, y todos los jóvenes del mundo occidental: "En el caso de los pachucos se advierte una ambigüedad: por una parte, su ropa los aísla y distingue; por otra, esa misma ropa constituye un homenaje a la sociedad que pretenden negar." Su actitud agresiva, sádica, se dobla de masoquismo a tal punto que "sólo así podrá establecer una relación más con la sociedad que provoca: víctima, podrá ocupar un puesto en ese mundo que hasta hace poco lo ignoraba; delincuente, será uno de sus héroes malditos". Los "rebeldes sin causa", los beatniks, siempre los jóvenes, heredan ese comportamiento y se enfrentan al *establishment*. Paz vincula (1950) la actitud de los pachucos con la de los jóvenes existencialistas en París, también antecedentes del movimiento de contracultura que unirá a los jóvenes en la década de los sesenta.

Pero de la marginación se ha pasado a la universalización. A una vestimenta anticonvencional que pronto se vuelve convencional, pasa al *establishment* y se comercializa. No sin registrar cambios sin embargo. Esta comprobación es ya lugar común, pero ¿cómo pasa a la literatura de la onda este lenguaje de la onda?

La hibridez característica de su composición produce ambigüedad. En 1911, Kafka escribía en su diario:

> Ayer se me ocurrió que no siempre había querido a mi madre como ella lo merecía y como yo lo podía haber hecho sólo porque la lengua alemana me lo impidió. La madre judía no es ninguna "Mutter" y llamarla "Mutter" es específicamente alemán. La judía que es llamada "Mutter" se vuelve por lo tanto no solamente cómica sino también extraña.

Esta extrañeza es distanciamiento. Exige que cada acto sea traducido a un lenguaje que es ajeno, que nos distancia de nosotros mismos. Tener un lenguaje iniciático acerca, aglutina, a la vez que separa a los que no pueden descifrar el código. Los jóvenes entran en la ambigüedad de una transterritorialización en la que su leguaje es el de una secta, pero a la vez la secta se abre, entra en el vasto mundo, se vuelve esperántica, está a disposición de todos los jóvenes que la utilizan como se utilizaba antes el latín, como un idioma común que unifica, que comunica. Ese lenguaje pop, afiliado al rock o mejor dicho determinado por él, cambia el ritmo del lenguaje y por tanto el ritmo del joven. Se habla un español albüresco, agabachado, acidificado. A la universalización que se ofrece por el rock se añade la universalización del viaje interior, el reinado de la droga, y el idioma cambia y se modula de acuerdo con esa experiencia. La sexualidad liberada desenfrena el lenguaje y añade sus particulares territorios. Así el lenguaje se constituye como un país construido de cantones cuya monetarización es la onda. Onda que integra y desintegra.

Mas frente a este lenguaje que se territorializa en la desterritorialización está el lenguaje literario que en sí mismo es un acto lingüístico especializado. "La literatura —dice Steiner— existe sólo porque se puede crear, y hablamos aproximativamente, una membrana para separarla del flujo cotidiano del discurso." Pero, ¿una literatura que intenta convertirse en un realismo en que el lenguaje sea el principal objeto, en qué espacio coloca su especialización? "La literatura —continúa Steiner— es un lenguaje que se encuentra hasta cierto punto fuera del tiempo ordinario, que ha de sobrevivir al tiempo, como dice Ovidio, mejor que el mármol o el bronce."

Consciente de ese transcurso apocalíptico a un lenguaje de comunicación universal, de ese lenguaje que se apoya como el tiempo en descubrimientos tecnológicos, los escritores de la onda manejan el *collage*, donde se insertan comarcas diversas de diversos territorios literarios. La parodia, la caricatura, la alusión a las obras capitales de la vanguardia, a sus métodos, la imposición de juegos de variaciones temáticas que hacen repercutir el ritmo de la música actual en la escritura, así como la utilización de efectos que determinan los nuevos recursos electrónicos respecto de como se oye el lenguaje, la cinetización de la mente, tanto en su relación con los cambios ópticos que el cine ha impuesto —el montaje, el *travelling*, el *close up*— como en la perspectiva distinta de espacialidad y de temporalidad, permiten una recreación de la realidad.

En el lenguaje mismo se manejan rupturas de los sistemas semánticos, dislocaciones de sentido por asociaciones de contrarios, dislocaciones semánticas y muchos otros recursos que ya había manejado la vanguardia (piénsese de nuevo en Joyce). Las dislocaciones de sentido por variaciones fónicas son muy importantes porque manejan en toda su riqueza el juego asociativo, a la vez fónico y semántico del albur. "Menelao, Menelado, Melachupas, Melamamas" (*Gazapo*). "Te amo y te extraño / Te ramo y te empaño / Te ano y te extriño, te amo y te encaño, te tramo y te engaño, quieres más ahí van" ("¿Cuál es la onda?"). "Mi Vergad. Todos la encontrarán y se salvarán: / que con sexclamar: VIVA LA VERGA ¡liberaré al mundo!" (Livingstone, *Tríptico erótico*). Los ejemplos son interminables en las novelas que he mencionado. Abundan también las transcripciones fonéticas, las sucesiones silábicas, las aliteraciones, etcétera. Lo que hacen que el lenguaje parezca muy realista, muy fluido, muy inmediato, pero también que tenga mucha relación con lo poético.

Las implicaciones sociológicas del lenguaje son también claras. "Te dejabas besar como niña de la colonia del Valle y te acostabas con tu novio y todo" (*Gazapo*).

Para no alargarla más, entramos al cine y fuimos arriba. Allí había puro cuate, puro rebelde y ninguna sola vieja. Como si a la entrada hubieran puesto algún letrero que dijera que los hombres arriba y las mujeres abajo o algo por el estilo... no perdía las esperanzas de echarme un ligero caldo con alguna... Antes de empezar la película era un auténtico relajo, un vil desmadre, como se dice vulgarmente. Las pandillas gritaban: ¡Aquí la Guerrero! ¡Aquí la Roma! ¡Chinguen a su puta madre los putos ojetes de la Narvarte! No sé a qué se debe que seamos tan odiados. ¡Los nacos de la Guerrero nos vienen a pelar la verga! O los gritos entre los gritos: ¡Todas las viejas de abajo son una bola de putas, culeras! ¡Ya llegó su padre, Hijos de la Chingada!; y luego un cuate con voz de trueno gritando: ¡Chingue a su madre el que no ladre!, y todo el pinche cine ladra y ladra, creo que hasta las viejas, menos yo porque no le hago caso a cualquier pendejo. Y yo por acá y por allá, allende y acullá, saludando a cuates de la prepa: al Malhecho, el Chiras a Germán, el pianista del conjunto de la prepa llamado los Boppers, al Greña Brava, al Mechas de Indio, al Solícito, en fin, a todos los seguidores de Elvis y el rock (*El rey criollo*).

En esta cita se advierte primero que las diferencias de clase se establecen con base en la sexualidad: los chavos de distintas colonias son insultados como "putos" o como "ojetes"; los de clase alta —mejor dicho media pues pertencen a la colonia Roma y a la Narvarte— son "ojetes-putos" para los de la Guerrero. Y los de la Guerrero son "nacos" y "les pelan la verga" a los de Narvarte. Las "viejas" son todas "putas", al parejo. En última instancia, esta sexualidad de machismo en donde la "verga" es el máximo distintivo de virilidad, y el más indigno es el que asume el papel de "rajado" o "rajada", los "ojetes" y las "viejas". Las "chavas" de la colonia del Valle, clase media alta, educadas en colegios de monjas son hipócritas y mantienen una "decencia" ficticia (*Obsesivos días circulares*); las clases altas se desenfrenan con mayor facilidad y las "chavas fresas" que se "alivianan" se vuelven viejas onderas, sin dejar por eso de ser putas, aunque se "azoten" o se "aprieten". La disipación y el libertinaje de los fresas se limita al sexo. Su *status* se marca mejor por la posesión de objetos *in*, carros último modelo, ropa a la moda, estereofónicos, discos muy modernos, etcétera. *Chin Chin el Teporocho*, de Armando Ramírez, es el representante de la onda "naca", de la onda tepitera, de barrio bajo, de la onda que maneja una escritura en donde hasta la transcripción tipográfica conserva la mala ortografía como testimonio crítico. *Las jiras*, de Arana, se inicia como advertencia para hacer la crítica "del infralenguaje que han adoptado gran parte de los jóvenes mexicanos, y del mal castellano que hablan sus padres, maestros y rectores".

El lenguaje de la Onda implica una crítica social, pero la posición de quienes la ejercen demuestra claramente que la clase social de los jóvenes es ambigua como tal y que las diferencias de clase siguen marcándose. ¿Podría ser de otro modo?

La pertenencia a un grupo mundial, los jóvenes, los identifica. La pertenencia a una clase específica los desidentifica. Idioma universal por ser roquero, ácido, ondero. Idioma cercenado por su desterritorización y por su procedencia. El albur ha pasado a la onda, se ha extendido, pero la clase social que lo produjo permanece en Tepito, en el barrio marginado, y las contradicciones sociales no se borran por adoptar el idioma. En todo caso, el idioma revela, como en otras partes del mundo, la desacralización tanto del idioma blasfemo como la del idioma considerado obsceno. Lo soez se ha vuelto cotidiano y el lenguaje de la onda ha mimetizado su proceso.

La mimetización refleja otro proceso: La literatura popular y el lenguaje popular ingresan al ámbito de la llamada literatura "culta" y esto que pasa en todo el mundo se refleja especificamente en México mediante la onda. "El *pop art* —dice Dorfles— tiene el privilegio de haber entrado en contacto, a través de algunos de sus elementos constitutivos, con el mundo de todos, de haber intentado al menos recuperarse, de dejarse influir por este mundo..." En México, la onda tiene relación con el fenómeno del *pop art*, pero no se asoma por casualidad a lo popular, en todo caso es un resultado de un proceso efectuado a nivel mundial que repercute y que permite una nueva utilización del lenguaje que ha trascendido su ámbito. La validez de esta corriente literaria está en función de su capacidad de reflejo de una realidad, pero aunque dialécticamente está destinada a ser transitoria en su modalidad, como es transitorio el mundo que refleja, es evidente que su eficacia lúdica, hedonística y también, en ocasiones, su capacidad desmitificadora, determinan un momento importante de nuestra narrativa.

# NOTICIA BIBLIOGRÁFICA

"De pie sobre la literatura mexicana", en *La lengua en la mano*, México, Premiá, 1983; originalmente apareció en *Revista de la Universidad*, México, julio de 1977.

"Santa": "Santa y la carne", originalmente en *Sábado*, suplemento cultural de *Unomásuno*, febrero de 1979, y "La atracción apasionada: Santa oye el Grito", en *Vogue*, septiembre de 1980; ambos en *La lengua...*, *op. cit.*

"*La sombra del caudillo*, una metáfora de la realidad política mexicana", inédito.

"¿Por qué miscelánea?: Alfonso Reyes", en *La lengua...*, *op. cit.*; originalmente en *Sábado*, suplemento cultural de *Unomásuno*, diciembre de 1981.

"Apuntes sobre la obsesión helénica de Alfonso Reyes", en *NRFH*, núm. 2, t. XXXVII, 1989.

"Un buen equilibrista: Julio Torri", en Serge Zaitzeff, comp., *Julio Torri y la crítica en los años ochenta*, Guadalajara, Universidad de Guadalajara/Patronato del Teatro Isauro Martínez/ CNCA/INBA, 1989, originalmente conferencia, septiembre de 1983, dentro del ciclo Los Ateneístas y la Cultura Nacional.

"De nuevo *Al filo del agua*", inédito.

"Juan José Arreola y los bestiarios", en *Repeticiones*, México, Universidad Veracruzana, 1979.

"*Cambio de piel*: Fuentes y las fiestas imposibles", en *Repeticiones*, *op. cit.*; originalmente en *Razón y fábula*, Bogotá, 1969; *Revista de la Universidad*, agosto, 1970.

"Los fantasmas en la obra de Carlos Fuentes": "*Aura*, los vampiros y las brujas", originalmente en *Intervención y pretexto*, México, UNAM, 1980, y "Fantasmas y jardines: *Una familia lejana*", en *Revista Iberoamericana*, junio de 1982.

"El niño y el adulto se vuelven expósitos: Elena Garro", en *Sábado*, suplemento de *Unomásuno*, mayo de 1981.

"Monterroso y el pacto autobiográfico", en Marco Antonio Campos, comp., *La literatura de Augusto Monterroso*, México, UAM, 1988.

"Tito Monterroso: un camaleón", en *La Jornada Semanal*, abril de 1992, con el título: "El camaleón que no sabía de qué color ponerse".

"Bajo el signo de Piscis: Sergio Fernández", en *Repeticiones, op. cit.*; originalmente en *La Cultura en México*, suplemento de *Siempre!*, junio de 1969.

"*Farabeuf*: escritura barroca y novela mexicana", en *Repeticiones, op. cit.*; originalmente en *Barroco*, núm. 3, Minas Gerais, Brasil, 1970.

"Sergio Pitol: ¿el espejo de Alicia?", en *El Ángel*, suplemento cultural de *Reforma*, febrero de 1994.

"José Emilio Pacheco: literatura de incisión", en *Repeticiones, op. cit.*, con el título: "*Morirás lejos* de José Emilio Pacheco: literatura de incisión".

"Las hijas de la Malinche", ahora corregido, apareció en *Debate Feminista*, septiembre de 1992.

"Narrativa joven de México", prólogo al libro de ese nombre, México, Siglo XXI, 1969, y luego en *Repeticiones, op. cit.*

"Onda y escritura: jóvenes de 20 a 33", prólogo al libro de ese nombre, México, Siglo XXI, 1971, y luego en *Repeticiones, op. cit.*

"La Onda diez años después: ¿epitafio o revalorización?", en *Repeticiones, op. cit.*

Esta obra se terminó de imprimir
en el mes de noviembre de 1994
en los talleres de
Multidiseño Gráfico, S.A.
Oaxaca núm. 1
CP 10700, México, D.F.
con un tiraje de 7 000 ejemplares

Cuidado de edición y diseño de portada:
Dirección General de Publicaciones del
Consejo Nacional para la Cultura y las Artes